LA REINE BLANCHE

*Née en 1909 à Château-Chinon (Nièvre), Régine Pernoud, qui a passé son enfance à Marseille, fait ses études à Aix-en-Provence et à Paris où elle entre à l'Ecole des Chartes et à l'Ecole du Louvre. Docteur ès lettres avec une thèse sur l'histoire du port de Marseille au XIII*e* siècle, elle consacre désormais ses travaux au monde médiéval.*

A son premier ouvrage — Lumière du Moyen Age *(1945) — est décerné en 1946 le Prix Femina-Vacaresco de critique et d'histoire. Suivront les deux tomes d'une* Histoire de la bourgeoisie en France *(1960-1962), puis diverses études notamment sur* Les Croisés *(1959), vus dans leur vie quotidienne :* Les Croisades; Les Gaulois; *la littérature médiévale et de grandes figures de l'époque :* Aliénor d'Aquitaine *(1966),* Héloïse et Abélard *(1970),* La Reine Blanche *(1972),* La Femme au temps des cathédrales *(1980),* Christine de Pisan *(1982).*

Régine Pernoud, qui a commencé sa carrière au Musée de Reims *et a été conservateur aux* Archives Nationales *où elle a réorganisé le Musée de l'Histoire de France, dirige actuellement le* Centre Jeanne-d'Arc à Orléans.

Inquiétudes à l'Est, remous dans le Proche-Orient, effervescence dans le monde des étudiants, réforme de l'Eglise, et jusqu'à la peur de la drogue, ces problèmes de notre temps ont été aussi ceux qui préoccupèrent notre XIII*e* siècle. Et une femme domine le XIII*e* siècle, au moins dans sa première partie : Blanche de Castille. Il est frappant pour nous de voir cette femme assumer la charge du royaume et mener résolument une politique différente de celle des rois qui l'avaient précédée.

Blanche de Castille, dont les manuels d'histoire ont figé la physionomie en quelques anecdotes stéréotypées, est ici étudiée, non pas seulement d'après les œuvres littéraires — eussent-elles le charme et la saveur d'authenticité de celle de Joinville — mais autant que possible d'après les textes proprement historiques : enquêtes, correspondances, traités, rôles de comptes, etc. De cette étude rigoureuse se dégage une silhouette contrastée : celle d'une forte personnalité féminine — à l'image de son aïeule Aliénor d'Aquitaine —, une beauté très courtisée en même temps qu'une épouse exemplaire et une mère parfaite, une femme impulsive et ferme, une reine attentive au peuple et passionnée de justice : au total un personnage digne de cette cathédrale Notre-Dame de Paris dont la nef et les tours s'élèvent au rythme de sa propre existence.

ŒUVRES DE RÉGINE PERNOUD

RÉGINE PERNOUD

La Reine Blanche

ALBIN MICHEL

Dédié à Madou

PROLOGUE

BLANCHE de Castille est un de ces personnages de notre Histoire qu'une réputation solidement établie et perpétuée par les manuels scolaires a catalogués sans retour. Son nom provoque des commentaires invariables, — automatiques comme les réflexes dits « conditionnés ». « Mère abusive » est la réaction première dans la plupart des cas, suivie éventuellement de considérations qui la situent entre « marâtre » et « virago ». C'est « une forte tête », « une femme redoutable », une « belle-mère acariâtre », etc. L'impression générale, même si elle n'est pas forcément malveillante, est toujours monolithique : une femme dure, froide, insensible...

Disons-le, les jugements de cette sorte, sans appel comme sans nuances, caractérisent tous les personnages ou à peu près de cette période de mille années à laquelle on persiste à donner — contre toutes les exigences scientifiques sans parler de celles du bon sens — le nom de « Moyen Age ». Il est encore heureux, après tout, que le nom de Blanche figure dans la galerie de portraits à laquelle on réduit ces mille années dans l'enseignement officiel. Car, du point de vue de l'historien, le règne de Blanche de Castille et celui de son fils Saint Louis sont les plus mal connus de toute notre Histoire. *On a dressé le catalogue complet des actes émanant des rois qui précèdent, et de ceux qui suivent, — mais rien n'a été fait pour le demi-siècle qu'ils occupent — et quel siècle ! Celui des cathédrales et des Sommes, des châteaux et des foires, de l'Université et aussi de l'Inquisition.* Une seule étude scientifiquement menée sur Blanche, et qui reste passablement lacunaire, celle d'Élie Berger parue en 1895 ; pour Louis, on en est réduit à l'ouvrage de Le Nain de Tillemont, qui remonte à la fin du XVIIe siècle et n'a été édité qu'en 1847. C'est tout, en dehors des récits hagiographiques. Nous ne pouvons avoir, de l'ensemble du règne, que cette connaissance forcément gauchie et déformée qui émane des textes littéraires ; encore le principal d'entre eux, l'Histoire de Saint Louis, de Joinville, n'a-t-il jamais eu les honneurs d'une édition critique.

C'est assez dire que, du point de vue de l'érudition, tout — presque tout — reste à faire ; et l'on se doute qu'une étude scientifiquement menée réserverait des surprises*.

En fait, la première fois que Blanche figure dans un texte, c'est sous un aspect qui contredit radicalement l'image classique.

Une petite fille en larmes que son entourage essaie vainement de consoler : telle apparaît Blanche au moment où elle entre dans l'Histoire. Une

---

* Ce n'est certes pas faute de documentation ; le seul « Trésor des Chartes » aux Archives nationales renferme plus de 1 000 originaux : actes de gestion et d'administration du domaine, traités, ventes, donations, etc., dont une moitié concerne la période du règne à laquelle Blanche est associée. Les matériaux abondent pour permettre une étude exhaustive de ce règne.

fillette plongée dans le chagrin, on ne sait pourquoi, et qui pleure comme on peut pleurer à cet âge : elle a douze ans.

L'épisode émane d'une biographie en laquelle les érudits s'accordent à reconnaître le modèle du genre : la Vie de saint Hugues, évêque de Lincoln, rédigée par un contemporain, Adam, abbé de Eynsham, — une œuvre unique par l'exactitude et l'abondance des détails qui font de chaque scène un vivant tableau, avec une saveur de Légende dorée.

Hugues de Lincoln — comme beaucoup d'Anglais de ce temps, c'est un pur Français, natif d'Avalon en Dauphiné — est de passage à Paris. Il vient de Saint-Denis où les étudiants de la Cité parisienne se sont portés en corps à sa rencontre car c'est un savant et un théologien de grande renommée. Accueilli par l'évêque de la ville, il reçoit la visite du fils et héritier du roi, le jeune Louis de France. Celui-ci — il a treize ans — lui demande de venir voir sa petite épouse, Blanche de Castille. Leur mariage a été célébré un mois plus tôt. Or, voici que depuis plusieurs jours Blanche pleure, en proie à un chagrin dont on ignore la cause. Hugues se rend aussitôt au palais de la Cité qui n'est pas très éloigné de sa résidence ; il va trouver Blanche, lui parle seul à seule. Et la fillette sèche ses larmes, se rassérène, et sourit à nouveau, son chagrin dissipé comme un nuage. « Elle se montra désormais des plus joyeuses, de cœur et de visage. »

La Vie de saint Hugues est semée de traits de ce genre, dignes des Fioretti de saint François : on racontait qu'à sa vue les enfants souriaient, y compris les nourrissons portés au bras qu'on lui présentait pour les faire bénir. Et son pouvoir de sympathie s'étendait aux animaux même, — car on n'évoque pas le saint évêque sans parler de ce cygne apprivoisé qui le suivait partout quand il était à Lincoln et n'acceptait à manger que de sa main.

Il serait tentant d'imaginer l'entretien qui a pu avoir lieu entre l'évêque — c'est alors un homme d'âge respectable, soixante ans ou davantage — et la fillette. Mais faut-il parler de fillette ? Blanche a douze ans ; c'est un âge auquel les filles sont alors considérées comme majeures et pouvant disposer de leur personne*. Hugues, qui a passé toute sa vie à la Grande-Chartreuse avant de venir fonder celle de Witham en Angleterre, puis d'être appelé à la tête du diocèse de Lincoln, n'a certes pas eu beaucoup d'occasions d'approfondir la psychologie féminine, en dehors de ce que lui dicte son intuition personnelle, mais on peut être sûr qu'il ne s'est pas adressé à elle comme à une enfant ; il n'aura pas cherché à la consoler avec quelques gentillesses.

Blanche sera reine ; c'est pour faire d'elle une reine qu'on est allé la chercher dans sa Castille natale, qu'on lui a fait franchir les Pyrénées et suivre la longue route jusqu'en Normandie où son mariage a été célébré.

Être reine, à l'époque, ce n'est pas jouer un rôle décoratif. C'est se vouer à une tâche exigeante, prendre une part active à l'administration du royaume, et parfois l'assumer seule. Blanche, qui vient d'accomplir ce voyage des bords de l'Èbre aux bords de la Loire aux côtés de sa grand-mère Aliénor d'Aquitaine, a pu, des récits que celle-ci lui aura faits, tirer quelques leçons : Aliénor, au cours de son existence, a tenu tête à l'empereur, défié le pape, arraché son fils Richard à la prison,

---

* Les garçons ne sont majeurs qu'à quatorze ans : on tient compte, à l'époque, de ce que la maturité est plus précoce chez les filles que chez les garçons.

12

déjoué les embûches que lui avait tendues le roi de France... Et la mère de Blanche, Aliénor de Castille, n'aura pas montré aux côtés de son époux moins d'énergie, dans leurs châteaux de Palencia ou de Burgos, où, du haut des tours, à tout instant, les guetteurs sont prêts à donner l'alarme à l'approche des Maures, les vainqueurs du jour. Des reines, l'histoire dans laquelle on l'a instruite lui en offre maints exemples vécus, proches ou lointains : les dures et les frivoles, celles qui connurent l'exil ou la prison, celles qui furent aimées ou détestées, heureuses ou solitaires, — aucune n'a choisi son destin, mais il a dépendu de chacune d'avoir un grand destin.

Leur naissance les a d'avance désignées à faire ce qu'elles n'ont pas choisi. Blanche n'a pas choisi d'être l'épouse de Louis, — pas plus d'ailleurs que Louis d'être l'époux de Blanche. Mais un grand rôle l'attend : elle a été amenée pour être, entre deux royaumes, un gage de paix. La tâche ne sera pas facile. Il est bien naturel que craintes, regrets, appréhension se soient emparés d'elle, au moment où s'ouvre pour elle une nouvelle vie. Il faut reconnaître aussi que ni son oncle Jean, le roi d'Angleterre, ni son beau-père Philippe, le roi de France, n'ont une allure très rassurante pour une petite fille ; — que le palais de la Cité peut paraître sombre, en ce printemps pluvieux, après Palencia aux murailles éclatantes et baignées de soleil ; — que la vie à la cour de France peut sembler austère, après la cour de Castille, si accueillante, tenant table ouverte aux troubadours.... Mais cette existence qui va être la sienne, il lui faut l'accepter, quitte à la rendre acceptable, plus tard, peu à peu : et ce n'est pas en pleurant qu'elle y parviendra. Une reine ne pleure pas. Trop de gens dépendent d'elle, attendent d'elle leur bonheur à eux : son époux, ses peuples ; c'est à eux qu'elle doit penser d'abord et avant tout. On ne devient une grande reine qu'en s'oubliant soi-même : n'est-on pas voué, de toutes façons, à une tâche qui vous dépasse ? Cette tâche, c'est d'assurer la paix. Car les rois font régner la justice, mais ce sont les reines qui font régner la paix.

1

LE CARRÉ DE DAMES

Au tournant du XIIIᵉ siècle, l'an 1200, ce sont les femmes qui font l'Histoire. Une Histoire chargée s'il en fut. Durant toute la période féodale — celle qui commence avec le règne d'Hugues Capet et s'achève avec Philippe le Bel et ses fils — on trouverait difficilement une période plus troublée que celle des premières années de la reine Blanche à la cour de France, celles qui firent de la fillette une femme.

Toute sa vie allait être marquée par les événements dramatiques qui se déroulèrent entre sa douzième et sa vingtième année ; son règne tout entier allait être consacré à dénouer et apaiser les violences qui l'agitèrent. Et ces violences sont provoquées (bien involontairement parfois, il est vrai) par des êtres qui se nomment Aliénor, Isabelle, Constance, Isambour.

A l'époque de sa rencontre avec Hugues de Lincoln[1], Blanche n'est cependant qu'une petite fille sans histoires. Elle est née douze ans plus tôt, le 4 mars 1188, au château de Palencia, en Castille, où elle a passé la plus grande partie de son enfance. Sa mère, Aliénor de Castille, avait dû lui raconter souvent comment elle-même avait quitté les parages de son enfance : Poitiers, l'Angleterre, la Normandie où elle était née, pour venir en Castille épouser le roi Alphonse VIII, celui qu'on appelait le Noble. Sa mère, Aliénor d'Aquitaine, l'avait accompagnée. Mais Blanche ne pouvait deviner qu'un jour cette même reine Aliénor d'Angleterre viendrait à son tour la chercher pour accomplir en sens inverse le pèlerinage de sa vie.

La cour de Castille était joyeuse et mouvementée. On y rencontrait tout ce qui comptait à l'époque en fait de troubadours. Blanche, dans son enfance, avait entendu chanter Giraut de Borneil, Uc de Saint-Circ et Folquet de Marseille avant que celui-ci ne se fît moine à l'abbaye du Thoronet. Avec ses deux sœurs, elle avait ri d'apprendre que Guilhem de Berguedan soupirait pour sa mère à qui il adressait poème sur poème. Avec elles, elle avait applaudi Guiraut de Calanson, Perdigon et le fameux Peire Vidal ; et elle faisait partie de ces « donzelas » qui, à la cour d'Alphonse, s'étaient empressées d'apprendre par cœur une chanson de Raimon Vidal de Bezalu, *Castia-gilos* ; ce roi de Castille de la chanson, qui

> *De prix était couronné*
> *Et de grand sens et de liesse*
> *Et de valeur et de prouesse*

— c'était son père ; et cette reine, modeste, vêtue splendidement d'un manteau de soie vermeille, ourlé d'argent et brodé d'or, c'était sa mère[2].

Alphonse et Aliénor formaient un couple heureux. Leur cour était la plus lettrée d'Europe — surtout depuis que s'était dissoute celle de Poitiers — et, n'eût été la perpétuelle menace sarrasine sur la Castille, la plus joyeuse.

Cette menace sarrasine, Blanche l'avait ressentie encore tout enfant : elle avait sept ans quand les armées de son père avaient été défaites sur le champ de bataille d'Alarcos. Deux ans plus tard, sa sœur aînée, Bérengère, les avait quittés pour épouser le roi Alphonse de León. Toutes trois étaient promises à d'illustres alliances, et Blanche n'avait guère été surprise lorsque, dans les premiers jours de l'an 1200, on avait appris que sa sœur, Urraca, allait épouser l'héritier de France, le jeune Louis. Au cœur de l'hiver castillan, quand le vent souffle sur la pierre implacablement blanche des églises et des châteaux, la reine Aliénor d'Angleterre — quatre-vingts ans, mais toujours cette allure d'amazone affrontant les tempêtes — était arrivée à Palencia, avec l'archevêque de Bordeaux, Élie de Malemort, et toute une suite de chevaliers, d'archers et de clercs. Blanche avait vu venir avec une intense curiosité cette grande dame dont le renom remplissait l'Occident : n'avait-elle pas été tour à tour reine de France et d'Angleterre ? n'avait-elle pas chevauché en Orient contre les infidèles ? les plus grands troubadours n'avaient-ils pas célébré ses mérites ? l'empereur germanique lui-même ne s'était-il pas incliné devant elle lorsqu'elle était venue en personne lui réclamer la liberté de son fils, le roi Richard ?

Et voilà qu'à présent, la vieille reine faisait son apparition à la cour de Castille.

Elle y avait prolongé son séjour pendant plusieurs semaines. D'abord sombre et comme ravagée par des soucis dont tout autre qu'elle eût été accablé — elle venait de perdre Richard, son fils bien-aimé, et ne pouvait voir sans appréhension son dernier fils, Jean sans Terre, lui succéder —, elle avait paru se détendre peu à peu en retrouvant sa fille, ses petits-enfants et cette atmosphère aimable de la cour de Castille. Elle s'entretenait souvent avec ses petites-filles et semblait se prendre d'amitié pour elle, Blanche. Un jour, avec stupeur, celle-ci avait appris que c'était elle et non sa sœur qu'on invitait à venir en France épouser le jeune Louis. Pourquoi ? L'entourage de la reine Aliénor avait prétexté que les Français ne pourraient s'habituer au nom d'Urraca alors que Blanca deviendrait tout naturellement : Blanche. Ce n'était guère là qu'un prétexte, et chacun le sentait. Pour faciliter les choses, des envoyés furent adressés à la cour du Portugal et Urraca se retrouva fiancée à l'héritier du trône.

Quelque temps après Pâques, Blanche, à peine remise de son étonnement, s'était trouvée sur les routes, chevauchant aux côtés de la litière sur laquelle voyageait la reine Aliénor. Aux étapes, sa grand-mère lui parlait volontiers et la préparait à son rôle. Elle lui décrivait son futur époux : un jeune garçon, à peine plus âgé qu'elle — douze ans ou environ — ; Aliénor l'avait aperçu lorsqu'elle était allée prêter hommage à son père, le roi Philippe. Blond et mince, peut-être un peu fragile, de beaux traits et un regard clair qu'il devait tenir de sa mère, la douce Isabelle de Hainaut ; peut-être aussi ressemblait-il à son grand-père, ce roi de France, Louis VII, qui n'était autre que le premier époux d'Aliénor*. On le disait studieux et appliqué aux lettres ; son père lui avait fait donner d'excellents précepteurs. Blanche allait pouvoir avec ceux-ci compléter son éducation. Le prince avait en particulier auprès de lui, désigné pour l'instruire, un maître de ces écoles parisiennes dont l'activité intellectuelle était fameuse, nommé Amaury de Bène.

La reine se montrait plus réservée lorsque

* En renvoyant au Tableau généalogique, rappelons ici qu'Aliénor d'Aquitaine avait épousé le roi de France Louis VII, puis le roi d'Angleterre Henri Plantagenêt.

18

Blanche lui posait des questions sur son futur beau-père, le roi Philippe de France, et évitait de répondre si la fillette lui en posait d'autres sur son propre fils, le roi Jean d'Angleterre. En revanche, un nom revenait sans cesse sur ses lèvres, celui de Richard, que la chrétienté appelait le Cœur de Lion. Elle lui disait les prouesses qu'il avait accomplies en Orient, à Saint-Jean-d'Acre ou à Jaffa ; elle récitait ses poèmes, racontait comment l'excellent musicien qu'il était ne pouvait souffrir d'entendre mal chanter et un jour, dans un monastère, s'était mis à parcourir de long en large le chœur en marquant le rythme de la semelle de ses bottes, pour inciter les moines à mieux unir leurs voix. Elle disait comment, à l'âge même de Blanche — douze ans —, il avait reçu l'hommage des barons limousins et s'était vu passer au doigt l'anneau de sainte Valérie dans la cathédrale de Limoges. Elle décrivait la belle tunique de soie rose, brodée de croissants d'argent, qu'elle-même, Aliénor, avait fait exécuter pour son mariage à Chypre, avec la reine Bérengère.

Aliénor et Blanche avaient fait ensemble étape à Bordeaux ; la vieille reine avait évoqué son propre mariage dans cette ville à la cathédrale Saint-André et les festins qui avaient suivi dans le palais de l'Ombrière où précisément elles se trouvaient à l'étape. Quand soudain des messagers avaient fait irruption dans la chambre. L'un d'eux avait dit quelques mots à voix basse, et Blanche avait vu sa grand-mère pâlir et chanceler. On venait lui annoncer qu'un certain Mercadier venait de trouver la mort dans une rixe qui pour une cause inconnue avait éclaté entre des routiers de sa compagnie et ceux d'un autre chef de bande, Brandin. Mercadier, à la tête d'une compagnie d'archers, avait été longtemps au service du

roi Richard et venait de lui faire escorte en Castille. Franche canaille comme tous ces routiers,
gens de sac et de corde, qui faisaient de la guerre
leur métier et de leurs pillages autant d'exploits,
il n'en avait pas moins servi fidèlement son fils. Il
était à ses côtés lorsque, sous les murailles du
château de Châlus, Richard avait reçu la flèche
qui le frappait à mort. Cette pénible nouvelle,
reçue au moment de sa rentrée dans le royaume
de France, au moment où elle ramenait l'héritière
de son choix, dut paraître à Aliénor de mauvais
augure.

Depuis la mort de Richard, sortie du couvent
de Fontevrault qu'elle avait élu pour retraite dernière, Aliénor s'employait avec toute son énergie
retrouvée à sauver ce qui pouvait encore être
sauvé du royaume des Plantagenêts. Elle ne se
faisait aucune illusion sur la valeur de son fils
Jean, celui que l'Histoire allait appeler Jean sans
Terre. La reine avait eu cinq fils de son deuxième
époux Henri II Plantagenêt. Le malheur avait
voulu que les quatre aînés succombassent, laissant à leur cadet le lourd héritage de l'Angleterre,
des possessions normandes et de l'ouest de la
France, Poitou et Guyenne, qui faisaient des Plantagenêts la dynastie la plus riche et possédant les
territoires les plus étendus. Mais Jean n'avait pas
l'étoffe d'un roi. Intelligent, certes, comme tous
les enfants d'Aliénor, mais portant à l'extrême
cette instabilité qui avait déjà fait le malheur de
son père ; incapable, et de tenir parole aux autres,
et de s'en tenir pour lui-même à une résolution.
C'était là un vice majeur en un temps où tout
l'équilibre d'une société reposait sur la parole
donnée, sur les engagements d'homme à homme,
où un roi ne pouvait être fort ni de son administration, ni de son armée, ni des finances de l'État,
mais uniquement de la fidélité des autres sei-

20

gneurs en son royaume. Avec cela, Jean, dans sa personne, était inquiétant même pour sa propre mère en dépit de toute la déférence qu'il lui témoignait : depuis l'âge de sept ans, il refusait la Sainte Communion ; il devait être dans l'Histoire le seul roi d'Angleterre à ne pas recevoir les sacrements lors de son couronnement ; en revanche, comme beaucoup d'incroyants, il était superstitieux. Eût-il vécu deux ou trois siècles plus tard, il se fût sans aucun doute adonné à la magie ou à la sorcellerie. A Hugues de Lincoln qui l'exhortait à se montrer digne de ses prédécesseurs sur le trône d'Angleterre, il avait désigné son amulette, une pierre précieuse qu'il portait suspendue au cou : « Cette pierre me vient de mes ancêtres et celui qui la possède possédera de même le royaume », avait-il répondu. Sur quoi, l'évêque l'avait exhorté à mettre sa confiance non en une pierre inerte, mais en une pierre vive : Jésus. L'admonestation était demeurée sans effet. Quelques jours plus tard, pour Pâques, au moment où, selon la coutume, au cours de la messe, le chambellan lui avait remis les douze pièces d'or que traditionnellement le roi devait donner à l'offrande ce jour-là, Jean, au lieu de déposer les pièces d'or devant l'évêque, n'en finissait plus de les regarder amoureusement, comme s'il eût été incapable de s'en séparer. Levant les yeux vers Hugues, il avait soupiré : « Il y a seulement quelques jours, au lieu de vous les donner, je les aurais empochées ! A présent, prenez-les. » Hugues, rougissant de l'affront, s'était détourné et finalement le roi avait jeté les pièces d'or dans le plateau des offrandes[1]. On citait de lui mille traits du même genre, sordides et incongrus, et l'on répétait aussi que le jour où, dans la cathédrale de Rouen, il venait d'être investi du duché de Normandie, au moment où l'archevêque plaçait dans sa main la lance qui était l'insigne de sa dignité, Jean avait laissé échapper cette lance, qui était tombée à terre : mauvais présage pour l'avenir de la province.

Aussi bien Aliénor s'était-elle ingéniée à multiplier les gestes qui pouvaient préserver le royaume des Plantagenêts. Avant tout, elle était allée faire hommage au roi de France en tant que suzerain pour ses possessions du continent. A Tours, au mois de juillet précédent, elle avait fait ce geste de l'hommage, en vassale irréprochable qui obligeait son suzerain à lui garantir sa protection ; en même temps, consciente de la force nouvelle qui s'était révélée au cours du siècle et s'affirmait à présent : la bourgeoisie des villes, elle avait parcouru les principales villes de l'ouest de la France, distribuant partout les franchises que les bourgeois réclamaient et exigeant d'eux en revanche une aide armée pour le cas où son fils en aurait besoin. Mais voyant plus loin encore, elle avait agi de tout son pouvoir et en personne pour préparer l'avenir du royaume ; et c'était pourquoi elle avait franchi les Pyrénées afin de ramener en France l'héritière de son choix. Ainsi le royaume ne serait-il pas entièrement perdu pour les Plantagenêts puisque, même si ce royaume échappait à Jean sans Terre (Jean n'avait pas d'enfant de la femme, d'ailleurs insipide, qu'il avait épousée, Havise de Gloucester), quelqu'un de son sang assurerait la continuité et peut-être accomplirait ce qui avait été en d'autres temps le rêve d'Aliénor : réunir sous une même couronne France et Angleterre.

Et c'est ainsi que Blanche, à douze ans, allait être solennellement unie à Louis, prince et héritier de France, le 23 mai 1200. Les chroniqueurs ont conservé dans les termes qu'ils emploient pour parler d'elle quelque chose de l'enthousiasme qui devait la saluer à son arrivée : n'était-elle pas, entre deux rois rivaux, un gage de paix ? Blanche était belle, avec un regard droit et clair. Ses contemporains ne nous l'ont pas décrite ; ils se sont contentés de célébrer sa beauté et de jouer sur un nom qui, selon leur témoignage, lui aurait parfaitement convenu. « *Candida candescens candore et cordis et oris*[3]. » Ce qu'on pourrait traduire, faute de mieux : « Candide en sa candeur, blanche de cœur et de visage. »

La reine Aliénor n'assistait pas aux épousailles : au passage, elle avait regagné sa retraite de Fontevrault, laissant à l'un des grands personnages de l'escorte, l'archevêque de Bordeaux, Élie de Malemort, le soin d'accompagner Blanche et de présider à son destin royal.

Auparavant Blanche avait pu, au cours des longs entretiens avec sa grand-mère, prendre pleinement conscience de ce qu'elle représentait aux yeux de ceux qui allaient l'accueillir. Elle savait qu'entre les rois de France et les Plantagenêts, bien des inimitiés n'attendaient qu'un prétexte à renaître. Le roi de France Philippe n'avait jamais caché ses ambitions sur la Normandie, terre anglaise ; n'avait-il pas tenté de faire main basse sur les châteaux qui la protégeaient alors que le roi Richard était absent, prisonnier de l'empereur germanique ? La propre dot de Blanche n'était-elle pas constituée par la ville d'Évreux et le pays environnant, pomme de discorde entre les deux rois ? Philippe-Auguste s'en était emparé l'année précédente et l'on n'avait pas trouvé d'autre moyen terme que d'en faire don à sa belle-fille, en plus des fiefs d'Issoudun et de Graçay dans le Berry, cadeaux de Jean sans Terre à sa nièce.

La cérémonie du mariage s'était déroulée avec tout le faste souhaitable, mais non sans quelques bizarreries. Le roi Jean n'y avait pas assisté. Pourquoi ? Parce qu'il était allé se mettre lui-même en otage sur la terre du roi de France. C'est à l'abbaye de Port-Mort, en Normandie, terre anglaise, que les noces avaient été célébrées. Pourquoi ? Parce que — et la raison n'en avait pas été donnée à Blanche sans un certain embarras — le royaume de France était frappé d'interdit.

Interdit : ce mot qui nous plonge dans une époque fort différente de la nôtre mérite quelques explications. En un temps de foi générale, l'Église disposait de deux armes contre les pêcheurs publics qui avaient enfreint des usages alors unanimement reconnus : l'excommunication et l'interdit ; la première retranchait ces pêcheurs de la communion des fidèles ; quant à l'interdit, il frappait les puissants du jour qui avaient mérité l'excommunication : sur les territoires relevant de leur pouvoir, il était désormais « interdit » de célébrer solennellement des offices, voire même de distribuer les sacrements ou de sonner les cloches des églises.

Or, le 13 janvier précédent, le légat du pape avait jeté l'interdit sur le royaume de France. La cause : une femme.

Un drame s'était passé à la cour de France. Philippe-Auguste, veuf de sa première femme Isabelle, avait demandé et obtenu la main d'Isambour, la sœur du roi de Danemark Knut VI (celle que les manuels s'obstinent à appeler Ingeburge) ; il l'avait solennellement épousée à Paris le 15 août 1193. Que se passa-t-il la nuit suivante ? On ne l'a jamais su. Toujours est-il que dès le lendemain, voyant paraître sa jeune femme, — que chacun, au demeurant, s'accordait à trouver des plus gracieuses, — le roi Philippe fut pris de sueurs froides et d'un tremblement nerveux et que, dès cet instant, il déclara son intention de la répudier. C'est l'une des énigmes de notre Histoire*.

Quoi qu'il en soit des particularités physiques de la princesse danoise, le roi allait se conduire d'une façon inexcusable ; non seulement il refusa de traiter désormais Isambour comme sa femme, mais encore, n'entendant pas se priver de femme, il jugea expédient d'emprisonner son épouse légitime ; puis il chercha un prétexte pour obtenir le divorce, découvrit qu'Isambour était parente de sa première femme, Isabelle de Hainaut, et s'empressa d'épouser Agnès de Méranie, fille d'un prince d'Empire (et qui d'ailleurs, elle, était bel et bien sa parente à un degré prohibé). Il avait trouvé des prélats complaisants pour déclarer nul le premier mariage et célébrer le second. Mais Isambour fit appel au pape qui ne put que soutenir sa cause. Célestin III s'en tint à des exhortations et des interdictions verbales. Lorsque Innocent III lui succéda sur le trône de saint Pierre, l'affaire traînait depuis deux ans déjà (le mariage de Philippe et d'Agnès avait été célébré le 7 mai 1196). Les objurgations du pape au roi se firent alors plus pressantes et, comme Philippe se montrait irréductible, l'interdit fut jeté sur le royaume. En vain, pris au jeu, le roi Philippe-Auguste tenta-t-il de résister ; pour un prince, à l'époque, l'interdit était une sanction redoutable : la population se voyait privée de sacrements et le

---

* Un seul homme eût peut-être sympathisé avec le roi en la circonstance quoique pour des raisons fort différentes et qui, au demeurant, ne nous échappent pas moins que celles du roi : ce moine de la Grande-Chartreuse, par ailleurs saint homme, dont le biographe d'Hugues de Lincoln nous raconte l'histoire et qui, ayant reçu de son prieur la mission d'aller fonder un couvent au Danemark, avait refusé tout net et parcourait les couloirs et le cloître du monastère en criant : « Seigneur, délivre-moi du Danemark. »

simple fait que les cloches des églises eussent cessé de sonner entraînait toutes sortes de répercussions, car elles rythmaient alors la vie quotidienne, appelaient au travail et à la prière, signalaient les jours de fêtes et faisaient des joies ou des peines privées autant de réjouissances ou de deuils publics. A Paris, pour tenter de contraindre l'évêque — Eudes de Sully, un grand seigneur pourtant — à demeurer dans le diocèse interdit, Philippe-Auguste lui confisqua ses chevaux : le prélat, résolument, quitta la ville à pied.

Aucune cloche n'allait donc sonner sur le passage de Louis et de Blanche lorsqu'ils franchirent la Seine pour venir habiter le palais de la Cité, et l'interdit allait continuer à peser jusqu'au mois de septembre suivant où, Philippe ayant enfin consenti à se séparer d'Agnès, la sanction fut levée par le pape. Blanche avait pu, entre-temps, faire l'expérience des peines ecclésiastiques et cela en un moment qui marque un tournant de l'histoire de l'Église, — car celle-ci ne va pas tarder à abuser de l'arme qu'elle possède.

Ses premiers mois dans le royaume de France dont elle sait qu'elle sera reine un jour ont eu pour cadre l'Ile-de-France et surtout le palais de la Cité parisienne. Après le mariage en effet, Blanche a fait ses adieux à l'archevêque de Bordeaux, Élie de Malemort, qui l'a escortée depuis son départ de Castille et a béni son union ; puis elle s'est rendue avec son jeune époux et les deux rois de France et d'Angleterre à Paris et à Fontainebleau où ont eu lieu des fêtes que son beau-père, sortant pour une fois de ses habitudes parcimonieuses, a voulu brillantes. La bonne entente semble assurée entre les deux rois ; ils ont réglé d'un commun accord des détails qui laissent probablement la fillette indifférente ; elle n'a pas l'âge d'évaluer ce que représente son douaire, — les trois châtellenies de Hesdin, Bapaume, Lens qu'on lui donne de la part de son époux et qui ne signifient pas pour elle beaucoup plus que la dot normande et berrichonne que son oncle lui a remise.

En revanche le jeune Louis, son compagnon de jeux et d'études en attendant de devenir réellement son époux, a gagné, assez tôt, son affection. Il n'a que quelques mois de plus qu'elle, étant né le 5 septembre 1187. Il est de taille moyenne, blond avec de beaux traits, — le portrait de sa mère, assure-t-on. Lui-même n'a pas connu Isabelle de Hainaut, belle et gracieuse princesse :

...la reine Isabeau
qui gent corps eut et les yeux beaux.

Elle n'avait que seize ans quand elle lui a donné le jour ; morte à dix-huit ans, elle a laissé à tous un souvenir aimable et à l'Histoire un précieux témoignage : son sceau d'argent retrouvé dans sa tombe.

Louis est « un enfant d'heureuse nature[4] », mais de santé délicate. A l'âge de deux ans, peu après la mort de sa mère, il a failli être emporté lui-même par la dysenterie, et son adolescence ne se terminera pas sans une nouvelle alerte : à dix-neuf ans de nouveau ses jours seront en danger. Le contraste est complet entre ce garçon fragile et son père le roi Philippe, avec lequel Blanche se familiarise peu à peu.

Grand et beau fut, et droit et long.
Eut un peu roussais les gernons (moustaches).

Cet homme aux moustaches rousses, au long visage un peu rouge dont l'œil s'allume en présence d'une jolie femme, n'a rien du héros courtois. Un sens pratique jamais en défaut, l'ambition à fleur de peau tempérée par une ruse de renard, c'est aussi un émotif, « facile à émouvoir et facile à apaiser ». Sous son allure de lutteur perce quelque sensibilité : il aime tendrement son fils et aussi ses bâtards, Philippe, Marie, qui sont les enfants d'Agnès de Méranie, et Pierre-Charles qu'il a eu d'une « demoiselle d'Arras ». Les jardins du palais retentissent souvent de cris et de jeux d'enfants — d'ailleurs trop jeunes pour que Blanche les considère comme des compagnons. En revanche, plusieurs demoiselles de son pays l'ont suivie et demeurent avec elle. Peut-être cette Espagnole, Amicie, qu'on nomme familièrement de son diminutif, Mincia, et qui apparaîtra souvent dans les comptes, est-elle parmi ses suivantes. Ses parents d'ailleurs et sa sœur Bérengère, que les textes appellent gentiment Bérenguela, lui envoient souvent lettres et messagers. Blanche toute sa vie demeurera fidèle à cet échange ; à maintes reprises, sur les rôles de comptes, apparaît la mention d'un Rodriguez ou d'un Garcias auxquels on remet de menus cadeaux à leur arrivée ou à leur départ.

Blanche et Louis ont, comme la plupart des féodaux du temps, une jeunesse à la fois sportive et studieuse. Dès leur petite enfance ils ont appris à monter à cheval, ce qui est l'unique façon de se déplacer autrement qu'à pied, à l'époque ; le prince Louis a manifesté d'ailleurs très jeune une vraie passion pour les chevaux ; écrivant vers l'âge de dix ans à son parrain — un respectable personnage, Étienne, évêque de Tournai — il lui a demandé sans façons de lui faire envoyer un beau palefroi, ce que l'excellent homme s'est empressé de faire, non sans accompagner son envoi de toutes sortes de conseils : « mettez toute votre application à étudier les lettres, ce sera utile à vous et à votre royaume, et nécessaire dans les assemblées du palais, pour traiter des affaires du règne, pour la concorde dans la paix, pour la victoire dans la guerre[5] ». Louis, enfant docile, n'a pas manqué de mettre ces conseils à profit ; d'ailleurs le roi Philippe, dont l'éducation sur ce point avait été négligée, se montre exigeant pour son fils. Blanche partage ses études ; elle apprend la grammaire, c'est-à-dire ce que nous appelons les lettres, la musique et aussi ces sciences plus ardues que sont la géométrie et l'astronomie. Certaines filles en son temps acquièrent un savoir qui les rendra célèbres comme cette jeune Grecque nommée Constantina, fille de l'archevêque d'Athènes, qui étonnera les maîtres parisiens par sa virtuosité en arithmétique et en astronomie, étant capable de prédire les éclipses. Sans aller jusque-là, une reine à l'époque ne peut se passer de connaître l'Écriture, le latin et, au moins approximativement, le maniement des formules en usage dans les chancelleries. Si les clercs rédigent la correspondance, beaucoup de dames sont capables de tourner leurs lettres avec une élégance toute personnelle en un temps où on accorde une grande importance à la perfection du style. Et Blanche saura écrire, non seulement en prose, mais en vers ; on lui attribue un poème dont on possède encore la notation musicale :

Amour, où trop tard me suis pris
m'a par sa seigneurie appris,
Douce Dame de Paradis,
Que de vous veuil un chant chanter,

Pour la joië qui peut durer
Vous doit-on servir et aimer...
Vierge-reïne, fleur de lys[6].

Le prince Louis doit de plus apprendre à manier l'épée et la lance, et c'est le maréchal Henri Clément, fidèle serviteur de la famille royale, qui a été commis par son père à diriger cet apprentissage guerrier. Enfin, la chasse est pour les deux adolescents à la fois plaisir et étude, car, les traités de vénerie en témoignent, il faut un œil exercé et une expérience avertie pour suivre à la trace les bêtes sauvages que l'on traque ; la chasse est à l'époque l'un des « ébattements » favoris de la jeunesse, avec la danse ; Blanche et Louis auront eu souvent, dès leur plus jeune âge, l'occasion de suivre les chasses dans la forêt de Fontainebleau ou autour de Senlis, ou encore tout près de Paris, dans le bois de Vincennes peuplé de cerfs et de biches que le frère aîné de Jean sans Terre, Henri, a jadis lâchés en guise de cadeau au roi Philippe lors de son avènement.

Cette éducation partagée, ces habitudes de vie prises ensemble atténuent un peu le caractère brutal de ces unions imposées qui restent courantes dans les familles seigneuriales : au lieu de se marier parce qu'on s'aime, on s'aime parce qu'on est marié ; du moins l'enfance vécue côte à côte a-t-elle créé une intimité entre deux êtres promis l'un à l'autre ; dans le cas présent la promesse a été pleinement agréée.

Les compagnons de jeux et d'études ne manquent pas ; la cour royale rassemble les enfants des principaux barons, à commencer par ceux qui, orphelins, doivent être pris en charge par le suzerain ; ainsi le jeune Thibaut, futur comte de Champagne, y a été accueilli dès l'âge de quatre ou cinq ans ; il a pour Blanche, sa cousine, d'une dizaine d'années plus âgée que lui, des regards émerveillés ; avec lui les deux filles de la comtesse de Flandre, Jeanne et Marguerite, — dont le père Baudouin, en Orient, a été proclamé empereur, et n'a pas tardé à disparaître dans un combat — feront aussi partie du proche entourage de Blanche et de Louis. Surtout, le jeune comte de Bretagne, Arthur, et sa sœur Aliénor, sont leurs familiers — pour peu de temps toutefois ; leur père Geoffroy Plantagenêt, l'un des frères aînés de Jean sans Terre*, est mort jeune : le roi Jean n'est pas sans redouter les droits au trône que peut quelque jour revendiquer Arthur, — revendications qu'entretient en coulisse le roi Philippe, trop heureux que ce garçon lui ait été confié par sa mère Constance, laquelle déteste les Plantagenêts. Personne au reste ne se doute à la cour de France du drame sur lequel se dénouera brusquement une situation qu'on laisse volontairement équivoque. En revanche, il n'est bruit, quelques mois après l'arrivée de Blanche, que des circonstances romanesques dans lesquelles une autre jeune femme a fait son entrée dans l'Histoire.

Il s'agit d'Isabelle, fille du comte d'Angoulême : quatorze ans, l'âge de Juliette, et sa beauté aussi, aux dires des contemporains. Elle était fiancée avec le comte de la Marche, Hugues de Lusignan. Son père aussi bien que son futur époux sont vassaux du roi Jean d'Angleterre puisque le Poitou, comme la plus grande partie de l'ouest de la France, fait partie du domaine des Plantagenêts. Le roi d'Angleterre, après avoir pris congé du roi Philippe lors du mariage de Blanche, s'est mis en devoir de visiter ses domaines continentaux. Une grande réception a été préparée pour lui au châ-

* Voir la Généalogie.

teau de Lusignan. Le comte Hugues lui a présenté à cette occasion sa fiancée, Isabelle d'Angoulême.

Or, quelques semaines plus tard, qu'apprenait-on ? Le roi Jean venait d'épouser lui-même Isabelle, sous les yeux, donc avec la complicité, de son père, le comte d'Angoulême. Le mariage a tout d'un enlèvement ; on a négligé d'en avertir le fiancé légitime, Hugues de la Marche. Du reste, craignant les représailles de ce puissant vassal auquel il a enlevé à la fois sa future femme et l'héritage d'Angoulême qu'il en espérait, Jean a préféré ne pas s'attarder sur le continent : il est revenu précipitamment en Angleterre où il a fait couronner à Westminster, le 8 octobre 1200, la jeune Isabelle.

Parler de stupeur est insuffisant. Les vassaux de Jean, poitevins, saintongeais, aquitains, dépassés par la soudaineté de l'événement, en sont restés sans voix. Un vrai coup de foudre, et qui a mis le roi d'Angleterre en infraction avec toutes les règles du droit féodal. Jamais suzerain ne s'était conduit de la sorte avec ses vassaux. Bientôt, se ressaisissant, Hugues de la Marche protestait contre le double affront que lui avait fait le roi d'Angleterre et réclamait des compensations.

A la cour de France, les événements étaient suivis avec l'intérêt qu'on devine. Philippe ne cachait guère ses ambitions sur le domaine des Plantagenêts. Il y associait Arthur de Bretagne dont le jeune appétit était facilement aiguisé. Ayant forfait à l'honneur féodal, Jean ne leur fournissait-il pas, à l'un comme à l'autre, une occasion inespérée de se manifester ?

L'hiver se passa ainsi dans l'expectative. Hiver calme — du calme qui précède la tempête. Chacun le sentait à l'exception du roi Jean, tout occupé de ses amours. Isabelle avait une aptitude certaine à prendre la vie du bon côté ; elle adorait festoyer, banquets et bals se succédaient dans le palais de Westminster.

Pour Blanche et Louis, cet hiver fut surtout marqué par une triste nouvelle : l'évêque de Lincoln était mort le jour de la Saint-Martin, le 11 novembre. Le saint homme qui avait si bien su consoler Blanche, guérir en elle le mal du pays et l'ouvrir à ses devoirs de future reine et de future épouse, n'avait pu que difficilement regagner sa cité anglaise en revenant de France où l'avait amené surtout le désir d'un dernier pèlerinage en son Dauphiné natal et à la Grande-Chartreuse où il avait dans sa jeunesse trouvé sa vocation de moine. Ses obsèques à Lincoln allaient prendre l'allure d'une manifestation de foule, car il était universellement aimé : longue procession au cours de laquelle on vit deux rois, Jean d'Angleterre et Guillaume d'Écosse, porter le cercueil à la tête d'une vingtaine d'évêques et d'archevêques, d'une centaine d'abbés, d'autant de barons et d'une multitude innombrable de petit peuple.

Cependant, vers Pâques de l'an 1201, le roi Philippe jugea qu'il était temps pour lui de jouer son rôle d'arbitre dans le royaume : le roi Jean n'était-il pas son vassal pour ses fiefs continentaux ? Or, déjà les barons de la lignée de Lusignan, parents du comte de la Marche, commençaient à s'agiter ; à leur tête le propre frère d'Hugues, Raoul d'Exoudun, comte d'Eu, donnait le signal des hostilités. Philippe, qui tenait à épuiser les voies de la conciliation, invita le roi Jean et sa jeune épouse à venir séjourner en Ile-de-France, le temps d'examiner avec sa cour par quel moyen pourraient être apaisées les réclamations des Lusignan. C'est ainsi que Blanche fit la connaissance d'Isabelle à Paris, au mois de juin 1201. Jeune princesse quelque peu émancipée, celle-ci aimait surtout danser tard dans la nuit et avait pour habitude de « prolonger le sommeil du matin jusqu'à l'heure du déjeuner », comme le remarque un chroniqueur du temps, scandalisé[7]. Une forte personnalité, de toute évidence, cette Isabelle d'Angoulême, qui n'avait pas craint de rompre ses fiançailles sans demander l'avis de son partenaire.

Le roi Philippe se mettait en frais et multipliait les marques de courtoisie envers le jeune couple royal et sa suite de barons et d'écuyers anglais. Les vins de « France » — entendons d'Ile-de-France, car les coteaux de la région parisienne produisaient alors des crus très appréciés — coulaient à flots ; peine perdue d'ailleurs car les Anglais, fort buveurs, étaient piètres connaisseurs. « Il y eut entre le roi de France et ses gens bonne risée de ce que les gens du roi d'Angleterre burent tous les mauvais vins et les bons laissèrent[8]. »

Quant au roi Jean, il était en pleine euphorie : si Philippe lui faisait si bel accueil, n'était-ce pas qu'il avait peur de lui ? Le roi de France, qui ne négligeait aucune occasion d'arrondir si peu que ce fût son pré carré, pressa Blanche de demander à son oncle, comme une faveur personnelle, l'octroi des terres situées entre le pays d'Evreux qui avait constitué sa dot et la rivière d'Andelle ; ce qu'elle obtint facilement dans l'atmosphère de bonne humeur régnante...

Cependant, Philippe se devait de régler la question qui avait motivé cette entrevue et d'ouvrir le dossier des réclamations poitevines. Jean offrit la déjà bien vieille solution du duel judiciaire : Hugues de la Marche désignerait un champion, lui-même en ferait autant, tous deux se battraient en champ clos et raison serait donnée au vainqueur. L'assemblée des barons refusa ; le procédé appartenait à une époque quelque peu révolue.

Jean et Isabelle regagnèrent l'Angleterre sans qu'aucune solution eût été trouvée.

Très patiemment, le roi Philippe envoya en Normandie, au Goulet où avait été signé cet accord avec le roi Jean qui faisait de Blanche l'épouse de Louis, des négociateurs qui ne purent s'entendre avec ceux du roi d'Angleterre. Après quoi il ne restait plus, selon les normes d'un temps qui épuisait toutes les formes de pourparlers avant d'en venir aux actes, qu'à citer Jean à comparaître devant la cour des barons, ses pairs. Il était alors revenu sur le continent et résidait aux Andelys ; mais, dans sa suffisance, il dédaigna de répondre à l'assignation. La cour ne s'en réunit pas moins le 28 avril 1202 pour constater que « le roi d'Angleterre devait être privé de toute la terre que jusqu'ici lui et ses ancêtres avaient tenue du roi de France » — c'est-à-dire de tous ses fiefs continentaux. Par sa conduite inconsidérée Jean avait donné au roi Philippe tous les atouts souhaitables pour entreprendre la conquête de cette Normandie depuis longtemps convoitée.

La suite allait être brève et dramatique. Blanche atteignait à peine sa quatorzième année, mais les événements n'en durent pas moins lui faire forte impression : n'avait-elle pas été amenée à la cour de France précisément pour que semblable guerre fût évitée ? Et beaucoup d'êtres qui lui étaient devenus proches allaient se trouver impliqués dans les épisodes qui se succédèrent. En premier lieu Arthur de Bretagne. Blanche et Louis virent s'éloigner le jeune garçon, tout glorieux du rôle qui l'attendait, au début de juillet. Le roi Philippe le mettait en avant comme on avance un pion aux échecs. Arthur était populaire en Bretagne ; son père Geoffroy, jadis duc de Bretagne, y avait laissé un vivant souvenir ; aujourd'hui

encore subsistent dans le pays des pierres d'ex-
voto apposées à quelques chapelles : « *pro Gos-
frido Deum orate,* priez Dieu pour Geoffroy ». Philippe donc l'avait investi d'une grande partie des
territoires de l'Ouest dont le roi Jean était
dépouillé : la Bretagne, mais aussi l'Anjou, le
Maine, la Touraine et le Poitou ; autant de fiefs à
conquérir. Comme l'objectif premier du roi de
France était la Normandie, il s'était emparé d'une
série de villes et de châteaux fortifiés entre Eu et
Lions. Arthur vint le rejoindre à Gournay, fut
solennellement armé chevalier et, non moins
solennellement, fit hommage pour les fiefs promis ; après quoi il s'achemina vers la Loire, très
fier de sa chevalerie récente, des deux cents
barons qui l'escortaient en attendant le renfort
promis par les Poitevins, et de la forte somme
d'argent que lui avait remise son nouveau suzerain. On ne devait plus le revoir à la cour de
France.

Les circonstances dans lesquelles il tomba
entre les mains de son oncle Jean sans Terre
allaient être, elles, rapidement connues. Blanche
dut les apprendre telles qu'elles nous ont été nar-
rées par le biographe de Guillaume le Maréchal et
son émotion dut être grande à savoir que sa
grand-mère, la reine Aliénor, en avait été l'acteur
principal. Ayant appris, au fond de sa retraite de
Fontevrault, les événements qui se préparaient,
celle-ci avait voulu gagner Poitiers pour se mettre
en sûreté. Surprise par l'arrivée de son petit-fils
Arthur, elle s'était réfugiée à Mirebeau.

« Quand Arthur et les Poitevins vinrent devant
le château, aussitôt leur fut la ville rendue, mais
le château se tint (résista). Arthur fit tant qu'il
parla à son aïeule et lui requit qu'elle sortît du
château et emportât toutes ses choses et s'en allât
en bonne paix où elle voudrait aller, car à son

corps (sa personne) ne voudrait-il rien faire sinon honneur (que d'honorable). La reine répondit qu'elle ne s'en irait pas, mais s'il voulait se montrer courtois, lui-même partirait de là, car il trouverait assez de châteaux qu'il pourrait assaillir autres que celui-ci où elle-même se tenait ; et il lui paraissait grand merveille (fort étonnant) qu'il assiégeât un château où il savait qu'elle était, tant lui que les Poitevins qui étaient ses hommes liges. Arthur ni les Poitevins n'en voulurent partir et firent assaut au châtel, mais pas ne le prirent. Ils s'hébergèrent en la ville[9]. »

Un chevalier d'Anjou, Guillaume des Roches, qui allait prendre une part active à la suite des événements, s'en alla d'un trait avertir le roi Jean qui se trouvait alors dans la cité du Mans : « Sire, si vous me promettez loyalement, comme roi et comme mon seigneur, que d'Arthur, votre neveu, qui est mon seigneur et dont je suis l'homme envers tous sauf envers vous, vous vous conduirez selon mon conseil, je m'engage à vous le remettre et tous les Poitevins avec lui. »

Le roi Jean lui promit en hâte tout ce qu'il voulut et donna aussitôt l'ordre de départ à ses troupes. Il avait été prévenu du siège de Mirebeau dans la nuit du 30 juillet ; le 1er août, au petit matin, il arrivait en vue du château. Le jeune Arthur, dans son étourderie, et ceux qui l'accompagnaient, sûrs de leur fait, n'avaient pas posté de sentinelles aux alentours. L'arrivée du roi ne fut connue que par les guetteurs de la ville : « Ceux qui guettaient, quand ils les virent venir, commencèrent à crier : « Aux armes, aux armes ! » Et les Poitevins coururent aux armes. Geoffroy de Lusignan, qui était bon chevalier et maintes prouesses avait faites en deçà de la mer et au-delà, était assis à manger et attendait un plat de pigeons. Quand la nouvelle lui vint qu'on voyait venir beaucoup de gens et qu'on n'avait doute que ce ne fussent des gens du roi Jean et qu'il ferait bien de se lever de table et de s'armer, il jura la tête-Dieu qu'il ne se lèverait sans avoir mangé de ses pigeons. Il n'eut guère le temps d'en dire plus long. Guillaume des Roches avait déjà forcé l'unique porte qui fût restée ouverte dans la ville. Les Poitevins avaient cru bien faire en murant les autres, mais ils se trouvèrent pris comme dans une trappe, car, celle-ci forcée par les armées de Jean sans Terre, ils ne pouvaient plus s'échapper[10]. »

Arthur allait être fait prisonnier par un homme dont le nom reviendra dans la suite de ce récit : Guillaume de Briouze. Et l'on peut résumer le tout comme le fait la *Chronique des ducs de Normandie :* « Que vous dirais-je plus ? Tout furent déconfits les Poitevins et Arthur fut pris et tous les Poitevins. Jamais un seul des hauts barons n'en échappa. »

Un moine, voyageant nuit et jour, alla porter la nouvelle au comte de Salisbury qui défendait avec Guillaume le Maréchal et Guillaume, comte de Warenne, les forteresses normandes menacées par le roi Philippe-Auguste. « Le moine délivra courtoisement son message et rapporta la capture d'Arthur, de Geoffroy de Lusignan, son neveu, Hugues de Lusignan, le comte de la Marche, Savary de Mauléon, et les autres hauts barons qui avaient joint Arthur. Le Maréchal se réjouit grandement et dit au moine : « Apporte « ces nouvelles au comte d'Eu dans l'armée des « Français à Arques ; cela lui fera plaisir. — Sire, « répliqua le moine, je vous prie de m'excuser ; si « je vais là-bas, il en sera si enragé qu'il peut me « tuer. Envoyez quelqu'un d'autre. — Pas d'ex- « cuse. Vous irez, maître moine. Ce n'est pas la

« coutume de ce pays de tuer les messagers.
« Allez-vous-en, vous le trouverez dans l'armée. »

« Le moine se hâta vers Arques et donna des
nouvelles du Poitou au comte d'Eu (Raoul, le
frère d'Hugues de la Marche). Le comte s'était
attendu à un message bien différent. Il changea
de couleur et garda le silence. Puis, il alla au lit,
très embarrassé, car il ne voulait pas dire à quiconque ce qu'il venait d'entendre[11]. »

Ce devait être la seule victoire remportée par le
roi Jean durant tout le cours de son règne ; il est
remarquable qu'elle ait été due à sa mère, Aliénor.

Peut-être Blanche eut-elle à trembler, durant
les combats qui suivirent, pour son jeune époux,
mais ce n'est pas sûr. Philippe semble avoir été
soucieux de ménager la vie et la santé de cet héritier, — et d'ailleurs peu pressé de l'associer aux
affaires du royaume ; lui-même avait été couronné
du vivant de son père ; avec Louis, il n'agit pas
ainsi : « Il pensait qu'un seul homme suffit pour
régner sur le monde », assure un contemporain[12].
Louis ne semble avoir pris part à aucune expédition avant une courte campagne qui eut lieu en
Bretagne, l'année 1206. Campagne du reste insi-
gnifiante ; l'an 1206 devait surtout demeurer,
dans les mémoires des Parisiens, comme celle des
inondations : au mois de décembre, l'eau de la
Seine monta jusqu'au deuxième étage des maisons ; on entrait et on sortait en bateau ; le Petit-
Pont s'écroula, et le palais de la Cité dut faire
figure d'îlot au moins pendant quelques jours.

Blanche et Louis vivaient, comme le roi, dans les résidences proches de Fontainebleau, Melun, Étampes ou Orléans, mais leur vie d'adolescents se passait surtout à Paris ; c'est là que leurs comptes sont réglés par le prévôt de la ville ; ils sont très incomplets pour notre regret, et beaucoup plus détaillés pour les dépenses de Louis que pour celles de Blanche. A la Saint-André de l'an 1203, Louis achète une cape de drap vert et un chaperon assorti ainsi qu'un surcot de camelin (poil de chameau). Pour la Noël de cette année-là, il acquiert une « robe noire ainsi qu'une autre robe de camelin et une pelisse » pour une somme de quinze livres et cinq sous. La robe verte que porte Blanche à la même occasion a coûté treize livres moins cinq sous. L'année suivante, au mois de mai, Louis et Blanche reçoivent sept cents livres pour leurs dépenses. Le livre de comptes donne des détails sur la garde-robe du jeune garçon. Il se commande un manteau et un chapeau de cendal (taffetas souple et léger), puis une autre robe ou tunique de drap vert doublée de satin, cela huit jours avant la Sainte-Madeleine (22 juillet). Le samedi après le 15 août, il achète une tenue plus sobre : robe d'estanfort, qui est une sorte de drap de laine. Au mois de septembre, c'est à nouveau une robe de camelin et une cape fourrée, puis, pour la Saint-Remi (1er octobre), deux chapes de pluie. Quinze jours plus tard, nouvelle robe de drap vert et chaperon de camelin, celui-là fourré de cette fourrure qu'on appelle le vair et qui est notre petit-gris. Enfin, il fait à nouveau l'achat d'une robe de camelin à la Toussaint.

Les comptes sont loin d'être aussi prolixes en ce qui concerne les dépenses vestimentaires de Blanche. Peut-être s'est-elle habillée ailleurs qu'à Paris. De toute façon, ils présentent de telles lacunes qu'on peut considérer comme une chance d'avoir tout au moins conservé la mention des achats de Louis pendant près d'une année. On voit qu'au samedi de Carême, on a acheté à Paris 24 aunes* de toile « pour les chemises des dames », ces dames pouvant être la reine elle-même, Blanche, et ses suivantes. Par la même occasion, on a fait l'achat de 12 « guimples », chemisiers lacés de soie et les « dames » désignées sans plus de précisions achètent aussi deux paires de robes pour la Pentecôte[13].

Maigres indications au regard de tout ce que nous aimerions savoir.

On peut toutefois supposer qu'en dépit de la guerre devenue toute proche puisqu'elle se déroulait en Normandie, en dépit aussi des soubresauts qui agitaient le monde en cette période troublée, Louis et Blanche coulaient des jours heureux. L'année 1204, qui voit le pouvoir du roi Philippe s'étendre sur la Normandie et un Flamand devenir empereur de Constantinople, fut aussi pour eux, probablement, celle des jeunes amours ; c'est alors, au début de l'an 1205, que leur union est consommée. Elle sera sans nuage. Les contemporains nous l'attestent.

> *Et jamais reïne n'aima*
> *Son seigneur tant, ni réclama,*
> *Ni tant ses enfants autresi* (aussi).
> *Et le roi les aima aussi...*
> *Car ils s'entraimèrent si fort*
> *Qu'en tout furent en un accord*[14].

La petite Castillane n'a désormais plus de rai-

---

* L'aune mesure environ 1 m 20. On aimerait pouvoir donner des équivalences de monnaies, mais l'époque décourage toute précision dans ce genre d'évaluation. Disons qu'au début du XIIIe siècle la livre a été évaluée entre 17 et 18 francs-or ; il y a, on le sait, 20 sous dans une livre.

son de pleurer. Entre elle et son époux, il y a cet amour qui rend fort et permet de surmonter les épreuves. A-t-elle alors quelque intuition de celles qui l'attendent ? Ses années d'adolescente sont des années troublées et elle a très certainement, avec toute la jeunesse de son temps, le sentiment violent de vivre une époque de mutation. La société prend alors conscience de tous les changements qui se sont opérés en elle dans la période précédente. Lorsque, avec sa grand-mère Aliénor, Blanche s'acheminait vers la France d'outre-Loire, elles avaient pu ensemble dénombrer sur leur chemin quantité de villes et de bourgades nées dans les dernières décennies, avec leurs murailles neuves, leurs églises en chantier et ces maisons qui semblaient sortir du sol. Pour un château, combien désormais comptait-on de ces villes neuves qui s'élevaient au bord des fleuves, à la croisée des chemins, autour d'une foire ou d'un marché ? Certains parmi les grands ou les petits seigneurs y voyaient une atteinte à leur autorité. D'autres comprenaient que, dans cette poussée de la population, il y avait un mouvement irrésistible et aussi un gage de prospérité qui pouvait tourner à leur profit. A Paris, le roi Philippe donnait l'exemple de l'intérêt qu'il portait aux habitants de la ville. Que n'avait-il pas fait pour eux ? Dès les premières années de son règne, quand il n'était encore qu'un garçon de dix-neuf ans, il avait parfaitement saisi l'intérêt qu'il y avait à ce que, sur son domaine, les cités fussent bien construites, faciles d'accès et agréables à habiter. C'est alors qu'il avait fait entreprendre le pavage des rues de Paris, — un beau dallage de grès qui était à présent l'orgueil de la cité. Mieux encore, comme l'afflux des habitants faisait de cette cité le centre d'une ville rayonnant largement sur les deux rives, il avait, quelques années plus tard,

commencé la reconstruction de l'enceinte parisienne ; une puissante muraille neuve dessinait
désormais un large demi-cercle sur la rive droite,
dont le point de départ était marqué, près de
l'église Saint-Germain-l'Auxerrois, par un château
que le roi faisait construire, le château du Louvre,
dont Blanche voyait désormais s'élever le donjon
massif depuis les fenêtres du palais de la Cité.
Comprenant qu'avec l'afflux des habitants, le four
banal n'était plus justifié, le roi Philippe avait
autorisé les boulangers à avoir chacun leur four,
et l'on avait vu cesser les queues interminables
qui compliquaient l'existence des Parisiens. Pour
faciliter le commerce, il avait fait élever, sur le
marché neuf que son père avait établi au lieu de
Champeaux, de grandes bâtisses sur piliers qu'on
nommait les Halles et qui réunissaient toute une
population grouillante, plus animée encore lorsque la foire Saint-Lazare ouvrait ses portes. Non
content d'assurer la sécurité des marchands grâce
à cette nouvelle enceinte, le roi se préoccupait
aussi de leur commodité en améliorant les voies
d'accès vers Paris. Désormais, sur son ordre, les
routes qui aboutissaient à la muraille parisienne
devaient avoir au moins dix-huit pied-mains*. Il
en était ainsi de celle qui conduisait au pont de
Chaillot ou qui, depuis l'église Saint-Honoré,
allait jusqu'au pont du Roule.

Philippe-Auguste projetait à présent de construire une semblable enceinte sur la rive gauche.
Car si les marchands affluaient sur la rive droite
où la Grève offrait un accès commode aux vaisseaux qui abordaient par la Seine, la rive gauche,
elle aussi, voyait la population se multiplier. Les
écoles de Paris attiraient désormais des foules

---

* C'est-à-dire un peu plus de 7 mètres de large, le pied-main
mesurant 0 m 391.

d'étudiants et cette Montagne Sainte-Geneviève, où quelque trente ans auparavant on ne voyait que les vignerons occupés à tailler leurs vignes ou à vendanger, était désormais entièrement couverte de maisons qui abritaient maîtres et écoliers. Les plus pauvres trouvaient asile dans les collèges, fondations privées dont la première remontait à une vingtaine d'années et qui se multipliaient à Paris, assurant vivre et couvert à leurs bénéficiaires. Dans ces rues de la rive gauche, on entendait surtout parler latin puisque c'était alors la langue commune au monde de la pensée et des lettres. Et toutes les nations se trouvaient désormais représentées dans la foule bruyante et cosmopolite du quartier qu'on appellera « latin ».

Un monde inquiétant, ce monde des étudiants. De temps à autre des rumeurs en montent qui se font entendre jusque dans le palais. Maîtres et « écoliers », leur vie se passe à disputer (au vrai, c'est alors un exercice scolaire que la *disputatio* assidûment pratiquée) ; ils ne se contentent pas toujours de manier des idées, et manient l'épée avec autant d'aisance que les citations d'Aristote. Leur maître à penser, Aristote ; ils n'ont que ce nom à la bouche ! Pour un peu, ils en feraient leur Bible ! Et ne dit-on pas que certains prétendent, à la manière de ce Maître Abélard qui se fit condamner jadis, soumettre à la logique d'Aristote les Saintes Ecritures, la Révélation ? Comme si l'on pouvait enfermer dans des raisonnements l'objet de la foi ! Et s'ils se contentaient de raisonner ! mais ils boivent sec, se prennent de querelle entre eux et, qui plus est, avec les bourgeois paisibles de Saint-Germain-des-Prés. Lorsque Blanche est entrée pour la première fois dans la Cité, l'an 1200, on ne parlait que des bagarres qui venaient de secouer le Quartier des écoles : cinq morts, tant clercs — c'est-à-dire maîtres ou étudiants —, que laïcs, étrangers au monde des Lettres.

Le roi Philippe en cette affaire a eu une conduite déconcertante. Loin de s'en prendre aux écoliers, il a désavoué ses sergents (lesquels avaient eu la main lourde : ne s'agissait-il pas de rétablir l'ordre ?). Plus encore : écartant son propre prévôt, il a décidé que dorénavant étudiants et maîtres seraient sous la seule tutelle de l'Église. Un écolier pris dans une rixe reste à l'abri de toute violence ; les sergents du roi n'ont plus le droit de lui mettre la main au collet, sinon pour le déférer au tribunal ecclésiastique ; autant dire qu'une quasi-immunité lui est accordée, car alors il se trouve jugé par ses pairs. C'est un véritable brevet d'autonomie qu'il a donné là au monde du Savoir, puisque celui-ci, par ses racines, relève de l'Église. Dans l'entourage royal on ne manque pas de faire remarquer qu'une telle liberté accordée à ce monde bruyant et turbulent risque de dégénérer en licence ; mais le roi demeure ferme sur ce point et au Quartier latin on célèbre ses mérites. Un grand appétit de savoir se manifeste d'ailleurs à l'époque ; dans la seule ville de Paris on ne tardera pas à compter onze « petites écoles » que régit de près ou de loin le chantre de l'église-cathédrale ; il y aura en plus une école de filles ; écoles élémentaires qui dispensent les rudiments donnés aussi dans les paroisses un peu partout.

Le roi Philippe, généralement si jaloux de son autorité, fait toujours preuve envers les étudiants d'une indulgence désarmante ; en cela il suit la tradition paternelle : son père n'avait-il pas tenu à ce que sa propre naissance fût annoncée en premier lieu aux étudiants parisiens ? Toujours est-il que ces écoliers frondeurs jouissent de toute sa bienveillance ; en revanche, l'évêque de Paris, ou

plutôt son chancelier à qui revient traditionnellement le droit de délivrer la permission d'ensei-
gner, la *licence* qui fait de l'élève un maître, se
trouve de plus en plus fréquemment en conflit
avec les professeurs à ce propos. D'étranges
rumeurs circulent dans Paris ; on prête aux maîtres et étudiants l'intention de s'ériger en association autonome ; ceux de la Cité, ceux surtout qui
habitent auprès du Petit-Pont et sur la Montagne
Sainte-Geneviève se seraient réunis et auraient
délégué huit d'entre eux pour établir un statut de
leur « université » — l'ensemble de leur corps.
Autant dire qu'ils se soustraient ainsi à la tutelle
de l'évêque ; et bientôt la stupeur atteindra son
comble lorsqu'on apprendra que le pape, de son
côté, au lieu de soutenir l'évêque de Paris,
approuve le règlement que se sont donné maîtres
et élèves. Ainsi les deux autorités du royaume et
de la chrétienté, le roi et le pape, sont-elles d'accord pour reconnaître au monde de la pensée, de
la recherche, de l'enseignement — tout ce qu'on
appelle « clergie » — une autonomie quasi totale.

Il ne fait pas de doute d'ailleurs qu'à Paris ce
monde de clergie fait preuve d'une vraie ferveur
pour l'étude et que le niveau du savoir y est fort
élevé. Très ouvert aussi à toute nouveauté en un
temps où ce savoir est en pleine transformation.
Sans parler d'Aristote que l'on traduit avec un
zèle presque inquiétant pour ceux qui y voient un
retour au paganisme, on y fait grand cas de cette
arithmétique moderne qu'un Italien, Leonardo de
Pise, expose et développe dans son *Traité de
l'abaque* : il s'agit de signes particuliers dus,
paraît-il, aux Arabes et dont on se sert pour calcu-
ler, au lieu des lettres romaines dont on s'est jusqu'alors toujours servi. Les maîtres parisiens ont
adopté ces méthodes, ce qui les amène à modifier
l'enseignement non seulement de l'arithmétique,

mais aussi des trois autres branches du *quadrivium*, géométrie, musique, astronomie.

Ce ne sont pas seulement les sciences profanes qui se trouvent en pleine mutation : la science sacrée, elle aussi, se transforme, et avec elle naît une manière nouvelle de vivre sa religion. A son arrivée à Paris, Blanche n'a pu manquer d'admirer la cathédrale en construction. Notre-Dame de Paris (seuls sont alors achevés le chœur et la nef) se présente comme un puissant vaisseau dont les formes ne manquent pas de surprendre les étrangers. Blanche, dans sa Castille natale et dans les régions méridionales du royaume qu'elle a traversées, n'a rien pu voir de semblable à cette architecture qui jusqu'alors n'a guère débordé les limites de l'Île-de-France, de la Normandie et de l'Angleterre ; quelle impression aura été la sienne lorsque, pour la première fois, elle a pénétré sous les hautes voûtes pointant en leur milieu, soulignées d'arêtes en ogives, que la couleur fait saillir ? Elle sera entrée par une porte de côté puisque la base des tours, la façade et la première travée sont, l'an 1200, encore en chantier. Mais la hauteur de ces voûtes a dû lui paraître vertigineuse. Cet « art français », quelle audace il implique ! « Si ce monument est un jour achevé, s'est écrié l'abbé du Mont-Saint-Michel en y pénétrant, il n'y en aura pas d'autres en deçà des monts qui puisse lui être comparé. » Encore n'en voyait-il que les prémices. Celui qui a entrepris cette grande œuvre, Maurice de Sully, tout fils de paysan qu'il était, a su voir grand : si grand que quelques-uns s'en indignent. « C'est péché que de construire des églises comme on le fait à présent, gronde Pierre le Chantre (le chantre est alors, dans le chapitre de la cathédrale, un important personnage). A quoi bon telle hauteur de bâtiment ! C'est une passion pour les constructions... »

Qui a raison, ceux qui soutiennent que l'humble église romane, avec ses robustes voûtes en plein cintre, était mieux adaptée à la prière et à l'assemblée des chrétiens, ou ceux qui prônent la nouvelle manière de construire et ces édifices plus vastes, plus lumineux qu'autrefois ? Ceux qui s'élèvent contre ce qu'ils considèrent comme vaines dépenses, ou ceux qui veulent toujours plus de magnificence pour la maison de Dieu ? Sans parler des besoins de la maison du peuple, car la foule augmente sans cesse et il arrive que des églises à peine vieilles de cinquante ans s'avèrent déjà trop exiguës pour l'accueillir.

Blanche dans sa jeunesse aura perçu au moins l'écho des discussions et controverses que ces questions et d'autres du même genre suscitent au sein de la chrétienté. L'une surtout est débattue avec ardeur : la richesse des prélats et dignitaires des églises. Les monastères sont florissants, mais précisément on leur reproche leur opulence ; les donations en leur faveur se sont accumulées au cours des temps et c'est vainement qu'on attend, pour les exhorter à plus de pauvreté, la voix d'un nouveau saint Bernard ; certaines abbayes comme Cluny, certains ordres même, comme celui des Chartreux, donnent un exemple édifiant, mais combien voit-on de prélats ou d'abbés, vêtus avec un luxe insolent, circuler au milieu d'une escorte montée sur des chevaux superbes et menant un train de grands seigneurs ! Cela ne va pas sans scandale pour le peuple chrétien qui demande des réformes et parfois se met à prêcher d'exemple. On parle beaucoup de ces Pauvres de Lyon qui se sont groupés autour d'un nommé Pierre Vaudès : un riche marchand qui, à la lecture, dit-on, de la légende de saint Alexis, a laissé là sa marchandise pour vivre dans la pauvreté volontaire ; il a entraîné une foule de disciples qui s'en vont deux à deux par les chemins, nu-pieds, mettant en commun tout ce qu'ils possèdent ; beaucoup les admirent et les suivent ; mais certains évêques leur reprochent de prêcher à tort et à travers, sans en avoir reçu mission, et sans bien connaître l'Écriture sainte ; la plupart sont d'ailleurs illettrés. Dans les campagnes et plus encore dans les villes on se ne prive pas d'opposer leur mode de vie à celui des chanoines jouissant de leur prébende.

On se pose aussi dans les discussions — et l'on discute beaucoup à l'époque de Blanche — la question du travail manuel ; en un temps d'activité débordante est-il normal que les gens d'église s'en dispensent sous prétexte de vaquer au service de l'autel ? Certains évêques se sont mis à travailler de leurs mains comme celui de Cuenca, Julien, qui fabrique des paniers d'osier, ou l'évêque de Cambrai, Guillaume de Marnès. Les disciples de Vaudès, eux, refusent le travail parce qu'il est source de profits, et entendent ne vivre que d'aumônes. D'autres encore ne semblent aucunement refuser le profit, mais s'écartent tout à fait de la foi commune du peuple chrétien : ceux qu'on appelle Bougres ou Patarins, et qui se désignent eux-mêmes sous le nom de Cathares, les Purs. L'année même du mariage de Blanche, huit de ces cathares ont été convaincus d'hérésie et brûlés à Troyes, la ville des foires ; ils n'en pullulent pas moins, surtout dans les villes d'Italie du nord, — au point que dans le peuple on finit par appeler « Lombards » leurs adeptes, — et dans celles du Languedoc. Docteurs et théologiens sont loin de s'accorder sur la conduite à tenir envers eux ; certains, comme Alain de Lille, professent qu'on ne doit sévir contre l'hérétique que dans des cas graves ; d'autres, comme le Parisien Pierre le Chantre, s'indignent de leur voir appliquer la peine capitale et demandent son abolition. Dans le peuple on n'aime guère en général ces gens qui tiennent le mariage pour un péché et le serment pour une abomination, et qui voient dans toute la nature l'œuvre d'un dieu mauvais ; à moins qu'une partie de ce peuple n'ait été gagné lui-même à l'hérésie, comme cela se passe, on l'assure du moins, dans les domaines du comte de Toulouse.

**
**

Pourtant quelqu'un garde la tête froide au milieu de tant de préoccupations, et c'est le roi Philippe. Il n'a, lui, qu'un seul souci, un seul but, précis et positif : la Normandie.

Or, après l'échec subi à Mirebeau, tous les messagers venus de Normandie ont confirmé la réussite des armées royales de France ; la conquête s'est poursuivie contre vents et marées : prise de Falaise, prise de Vaudreuil, prise de Château-Gaillard.

Cette nouvelle-là avait fait l'effet d'un coup de tonnerre ; Château-Gaillard, la forteresse bienaimée du roi Richard, la place imprenable pour laquelle ses ingénieurs avaient rassemblé toutes les expériences du passé, tous les perfectionnements de l'art militaire ! Personne n'imaginait que le roi de France oserait seulement en entreprendre le siège. Le roi Jean sans Terre, qui avait décidé d'aller chasser en Normandie ce printemps-là, avait expédié des messages donnant au châtelain de Château-Gaillard l'ordre de préparer ses chasses, de mettre en état meutes, chevaux et faucons. Le porteur du message arriva au pied de la forteresse pour apprendre que ce même jour le roi Philippe allait y faire son entrée. Une attaque menée par surprise le 6 mars 1204 avait permis à quelques hommes qui y avaient pénétré par la tour des latrines de donner l'assaut ; les défenseurs n'eurent même pas le temps de gagner le donjon. Château-Gaillard était prise.

Quelques semaines plus tard on apprenait la mort, à Fontevrault, de la reine Aliénor ; ses yeux s'étaient clos sur le souvenir du beau domaine Plantagenêt tel qu'elle l'avait connu et qui n'allait pas lui survivre.

Philippe, il faut bien le dire, avait la partie belle ; son partenaire accumulait comme à plaisir les légèretés, appuyées de déclarations tantôt provocantes et tantôt d'une insouciance confinant à la folie : « Laissez faire, je lui reprendrai quelque jour tout ce qu'il m'a pris », disait-il aux messagers de mauvaises nouvelles qui se succédaient à la cour d'Angleterre ; apprenant que le château de Vaudreuil, où il avait accumulé argent, vivres et machines de guerre, s'était rendu sans coup férir, il avait cru habile d'adresser une lettre circulaire aux barons d'Angleterre pour affirmer que cette reddition avait été faite sur son ordre... Mieux encore, quand on vint le trouver de la part de son châtelain Pierre de Préaux, assiégé dans la cité de Rouen, il refusa d'interrompre sa partie d'échecs pour recevoir les envoyés. A la veille de la Saint-Jean 1204, Rouen appartenait au roi Philippe.

Mais rien de tout cela n'apportait réponse à la question que l'on se posait à la cour de France avec une angoisse grandissante : qu'était devenu Arthur de Bretagne ? Pour Louis, pour Blanche, l'énigme que posa le sort de ce garçon qui pendant plusieurs années avait été leur compagnon, devait être anxieusement ressentie. On savait que sa sœur — celle qu'on surnommait la perle de Bretagne — gémissait en quelque forteresse anglaise, à Corfe probablement ; quant à Arthur, certains affirmaient que Jean, après l'avoir fait enfermer dans le château de Falaise, avait envoyé l'un de ses familiers, Hubert de Bourg, dont il devait plus tard faire son justicier, avec ordre de crever les yeux du jeune homme et de le châtrer pour le rendre à tout jamais inapte à régner ; mais Hubert avait refusé la sinistre besogne. Que s'était-il passé ensuite ? L'avance des armées de France avait contraint Jean à déguerpir de Falaise ; on disait qu'Arthur avait alors été transféré à Rouen. Quand les Français y pénétrèrent, ils ne pouvaient se douter du drame dont les murailles de la cité avaient été témoin ; personne ne savait ce qu'était devenu le jeune homme. L'inquiétude qui planait sur son sort, les mauvais traitements infligés par le roi Jean à ses autres prisonniers, servaient au reste les desseins du roi Philippe. Jean s'était conduit « si laidement » avec les barons poitevins pris à Mirebeau que, dit une chronique contemporaine, « ceux qui étaient avec lui et qui assistaient à cette cruauté en eurent honte » ; l'un après l'autre les hauts seigneurs se rendaient au roi de France et lui transféraient leur hommage. Jean avait tenu sa cour de Noël à Caen l'an 1202 : ce devait être la dernière cour tenue en Normandie par un roi de la lignée de Rollon et de Guillaume le Conquérant.

Pour le chrétien moyen, en ces premières années du XIIIᵉ siècle, la croisade fait partie de la vie quotidienne, ou peu s'en faut. Depuis plus de cent ans résonne périodiquement l'appel au « passage outre-mer » et il n'est guère de famille, ville ou campagne, bourgs ou châteaux, qui n'en ait été touchée, fût-ce pour avoir entendu, au hasard des marchés ou des foires, quelque prédicateur ambulant, ou pour avoir contribué par quelques aumônes à aider ceux qui partent. En un temps où de toute façon le pèlerinage est ancré dans les mœurs, ce pèlerinage en armes, s'il représente efforts et dangers supplémentaires, n'a plus rien de l'aspect insolite qu'avait eu la première croisade.

Or Jérusalem, fief commun de la chrétienté, est retombée aux mains des musulmans ; cela s'est passé en 1187, l'année même de la naissance de Louis. Blanche et son époux ont grandi avec la vision familière de grands desseins à réaliser outre-mer. Si le roi Philippe, visiblement, ne tient guère à évoquer les souvenirs d'une expédition pour lui peu glorieuse (il n'avait pu supporter le climat et moins encore la popularité de son rival, Richard Cœur de Lion), les récits de combats, les complaintes d'outre-mer sont alors sur toutes les lèvres. Il n'est pas de ménestrel qui n'ait à son répertoire la *Chanson d'Antioche,* la *Chanson des Chétifs* ou quelque autre épopée de la geste de Godefroy de Bouillon. Pour Blanche, récits et complaintes prennent une teinte particulière, car son enfance à elle a été nourrie de la grande histoire vécue en son temps, celle de la Reconquête de son pays sur les forces musulmanes.

Tout l'Occident avait ressenti comme un affront la perte de Jérusalem, et le pape Innocent III, à peine promu à la dignité pontificale, a exhorté les chrétiens à reprendre les armes une fois de plus au secours de la Terre sainte. On a vu lors d'un tournoi les chevaliers déposer leur heaume de parade et prendre la croix à l'appel d'un humble prédicateur, nouveau Pierre l'Ermite, Foulques, curé de Neuilly-sur-Marne.

Or, le mouvement ainsi déclenché s'achève sur une singulière aventure. Cette même année 1204 qui pour le roi Philippe est celle de la conquête de Château-Gaillard restera dans les annales générales de la chrétienté l'année où les croisés, partis pour reconquérir Jérusalem, se sont emparés de Constantinople. Lorsque la nouvelle s'en est répandue en Occident, on a d'abord refusé d'y croire : Constantinople, la Cité impériale, la Ville des villes, ses palais, ses églises, ses terrifiantes murailles sur lesquelles jadis s'était brisé l'assaut des Arabes... A mesure que parvenaient les nouvelles, la stupeur se nuançait d'indignation. Le pape Innocent III excommunia les croisés coupables d'avoir détourné contre une cité chrétienne les forces envoyées à la reconquête de la Terre sainte. Certains croisés qui avaient refusé de se mêler à une expédition aussi douteuse revenaient en Europe, entre autres un haut baron nommé Simon de Montfort, qui avait préféré quitter secrètement le camp des croisés plutôt que de se prêter à une entreprise que sa conscience désapprouvait. L'indignation allait croissant dans la mesure où l'on apprenait les pillages et les massacres dont ces croisés d'un nouveau genre s'étaient rendus coupables. Le pape, renouvelant contre eux l'excommunication, allait les faire connaître avec horreur à l'ensemble du monde chrétien : « Ces défenseurs du Christ, qui ne devaient tourner leur glaive que contre les infidèles, se sont baignés dans le sang chrétien. Il ne leur a pas suffi d'épuiser les trésors et de dépouiller les particuliers, grands et petits : ils ont voulu porter la main sur les richesses des églises... On les a vus violer les cimetières, emporter les icônes, les croix et les reliques[15]. »

Mais l'émotion se calmait peu à peu et les messages successifs des croisés eux-mêmes venaient expliquer leur action, rendre compte des étapes par lesquelles ils avaient passé. A les entendre, ils

ne pouvaient faire autrement ; les armateurs vénitiens entre les mains desquels ils s'étaient mis
exigeaient de telles sommes pour leur faire passer
la mer que, bon gré, mal gré, il leur avait bien
fallu se transformer en une armée au service de
Venise. Le jeune empereur détrôné de Constantinople, Alexis, les avait ensuite suppliés d'entreprendre pour son compte la conquête de la ville.
Puis c'était la population grecque qui les avait
traités d'intolérable façon. Puis ce même Alexis
pour lequel ils avaient d'abord conquis la ville les
avait trompés, etc. Ils n'avaient pu faire autrement. Et à présent un empereur latin, le comte
Baudouin de Flandre, régnait sur la cité de Constantin, sur l'empire de Byzance ; il avait solennellement reçu, à Sainte-Sophie, la couronne impériale ; ces Byzantins insolents et perfides qui
n'avaient cessé de faire obstacle aux Occidentaux
et tant de fois les avaient trahis au profit des
Sarrasins, — ils se trouvaient à présent hors de
combat ; leur territoire pouvait servir de point
d'appui pour de nouvelles expéditions, celles-là
effectivement dirigées sur Jérusalem.

Autant de bonnes raisons qui peu à peu rendaient aux Occidentaux bonne conscience, sans
parler de la gloire qu'allaient en tirer bien des
familles seigneuriales en ce Proche-Orient où
désormais résonnaient familièrement les noms
champenois, flamands et bourguignons, où un
Louis de Blois était duc de Nicée, un Geoffroy de
Villehardouin prince d'Achaïe ; à Thèbes et Athènes, devenues dans la langue des croisés *Estive* et
Satine, régnaient les ducs de la Roche et dans le
Péloponnèse devenu la principauté de Morée,
allaient s'illustrer les Champlitte et les Villehardouin. Finalement le pape Innocent III, en qui
dominait l'espoir de voir quelque jour Jérusalem
rendue aux chrétiens, leva l'excommunication. Et

les galées des marchands vénitiens, maîtres de l'Adriatique, se multipliaient et s'alourdissaient de saison en saison, ramenant des comptoirs au-delà des mers les richesses orientales, pour le plus grand bénéfice de la Cité des Doges.

On ne célébrait pas les anniversaires de nais-sance au XIIIe siècle ; personne ne se souciait alors de connaître exactement son âge. Les seules dates qui semblaient importantes étaient celles de la mort des saints, c'est-à-dire de leur naissance à la vie éternelle. Au printemps de l'an 1208, Blanche a eu vingt ans, son époux vingt et un. S'ils n'ont eu l'un et l'autre aucune raison de s'appesantir sur ce qu'elle représentait pour eux, cette date restera néanmoins gravée dans leur mémoire et pèsera sur leur vie entière ; le 14 janvier 1208, en effet, un événement s'est passé sur les bords du Rhône, dont chacun a compris que tout le royaume ne tarderait pas à en être ébranlé : le légat du pape, Pierre de Castelnau, a été assassiné par un officier du comte de Toulouse, Raymond de Saint-Gilles.

Pour Blanche, c'était avant tout un événement familial. Le comte de Toulouse avait épousé sa tante Jeanne, Jeanne la belle, morte jadis à Rouen et qui, ayant pris à l'article de la mort le voile des religieuses de Fontevrault, reposait sous les voûtes de ce monastère aux côtés de sa mère Aliénor ; leur fils, le futur Raymond VII de Tou-louse, était le cousin germain de Blanche. A dire vrai, Jeanne n'avait pas eu à se louer de cet époux dont elle était la quatrième femme (il avait répu-dié successivement deux des précédentes) et qui s'était empressé d'en épouser une cinquième après sa mort. C'est elle toutefois qui lui avait

donné son seul héritier légitime, étant entendu
qu'il avait eu par ailleurs une multitude de
bâtards.

Raymond VI a une solide réputation de jouis-
seur sans vergogne ; on dit de lui qu'il est

> *le comte de Saint-Gilles*
> *qui n'aime mie* (pas) *l'Évangile.*

Comment a-t-il pu en venir au crime ? Car il ne
fait pas de doute que c'est lui qui a inspiré le
geste criminel et qu'il est responsable du meurtre
de Pierre de Castelnau, comme jadis Henri II de
celui de Thomas Becket ; le légat était venu le
sommer de la part du pape de rompre ouvertement avec les hérétiques, ces cathares qui pullu-
laient sur ses domaines ; l'entretien avait mal
tourné, et le comte avait congédié le légat Pierre
sur des paroles menaçantes : « Partout où vous
irez, soit par terre, soit par eau, prenez garde :
j'aurai l'œil sur vous. » Le lendemain, au moment
où il s'apprêtait à franchir le Rhône, Pierre avait
été assailli par un chevalier de Beaucaire qui
l'avait transpercé de sa lance.

Quelles allaient être à présent les conséquences
de son acte ? Blanche était à même de mesurer
l'effet de cette violence, étant bien renseignée sur
ce qui se passait dans les terres du Languedoc
traversées périodiquement par les courriers qui
lui apportaient des nouvelles de sa famille. Sans
doute n'avait-elle pas appris sans émotion le
changement que venait d'opérer dans ces régions
un clerc castillan, Dominique de Guzman, son
compatriote. Cet homme, élevé comme Blanche à
Palencia où le roi Alphonse songe à fonder une
université sur le modèle de celle de Paris, a
renouvelé entièrement les méthodes de prédication ; frappé comme tant d'autres par l'état de

décadence du clergé dans les régions méridionales (depuis Vence où l'évêque vit en concubinage
jusqu'à Narbonne où l'archevêque vend impudemment les charges ecclésiastiques), scandalisé
du train de vie opulent que mènent les prélats
envoyés pour ramener le peuple à la saine doctrine, lors d'un passage à Toulouse il a fait la
remarque que lui dictait son bon sens autant que
son sens évangélique : « Comment le peuple ne
serait-il pas frappé de voir que les Parfaits prati-
quent jeûne et abstinence et vont à pied, humblement vêtus, alors que vous vous déplacez à cheval
en grand équipage ? » Les Parfaits, ce sont, chez
les cathares, ceux qui ont été initiés et s'abstiennent de tout contact avec ce qui peut perpétuer la
création ; car la création, à les entendre, est l'œuvre d'un dieu mauvais ; seul l'esprit est l'œuvre
d'un dieu bon ; ils ne mangent que des légumes et
des fruits et s'il leur arrive de frôler une femme,
même sans le vouloir, ils jeûnent ensuite trois
jours au pain et à l'eau. En revanche, parmi eux,
rien n'est demandé à la foule des croyants sinon
de recevoir avant la mort l'absolution d'un Parfait, qui leur donnera l'entrée dans la vie éternelle. Ces Parfaits jouissent donc d'un grand
prestige ; on ne se prive pas d'opposer leur vie
frugale à celle des clercs que leur richesse a per-
vertis.

Dominique, avec quelques compagnons gagnés
par son exemple, s'est mis à parcourir châteaux et
cités, pieds nus, vêtu de simple bure et ne vivant
que d'aumônes. Il prêche inlassablement, multi-
plie rencontres et dialogues avec les hérétiques et
parvient à opérer quelques conversions. On dit
même que des Parfaites rendues par lui à la doctrine du Christ se sont réunies et ont fondé à
Prouille un couvent où elles vivent dans la pauvreté et la prière.

Convertir par la parole, la discussion, la connaissance de la saine doctrine, en prêchant d'abord d'exemple, en vivant selon l'Évangile, n'est-ce pas là le programme de réforme que l'Église attend ? Mais que vont devenir ces tentatives pacifiques ?

En terre chrétienne, faire assassiner le légat pontifical, celui qui représente la plus haute autorité du monde chrétien, c'est violer l'ordre généralement accepté et reconnu. Quelle sera la réponse du pape, cet Innocent III qui précisément rappelle en toute occasion que de sa juridiction relève « le gouvernement, non seulement de l'Église, mais de tout le siècle » ?

2

L'HÉRITAGE DE BLANCHE

La foule est dense aux abords du palais de Compiègne en ce jour de Pentecôte, « une foule comme on n'en avait jamais vu », aux dires d'un chroniqueur, Guillaume le Breton, qui n'est guère sujet à l'enthousiasme[1]. C'est la foule des grandes assemblées seigneuriales auxquelles sont convoqués de temps à autre les barons du domaine royal, mais elle n'a jamais été aussi nombreuse parce que ce domaine n'a jamais été aussi étendu, depuis les origines de la dynastie régnante. Bon nombre de vassaux du roi d'Angleterre sont désormais les vassaux directs du roi de France. Ce dimanche de Pentecôte, 17 mai 1209, pouvait rester dans toutes les mémoires du fait seul que l'honneur de servir les deux premiers mets au banquet royal avait été dévolu au comte de Bretagne, Guy de Thouars. Qui donc eût pu penser quelques années auparavant que ce vassal de Jean sans Terre serait considéré comme un invité de choix à la table de Philippe-Auguste ? En mettant la main sur la Normandie, le roi de France avait réalisé l'ambition de sa jeunesse ; un jour, aux dires des contemporains, il s'était écrié, apercevant au loin la forteresse de Gisors dans tout l'éclat de ses murailles neuves : « Je voudrais que ces murs fussent d'or, d'argent et de pierres précieuses ! » et, comme on s'étonnait, le garçon avait répliqué : « Elle n'en sera ainsi que plus précieuse lorsque je m'en emparerai ! »

Pourtant les fêtes de Compiègne n'avaient pas pour motif, officiellement du moins, l'écrasement du roi d'Angleterre et le ralliement de ses anciens vassaux autour du roi de France ; elles avaient pour objet de célébrer la chevalerie du fils aîné de Philippe-Auguste, son héritier au trône. Louis devait recevoir ce jour-là, de la main de son père, l'épée et les éperons de chevalier ; selon l'usage, il avait passé la nuit en prière dans la chapelle du château de Compiègne avec cent jeunes gens qui devaient être armés en même temps que lui ; puis, au matin, ayant pris un bain et entendu la messe, il allait être revêtu, conformément au rituel désormais consacré, d'une chemise de lin, d'une tunique de drap d'or, de chausses de soie ; son père allait le ceindre d'un baudrier blanc auquel pendrait l'épée demeurée toute la nuit sur l'autel, avec les éperons d'or qu'on allait attacher à ses chausses. Les réjouissances habituelles allaient suivre : festins et banquets, mais d'abord prouesses et exploits de cavalier. Comme ses compagnons, Louis dut faire caracoler sa monture et donner la preuve de son adresse à manier les armes devant la tribune des dames où se tenait Blanche parmi ses suivantes.

Blanche devait être émue ; la chevalerie revêtait une signification tant sociale que religieuse et marquait l'entrée dans la vie active de son époux, — un époux tendrement aimé. La grandeur et la gaîté de ce jour se nuançaient pour elle d'un espoir mêlé de crainte. Elle attendait un enfant, qui devait naître quatre mois plus tard. Or déjà, plusieurs années auparavant, en 1205, elle avait donné le jour à une fille, mais celle-ci n'avait pas vécu. Les chroniques ne nous ont même pas conservé le nom de cet enfant, probablement mort-né. Blanche, comme son époux, devait se demander s'ils auraient quelque jour un héritier capable d'assurer l'avenir de la dynastie.

Mais ce qui retint surtout ce jour-là l'attention des convives et suscita bien des commentaires, ce fut le serment que le roi de France exigea de son héritier au moment de son entrée dans la chevalerie. Louis était alors dans sa vingt-deuxième année ; c'est dire qu'il avait largement dépassé l'âge auquel on conférait en général les éperons de chevalier : dix-huit ans le plus souvent, parfois quinze comme il en avait été pour Arthur de Bretagne, voire quatorze comme pour le roi Philippe lui-même. Encore celui-ci avait-il préparé à l'intention de son fils une série d'engagements qu'il fit consigner avec soin sur les registres de sa chancellerie. Louis promettait de ne jamais prendre à son service chevaliers ou sergents qui n'eussent juré fidélité au roi son père ; il jurait de ne jamais faire violence aux communes et aux bourgeois du roi et de n'exiger d'eux aucune aide pécuniaire sans son autorisation.

Enfin — et c'était là sans doute la promesse la plus exorbitante que seigneur eût jamais exigée de son héritier — Louis dut promettre de ne jamais prendre part à un tournoi, de se contenter d'assister à ceux qui auraient lieu sous son règne en simple spectateur et, comble de précaution, de ne jamais revêtir dans ces cas-là que le haubergeon — la tenue légère — avec un simple chapeau de fer, ce qui suffisait à l'exclure de ces joutes dangereuses pour lesquelles il était de rigueur d'avoir vêtu le haubert et coiffé le heaume. Il fallait au jeune homme un profond esprit d'obéissance pour se prêter à des promesses aussi insolites. Était-ce de la part du roi Philippe simple manifestation d'un caractère entier et autoritaire ? Dans sa jeunesse, il avait vu mourir à ses côtés le comte Geoffroy de Bretagne, tué à Paris au cours d'un tournoi. Il en avait paru violemment affecté ; lors des funérailles, au moment où l'on inhumait Geoffroy dans le chœur, alors à peine terminé, de Notre-Dame de Paris, il avait voulu se précipiter dans la tombe et l'on avait dû le retenir. Tout pratique et positif qu'il fût, Philippe n'était pas à l'abri des chocs nerveux. Visiblement, il tenait par-dessus tout à la vie de cet héritier fragile qui lui avait souvent donné des inquiétudes. Qui donc aurait pu prévoir alors que ce garçon qui se prêtait docilement aux volontés paternelles passerait à la postérité sous le surnom de Louis le Lion ?

Encore moins était-il question de laisser l'héritier de France se joindre aux croisés pour qui la veillée de fête avait été une veillée d'armes. En effet, ce jour-là se trouvaient réunis à Compiègne la plupart des barons qui avaient décidé de répondre à l'appel du pape Innocent III. Celui-ci les exhortait à une croisade nouvelle, très nouvelle même puisqu'il ne s'agissait plus de franchir les mers et d'aller affronter les Sarrasins, mais simplement de gagner les rives de la Garonne et de châtier les hérétiques. A la violence commise sur la personne du légat Pierre de Castelnau, on répondrait par la violence. Nombreux étaient les chevaliers qui avaient envisagé sans déplaisir la perspective d'acquérir ainsi aux moindres frais le titre de croisé devenu, en ce début du siècle, une sorte d'assurance sur le salut, assortie dès ce monde de quelques avantages matériels. Mais c'est en vain qu'Innocent III avait exhorté le roi à « prendre le glaive pour protéger l'Église contre un tyran et un ennemi de la foi ». Tout en laissant prêcher la croisade dans le royaume, Philippe avait refusé d'y prendre part et, qui plus est, interdit à son fils de s'y rendre. Un père autoritaire, décidément.

Seule compensation aux exigences paternelles : le roi fit don des revenus de quelques châteaux pour l'entretien personnel de Louis et de Blanche, — entre autres Château-Landon, Lorris et Poissy qui furent solennellement octroyés au jeune homme pendant les fêtes de Compiègne.

« L'an du Seigneur 1209, le neuvième jour du mois (de septembre), à l'heure de prime, Blanche à nouveau mère eut un fils. Cette naissance tant souhaitée donne un maître aux Français et aux Anglais, qui se fera connaître sous le nom de Philippe. Puisse-t-il, successeur de son grand-père, en montrer l'allure aussi bien que le nom[2]. »

Telle est la teneur d'une mention en vers latins portée par un scribe anonyme sur le premier registre de la chancellerie de Philippe-Auguste. Si ces vers ne perdent rien à la traduction en prose, ils n'en expriment pas moins la joie de la famille et de l'entourage royal, lorsque Blanche mit au monde un bel enfant, bien valide celui-là, porteur des espoirs d'une dynastie en plein essor. L'avenir de la couronne de France est désormais assuré. Quel nom donner à cet héritier ? Celui de Philippe convenait pleinement, non seulement par égard pour son grand-père, mais aussi parce que, issu de l'histoire grecque, ce nom évoquait des images de gloire et de conquêtes. Il était du reste déjà traditionnel dans la lignée capétienne, le premier Philippe ayant été ainsi nommé une centaine d'années auparavant par sa mère, Anne, fille du duc de Kiev, grâce à laquelle les descendants d'Hugues Capet possédaient quelques gouttes de sang slave ; et Philippe-Auguste l'avait lui-même donné à l'un de ses bâtards, celui qu'on surnommait Hurepel à cause de ses cheveux hérissés.

« Blanche donne un maître aux Français *et aux Anglais.* » Toute l'histoire des années qui vont suivre est contenue dans cette phrase ; la grande affaire qui occupe les esprits, au moment de cette naissance, c'est la descente en Angleterre que médite le roi de France. Blanche est devenue dans sa politique un atout majeur. La situation est claire : le roi Jean, qui s'est fait battre honteusement sur le continent et a été déclaré déchu de ses droits par la cour des pairs, voit de jour en jour son autorité décroître dans ses possessions insulaires comme sur le continent. Or, il n'est pas seul à posséder des titres de succession au royaume des Plantagenêts, ses neveux peuvent légitimement y prétendre aussi ; Jean était le plus jeune fils du roi Henri II et les enfants de ses frères et sœurs aînés peuvent se croire mieux fondés à succéder au trône. Parmi ses neveux, l'un, Otton de Brunswick, a manifesté de hautes ambitions et ne songe qu'à la couronne impériale ; l'autre, Arthur de Bretagne, — qui donc connaît au juste son sort ? Mais Blanche, elle, ne possède pas moins de droits qu'eux*. Le moment n'est-il pas venu de les faire valoir ?

S'il faut en croire les contemporains, l'idée aurait germé soudainement dans l'esprit du roi Philippe : « Il advint que le roi Philippe de France dormait une nuit en son lit ; et sortant de son lit comme tout en émoi, il dit : « Dieu ! qu'attends-je, « moi qui ne vais conquérir l'Angleterre ! » Ses chambellans qui devant lui dormaient s'en émer-

---

* Voir la Généalogie : par sa mère, Blanche est la petite-fille d'Henri II Plantagenêt.

veillèrent fort, mais ils n'osèrent parler. Aussitôt commanda le roi qu'ils fissent venir Frère Guérin, un hospitalier qui était maître en son conseil, et Barthélemy de Roye, un chevalier qui était fort bien avec lui, et Henri le Maréchal, un petit chevalier qui l'avait fort bien servi, qu'il aimait beaucoup et auquel il avait fait grand bien... Les chambellans firent venir ces trois vers le roi et plusieurs autres qui de son conseil étaient ; le roi leur commanda qu'ils envoyassent par toute la terre et les ports de mer et fissent retenir toutes les nefs qu'ils trouveraient et en fissent de nouvelles en grande abondance, car il voulait passer en Angleterre et le royaume conquérir[3]. »

Le projet n'avait rien en soi de très extraordinaire. Depuis un siècle et demi, des rois normands ou angevins régnaient sur l'Angleterre ; ces rois étaient sujets du roi de France pour leurs domaines continentaux et, ceux-ci partiellement conquis, n'était-il pas logique que la conquête s'étendît à leurs fiefs insulaires ? La langue, les traditions, les usages étaient semblables à la cour de Londres et à celle de Paris. Durant le règne précédent, on avait envisagé qu'un Angevin, le fils aîné d'Henri Plantagenêt, joignît la couronne de France à celle d'Angleterre. La situation s'était retournée, mais quoi de plus naturel que de penser à joindre désormais la couronne d'Angleterre à celle de France ?

N'était-ce pas d'ailleurs l'arrière-pensée de la reine Aliénor, lorsqu'elle avait franchi les Pyrénées à quatre-vingts ans pour ramener à l'héritier de France une épouse de son sang ? Blanche pouvait se dire qu'elle recueillait un héritage sacré en réalisant le vœu de sa grand-mère.

Les familiers du roi en tout cas n'ont pas caché leur espoir de voir ce souhait exaucé : « Le sceptre d'Angleterre t'est dû par le droit de ton épouse », s'écriera l'un d'eux, s'adressant à Louis de France[4]. Il s'agissait bien d'un droit à faire prévaloir.

Certain soir un étrange personnage vint demander asile à la cour de France : un mendiant en haillons, l'air exténué. Il se disait porteur d'un message de première importance pour le roi Philippe. Effectivement, mis en sa présence, il devait faire de terrifiantes révélations.

Cet homme se nommait Guillaume de Briouze ; il avait été l'âme damnée du roi Jean sans Terre, son compagnon de jeux et de plaisirs, son favori, son homme de main ; c'était lui qui, lors de l'affaire de Mirebeau, s'était emparé de la personne d'Arthur de Bretagne. Jean avait commis le jeune homme à sa garde.

Un soir, au château de Rouen, il avait vu arriver le roi qui venait de passer, dans le manoir royal de Moulineux tout proche, deux jours de méditation solitaire, au cours desquels personne n'avait pu l'approcher. A Rouen, son justicier Geoffroy Fitz-Pierre, que l'on disait dur et cruel, vint le retrouver. Les deux hommes dînèrent ensemble ; le roi, à la fin du repas, paraissait « ivre et possédé du démon ». La nuit était déjà avancée quand le roi Jean en personne donna l'ordre à Guillaume de Briouze de le suivre. Ils se dirigèrent vers le cachot où Arthur était enfermé. Encadrant le jeune garçon muet et tremblant, ils gagnèrent une poterne qui donnait sur la Seine ; Jean sauta dans la barque, fit signe à Arthur et à Guillaume de faire de même. Le temps de détacher la barque de l'anneau qui la retenait : Arthur, égorgé par son oncle, gisait sans vie dans le fond de la barque. Le roi ordonna à Guillaume de lui attacher une pierre au cou, et les deux hommes jetèrent par-dessus bord le jeune garçon ; c'était le Jeudi saint, 3 avril 1203.

Toute la scène s'était déroulée dans un complet silence, sans un cri, sans un bruit, sinon celui du cadavre jeté à l'eau. Par la suite, Guillaume avait gardé le secret ; pas assez toutefois. Quelques mois avant son arrivée à la cour de France, Guillaume, dont la faveur diminuait auprès du roi, avait eu l'imprudence de s'endetter ; le roi Jean avait exigé caution pour ses dettes, puis avait voulu que son favori lui laissât son fils en otage ; sur quoi Mathilde de Briouze, sa femme, avait laissé échapper une parole imprudente : « Je refuse de livrer mon enfant au meurtrier d'Arthur. » C'était enfreindre une consigne tacite, mais formelle : jamais nul ne devait prononcer devant le roi Jean sans Terre le nom de son neveu Arthur.

Guillaume, envoyé en Irlande, devait apprendre que Mathilde et leur fils avaient été enfermés dans un cachot du château de Windsor où on les avait laissés mourir de faim ; il était parvenu à passer la mer, déguisé en mendiant, et c'était ainsi qu'il s'était rendu à la cour du roi de France.

« Mauvais homme que le roi Jean ; cruel était sur tous hommes ; de belles femmes était trop convoiteux ; maintes hontes en fit aux nobles hommes de la terre par quoi il fut fort haï. Jamais il ne dit sa volonté vraie ; ses barons, il les mêlait ensemble (dressait l'un contre l'autre) toutes les fois qu'il le pouvait. Il était fort joyeux quand il voyait haine entre eux. Il haïssait tout prud'homme par envie. Il lui déplaisait fort quand il voyait quelqu'un bien faire[5]. »

C'est ainsi qu'un contemporain a résumé l'opinion qu'on avait généralement du roi Jean sans Terre.

Du moins savait-on à présent ce qu'était devenu Arthur de Bretagne ; en fait, le lendemain du meurtre, les moines d'un prieuré voisin de la

Seine avaient aperçu le corps flottant sur l'eau ; ils l'avaient recueilli et inhumé en terre chrétienne. Guillaume de Briouze, bien accueilli par le roi de France, devait se retirer à Saint-Laurent de Corbeil où il mourut l'année suivante.

Après l'atroce révélation qu'il lui avait faite, Philippe ne pouvait que se sentir affermi dans son projet de revendiquer l'héritage de Blanche. Au fil des jours, de nouveaux motifs se présentaient, presque toujours sous l'aspect d'un fugitif, victime du roi Jean, qui venait implorer l'asile de la cour de France. Il y eut ainsi un certain Robert Fitz-Gautier, dont un chroniqueur a raconté l'entrevue en ces termes :

« Sire, grand besoin m'amène, car le roi m'a chassé d'Angleterre et m'a pris toute ma terre. — Pour quelle raison ? dit le roi. — Certes, Sire, je vous en dirai la raison : il voulait à toute force coucher avec ma fille et pour ce que je ne l'ai voulu souffrir, il m'a détruit et chassé de ma terre. Je vous prie pour Dieu que vous preniez pitié de moi comme d'un homme déshérité à tort. — Par la lance Saint-Jacques, s'exclama le roi, ce mal vous est advenu en bon point, car je dois passer en Angleterre et si je puis conquérir le pays, votre peine sera bien dédommagée[6]. »

Le roi Jean par ailleurs était excommunié ; il était en désaccord avec la plupart des évêques de son royaume, entre autres le fameux Étienne Langton, prélat éminent et fort savant qui, lui aussi, s'était quelques années auparavant réfugié en France et que les moines de Cantorbéry venaient d'élire au siège épiscopal pour la grande fureur du souverain. Le vide se faisait autour de lui et Jean, dont la cruauté s'exaspérait à mesure que les événements se retournaient contre lui, semblait fournir comme à plaisir de nouveaux griefs ; l'un des fonctionnaires de l'Échiquier,

Geoffroy, archidiacre de Norwich, ayant décidé de cesser ses fonctions après l'interdit jeté par le pape sur le royaume d'Angleterre, Jean le fit saisir, le jeta dans un cachot et le laissa mourir de faim, revêtu d'une chape de plomb qui l'écrasait. Aux confins du royaume, les Gallois s'agitaient ; pour prévenir la rébellion d'un des chefs de tribus, Llewellyn, Jean fit pendre à Nottingham vingt-huit jeunes gens, fils de nobles gallois qu'il avait exigés comme otages. Il ne régnait plus que par la terreur ; les barons anglais songeaient à offrir le royaume soit au fils du roi de France, soit encore à Simon de Montfort, qui par sa mère était comte de Leicester. Le bruit s'en répandait dans toute l'Angleterre. Un homme qui se donnait pour voyant, Pierre de Pontefract, se mit à dire ouvertement — cela se passait au début de l'année 1213 — « que le roi ne serait plus roi d'ici à l'Ascension ». La rumeur parvint aux oreilles de Jean sans Terre. « Fière peur en eut », aux dires des témoins. Il fit venir Pierre, et lui jura qu'au lendemain de l'Ascension, si son oracle ne s'était pas réalisé, il le ferait pendre. L'homme sans se troubler persista dans ses dires.

Entre-temps le roi Philippe avait mené avec soin les préparatifs d'une expédition ; il avait accumulé le ravitaillement et les équipements de guerre, et fait en hâte construire une flotte de quinze cents nefs qu'il concentrait à Gravelines. L'exploit de Guillaume le Conquérant était dans toutes les mémoires ; chacun s'attendait à le voir renouveler ; mais, plutôt que la Normandie, c'était la Flandre que le roi avait choisie pour base d'opérations. Il comptait rassembler son armée à Boulogne.

Blanche a-t-elle pris part à cette activité ? Aucun texte ne nous l'indique, mais l'habileté qu'elle déploiera quelques années plus tard, pour la suite de l'entreprise, quand il lui faudra agir personnellement, laisse penser qu'elle n'était pas dépourvue d'expérience ; il n'est pas impossible que pour une expédition qui la concernait directement — ne s'agissait-il pas de revendiquer ses droits et n'allait-elle pas recevoir avec son époux la couronne d'Angleterre ? — elle ait participé de près ou de loin aux préparatifs.

Ceux-ci se trouvaient terminés aux environs de Pâques 1213. Le lundi des Rameaux, Philippe-Auguste tint sa cour à Soissons pour demander à ses barons l'aide militaire et leur faire part de l'expédition projetée. Ils s'y rallièrent à l'exception d'un seul, le comte de Flandre Ferrand. Irrité de son absence, le roi le fit mander à Boulogne à la veille de l'Ascension. Ce jour-là, 22 mai 1213, il attendit en vain que Ferrand se présentât ou envoyât des messagers.

Le cas était grave : c'était une rupture du serment féodal ; mais cette déception n'était rien encore auprès de celle qui attendait le roi de France.

Quelque temps auparavant les familiers du roi Philippe avaient escorté à Wissant le légat du pape, Pandolfe, s'embarquant pour l'Angleterre ; il était chargé d'annoncer à Jean sans Terre qu'à la suite de ses crimes, de ses parjures, de son refus de se soumettre, le pape l'avait solennellement déposé et que le roi de France ou plutôt son héritier allait recevoir la couronne qu'il n'était plus digne de porter.

Or, pendant la semaine qui suivit l'Ascension, une nef parut à l'horizon de Gravelines où s'était rendu Philippe. Sur cette nef avait pris place Étienne Langton, l'archevêque de Cantorbéry, qu'escortaient plusieurs évêques d'Angleterre. Mis en présence du roi, ils lui exposèrent le coup de théâtre qui s'était produit le 13 mai, trois jours avant l'Ascension : le roi Jean avait donné au pape en la personne de son légat Pandolfe le royaume d'Angleterre.

Tous les projets du roi de France s'écroulaient. La situation, d'un seul coup, se trouvait retournée. Le royaume d'Angleterre, jusqu'alors mis en interdit, était désormais inviolable, placé sous la protection directe du Saint-Siège. Le roi Jean, promettant de faire pénitence, avait fait sur l'heure, en présence du légat, rédiger une charte qui consacrait son acte de cession : « Nous donnons et concédons librement à Dieu, à ses apôtres Pierre et Paul, à la sainte Église romaine notre mère et au seigneur pape Innocent ainsi qu'à tous ses successeurs, tout le royaume d'Angleterre et tout le royaume d'Irlande avec tous leurs droits et appartenances... Nous ferons hommage-lige en présence du seigneur pape si nous pouvons nous rendre devant lui. »

Dans la prison de Cork où le roi l'avait fait jeter, Pierre de Pontefract triomphait amèrement : « Le roi va envoyer pour me faire pendre ; je serai pendu, je le sais bien ; mais ce sera à tort, car il a rendu son royaume au pape avant l'Ascension. Et puisqu'il tient son royaume d'un homme mortel, c'est donc qu'il n'est plus roi. » Et le chroniqueur qui relate ces faits d'ajouter que Pierre fut effectivement pendu quelques jours plus tard par ordre de Jean.

Quant au roi Philippe, il sut se ressaisir à temps pour faire bon visage à ceux qui lui apportaient la bouleversante nouvelle : « Je triomphe, puisque c'est grâce à moi que Rome a soumis le royaume d'Angleterre[7]. »

Mais le coup était rude, — d'autant plus rude qu'entre-temps s'étaient révélés des ennemis dans la maison. En premier lieu, Ferrand de Flandre, dont la défection l'avait inquiété. Ce Ferrand aurait eu pourtant toutes sortes de motifs de lui être reconnaissant. Parent de Blanche (il était le beau-frère de sa sœur Urraca, reine de Portugal), mais lui-même cadet sans fortune, on lui avait fait épouser Jeanne, l'héritière du comté de Flandre, ce qui le mettait à la tête de l'un des plus riches domaines du royaume. Leurs noces avaient été célébrées avec éclat à Paris en janvier 1212, et voilà qu'une année plus tard ce parvenu se permettait de faire affront à son suzerain ! Il n'allait pas s'en tirer sans mal ! Et le roi Philippe se vengea incontinent de sa déconvenue en s'emparant de trois cités flamandes : Cassel, Ypres, Bruges, et en donnant ordre à sa flotte de le rejoindre dans le port de Damme.

Le roi de France ne pouvait de toutes façons s'attarder à Boulogne ; il se trouvait en effet sur des terres qu'il avait confisquées au comte de Boulogne, Renaud de Dammartin, peu de temps auparavant ; depuis deux ans en désaccord avec le roi, refusant de comparaître devant la cour des pairs, ce dernier, qui nourrissait de vieilles rancunes contre la dynastie de France, était allé porter son hommage au roi d'Angleterre ; un traître, mais son exemple devenait dangereux. Effectivement, quand le comte Ferrand de Flandre vit les armées du roi Philippe mettre le siège devant la ville de Gand, il prêta une oreille complaisante aux conseillers qui lui suggéraient d'envoyer lui aussi un messager au roi Jean, et lui dépêcha un de ses chevaliers, Baudouin de Nieuport[8].

Ainsi la situation se retournait du tout au tout ; le roi Jean sans Terre, au moment même où on le croyait à bout de ressources, abandonné de tous, et tout près de voir une croisade déclenchée contre lui par le pape (il en avait été question à Rome), devenait l'arbitre de la situation et, couvert lui-même par la plus haute autorité morale

73

de la chrétienté, ouvrait sa cour aux barons « victimes » du roi de France.

Encore n'avait-il pas dit son dernier mot. Dès la semaine de Pentecôte, une flotte anglaise conduite par Guillaume Longue-Épée, comte de Salisbury, le frère bâtard de Jean sans Terre, Hugues de Boves et Renaud de Dammartin en personne, attaquait les vaisseaux du roi de France, brûlait quatre cents nefs et dispersait les autres. Le roi Philippe dut abandonner précipitamment le siège de Gand et parvint à mettre en fuite les assaillants ; mais il ne lui restait plus qu'à disperser ou brûler le reste de sa flotte ; ce qu'il fit avant de regagner Paris, tandis que, le 31 mai, Ferrand de Flandre prêtait hommage au roi d'Angleterre en présence de ses envoyés. L'expédition de Boulogne, qui avait coûté quelque soixante mille livres au roi de France, se terminait sur la déception la plus forte qu'il eût essuyée et lui valait la trahison de deux parmi ses plus puissants vassaux.

A la déception générale s'ajoutait, pour Blanche, une peine plus personnelle. Le 26 janvier de cette année 1213, elle avait donné le jour à deux enfants jumeaux qui n'avaient pas vécu ; il est vrai que l'héritier au trône, le petit Philippe, était un bel enfant âgé alors de quatre ans ; mais cette maternité manquée n'en était pas moins douloureuse.

Une seule compensation à ces déboires : les nouvelles qui lui parvenaient d'Espagne. Une lettre de sa sœur aînée Berenguela, dont le texte nous a été conservé, a dû lui causer une joie profonde : « J'ai des choses agréables à vous faire savoir, écrivait-elle, par la grâce de Dieu de qui vient toute force, le sire roi notre père a vaincu dans un combat en rase campagne Amiramome-lin (c'est ainsi qu'elle nomme l'émir Mohammed-el-Nasser). Honneur insigne, car c'est chose inouïe qu'un roi du Maroc ait été vaincu dans une rencontre en rase campagne ; sachez qu'un fami-lier de la maison de notre père me l'avait annoncé, mais je n'ai pas voulu le croire jusqu'à ce que j'aie vu les lettres de la main même de notre père[9]. »

Et la suite de la lettre raconte les péripéties d'un combat demeuré célèbre ; il s'agissait en effet de la bataille de Las Navas de Tolosa qui décidait du sort de l'Espagne. Pour la première fois la déroute des Sarrasins dans ce pays était totale : « Notre père les poursuivit avec son armée jusqu'après le coucher du soleil dans la nuit... Le butin qui a été pris dans le camp des Sarrasins, en or et argent, vêtements et animaux ne se peut estimer tant il y en a ; sachez que vingt mille som-miers (bêtes de somme) pourraient à peine porter les seuls paquets de traits et de flèches... Faites savoir cela au roi de France », ajoutait Beren-guela.

Et Blanche s'était empressée effectivement de faire connaître la nouvelle, non seulement au roi de France, mais aussi à tous ceux, plus proches ou plus lointains, qui pouvaient s'y intéresser. On possède la lettre qu'elle écrivit pour raconter l'événement à sa parente Blanche de Navarre, la fille du roi de Navarre Sanche VI, qui avait épousé le comte de Champagne Thibaud III. Entre-temps elle avait eu sans nul doute nouvelle lettre et nouveaux détails, car elle raconte le com-bat avec autant d'enthousiasme que l'avait fait Berenguela, mais davantage de précisions : « (Les chrétiens) commencèrent à avancer dans le col le jeudi avant la fête des saints Justin et Rufin

(10 juillet 1212) et, parvenus au sommet du mont, ils trouvèrent une multitude de Sarrasins. » C'était, dans la Sierra Morena, le fameux défilé de Peñaperros, étroit, sauvage et très bien gardé par l'ennemi. « Le lendemain samedi, ils trouvèrent des guides connaissant bien l'endroit qui conduisirent l'armée par le dos du mont vers un passage moins difficile, et là se trouvèrent face à face avec l'armée du roi Amiramomelin. » Ce passage franchi d'une façon détournée devait par la suite exciter l'imagination ; une légende en attribua la gloire au laboureur saint Isidro, mort une cinquantaine d'années auparavant : son ombre aurait miraculeusement guidé l'armée à travers des sentiers inconnus et permis la rencontre avec les armées sarrasines dans des conditions que celles-ci n'avaient pas prévues.

La victoire mettait un point final aux menaces qui pesaient sur le pays de Blanche depuis le désastre d'Alarcos en 1195. Les Arabes d'Espagne et d'Afrique du Nord s'étaient enhardis, avaient préparé contre la Castille une offensive d'envergure, et tout l'effort de la Reconquête s'était trouvé compromis. L'an 1211, l'archevêque de Tolède — Rodrigo Jimenez de Rada, une personnalité exceptionnelle, grand bâtisseur (on lui doit la construction de la cathédrale actuelle) et grand clerc aussi (il avait donné une vive impulsion à l'université de sa ville en encourageant la traduction des philosophes arabes) — avait parcouru l'Occident pour éveiller l'attention sur le péril devenu imminent pour les chrétiens d'Espagne : sa propre ville risquait d'être encerclée et la Castille submergée par ce nouvel assaut ; aussi bien, dans l'armée qui venait de remporter la victoire de Las Navas de Tolosa, trouvait-on des croisés de toute origine, parmi lesquels Berenguela cite

le nom d'un trouvère de France, Thibaud de Bla-
zon, dont elle souligne le courage.

Une grande affection, de toute évidence, unit
Blanche et Berenguela. Les deux sœurs mèneront
d'ailleurs une existence parallèle, exerçant, chacune en son pays, une influence comparable. Les
contemporains sont unanimes à dire de Berenguela qu'elle était « une femme pleine de bon
sens, très capable, prudente, sincère dans ses
conseils, douée des qualités les plus variées ; tout
le monde s'adressait à elle et tous se laissaient
guider par ses avis », le genre d'éloge qu'on enten-
dra de la reine Blanche. Berenguela a laissé dans
son sillage des forteresses et des églises ; c'est à
elle qu'on doit la reconstruction de la cathédrale
de León ; elle a fait entreprendre celle de Burgos
et aussi, en accord avec l'archevêque Jimenez,
celle de Tolède. C'est elle qui a introduit la
réforme cistercienne chez les bénédictins de
Saint-Vincent de Ségovie, et installé les Templiers
à Guadalajara. Du reste, l'énumération des églises
fondées par Berenguela serait fastidieuse, mais il
faut nommer du moins celle d'Osma, puisque son
histoire est, par la personne de son évêque Diego,
compagnon de saint Dominique, liée à celle des
Frères prêcheurs. Mais là ne s'est pas bornée l'activité de Berenguela qui est proprement inlassable. Attentive aux besoins de son temps, elle mul-
tiplie les libertés communales, prend la défense
du petit peuple contre les seigneurs et fonde avec
son époux l'université de Salamanque. Elle avait
dû d'ailleurs se séparer de cet époux, Alphonse IX
de León, car — et c'est le paradoxe de son existence — cette femme irréprochable passa une
grande partie de sa vie excommuniée : Alphonse
était son parent à un degré prohibé ; les quatre
enfants qu'ils avaient eus ne devaient être que
tardivement légitimés par le pape ; or l'aîné, Fer-

dinand III, sera un saint, comme Louis, le fils de Blanche.

Il est pour nous remarquable que les lettres des deux sœurs, dans lesquelles perce indiscutablement un accent personnel (on n'y trouve aucune de ces formules auxquelles tiennent les clercs des chancelleries), soient en latin ; le latin est encore, en ce début du XIIIe siècle, la langue de l'écrit, alors que le français comme le castillan deviennent les langues parlées communément, même à la cour. Tout le monde est encore plus ou moins bilingue à l'époque, encore que les langues vulgaires aient accompli un énorme progrès du fait que la Bible, qui est alors la base commune de la culture dans tout l'Occident et l'Orient chrétien, ait été traduite dans le langage de tous les jours. Au reste, dès les siècles précédents l'usage s'était introduit, tout en conservant le latin pour les cérémonies liturgiques, de ne plus prêcher qu'en français ; une historiette édifiante raconte comment un curé, ayant fait son sermon en belle prose latine, avait vu en songe un ange lui apparaître la nuit suivante, qui lui disait sévèrement : « Ce sermon-là, tu l'expieras au purgatoire ! » Mais ce n'est que plus tard et précisément sous le règne de Blanche qu'on verra apparaître les premières lettres en français.

La lettre de Berenguela ne nous est d'ailleurs pas parvenue dans l'original ; mais on peut avoir quelque idée de la façon dont elle se présentait grâce à ces lettres des grands d'Espagne, de quelques années postérieures, adressées à Blanche et à Louis et que conservent toujours les Archives nationales[10]. Ce sont des missives de format modeste, tracées en gros caractères et, fait unique, portant un sceau d'argent. En France, comme d'ailleurs dans la plupart des pays d'Occident, on se contentait de sceller les lettres avec de la cire ; seuls les empereurs, celui de Byzance et l'empereur germanique, scellaient en or, et de même faisait la ville de Venise ; tandis que le pape, comme protestation d'humilité, scellait en plomb. En l'espèce, le sceau d'argent accompagnait des lettres signées de nobles castillans aux noms sonores : Rodrigo Diaz de los Camberos, Gonsalve Pedro de Molina, Gonsalve d'Orvaneza, etc., qui, mécontents d'avoir à leur tête une femme pour régente, proposaient le royaume de Castille à Louis et à Blanche. Cette femme n'était autre que Berenguela, qui exerçait la régence au nom de son fils Ferdinand encore enfant.

Ces lettres scellées d'argent sont demeurées sans réponse. Blanche éprouvait trop d'affection envers Berenguela pour se poser en rivale de sa sœur ; mais semblables missives ne témoignent pas moins des liens étroits qui unissent alors le royaume de France et celui de Castille. Par la personne de Blanche et celle de Berenguela, ce sont deux royautés-sœurs, — et ce serait mal comprendre Blanche que d'oublier la place que tient, tout au long de sa vie, dans son cœur et sa pensée, sa famille castillane.

L'horizon était sombre, et le moment était venu pour l'héritier de France de donner pleinement sa mesure. Joué par le roi Jean sans Terre, Philippe avait bien dû, bon gré mal gré, abandonner ses visées sur l'héritage de Blanche ; mais il se trouvait à présent avec deux autres ennemis à combattre : Ferrand de Flandre et Renaud de Dammartin, comte de Boulogne. La guerre allait faire rage dans les régions flamandes cet hiver-là. Province alors exceptionnellement riche et active que cette Flandre dont les contemporains se plaisent à énumérer les ressources : Gand, qu'habite un peuple orgueilleux dans ses maisons garnies de tours ; Ypres, fastueuse, dont la population est habile à tondre la laine ; Bruges, qui chausse de bottes toutes les jambes princières, riche de ses fruits et de ses prés, avec son port tout proche ; Arras, cité puissante et très ancienne, regorgeant de richesses, béant de gains et qui se plaît à l'usure ; enfin la Flandre entière, puissante à la guerre, débordant de biens, économe, dont les habitants, rouges de visage et blancs de chair, sont sobres, actifs, industrieux[11]...

Ce pays de Flandre accapare l'attention de la cour de France pendant les années qui vont suivre. Les événements qui s'y déroulent en ces années 1213-1214 auront une importance décisive pour le roi et pour son royaume, et de ces événements le prince Louis sera l'acteur principal. Il serait plus exact de dire : Louis et Blanche, — car, si la Flandre revêt alors une telle importance, c'est en partie parce que la trahison des deux compères, Ferrand et Renaud, a mis en péril le royaume de France, mais aussi parce que la Flandre est une base d'opérations indispensable pour la conquête du royaume d'Angleterre, héritage de Blanche. Celle-ci a suivi avec passion les péripéties des combats dans lesquels il lui faudra intervenir personnellement. Pendant l'hiver 1213-1214, elle était enceinte à nouveau, mais l'attention qu'elle portait aux projets de son époux n'en était pas diminuée pour autant, si l'on en juge par la promptitude et la décision avec lesquelles elle jouera plus tard son rôle.

Louis n'en était pas à son coup d'essai ; il avait brillamment, au début de cette année-là, fait la preuve de sa valeur à Damme et mis en déroute le comte Ferrand. Durant l'hiver qui s'annonçait il allait réaliser une série d'exploits ; établi à Lille avec son fidèle maréchal Henri Clément, « petit de corps et grand de cœur », il surveillait la région. Ayant appris que le comte Ferrand avait assigné à ses troupes rendez-vous à Courtrai, il y fit une incursion rapide, mais radicale. Quand Ferrand de Flandre et Renaud de Dammartin se présentèrent devant la cité, celle-ci était en flammes, et Louis reparti vers Lille avec un confortable butin.

Le temps de regagner Paris pour aller rendre compte à Blanche et à son père du succès de l'opération, Louis recommençait en Flandre les combats qui prenaient bien vite une allure sauvage : massacres, pillages, incendies. A Bailleul, peu s'en fallut que le prince ne fût brûlé vif dans l'incendie allumé par ses propres troupes : « Sachez bien, écrit le chroniqueur anonyme qui fut le témoin oculaire de la lutte, qu'il n'y eut si hardi fils de roi ou autrui qui n'eût peur pour soi. » A Steenvoorde, que les Français prononçaient Estanfort (c'était le nom d'une qualité de drap très appréciée), Frère Guérin, un hospitalier dont le roi Philippe avait fait son conseiller, s'écriait férocement devant la cité en flammes : « Seigneurs, regardez si vous vîtes jamais estanfort mieux teint en écarlate ! »

Une série d'exploits, mais qui n'aboutissaient qu'à rendre la guerre plus cruelle et la situation plus critique. Aux pillages répondaient d'autres pillages. Louis se manifestait à Nieuport, Hazebrouck, Cassel ; Ferrand faisait de même à Souchez, Houdain, Bouchain et pillait jusqu'à la fameuse abbaye de Saint-Omer. Les populations en faisaient les frais et le conflit gagnait en étendue. Renaud de Dammartin s'employait à rallier contre le roi de France les barons du Nord, de Hollande, d'Allemagne et jusqu'à l'empereur germanique Otton de Brunswick. La partie fut d'ailleurs relativement aisée puisque Otton était un neveu du roi d'Angleterre ; mais la raison n'eût pas été suffisante à elle seule, et l'intervention d'Otton montre à quel point le conflit qui s'était engagé menaçait d'ébranler l'Europe entière. Presque aussitôt après son couronnement en 1209, Otton s'était trouvé en lutte avec le pape. Tradition bien établie chez les empereurs germaniques que cette lutte contre la papauté, mais celui qui occupait le siège de saint Pierre, Innocent III, n'était pas homme à supporter les abus de pouvoir de l'empereur : il s'était empressé de lui susciter un rival en la personne du jeune Frédéric de Hohenstaufen. Or, l'hostilité qui régnait entre les deux rois de France et d'Angleterre les incitait à se trouver des alliances à l'extérieur. Louis, lorsqu'il s'était rendu précédemment en Artois pour y revendiquer l'héritage maternel, avait eu l'occasion de mettre la main sur un émissaire que le roi d'Angleterre envoyait à son neveu Otton de Brunswick. Il n'en fallait pas davantage pour que Frédéric devînt l'allié naturel du roi de France ; le prince Louis avait sollicité une entrevue ; ils s'étaient rencontrés à Vaucouleurs. Quelle sorte d'alliance avaient-ils conclue ? On ne savait, mais dans les deux camps qui s'opposaient, le sort même de l'Empire se trouvait par avance engagé.

Sur ces entrefaites, on apprenait à la cour de France que Jean sans Terre en personne avait débarqué le 15 février à La Rochelle, à la tête d'une armée de mercenaires réunie à grands frais contre celui qu'il appelait « son ennemi capital, le roi de France ».

Le royaume se trouvait désormais attaqué de deux côtés à la fois, au nord-est et au sud-ouest ; dans quelle mesure pouvait-on compter sur la fidélité des barons normands devenus très récemment les vassaux directs du roi Philippe et dont la plupart possédaient en Angleterre des fiefs qu'ils ne se souciaient pas de compromettre ? Si le roi Jean s'était rendu odieux aux barons poitevins, pouvait-on espérer une fidélité inébranlable en ces régions qui étaient le berceau des Plantagenêts ?

Jamais sans doute les descendants d'Hugues Capet ne s'étaient trouvés dans une position aussi périlleuse. Philippe ne pouvait cette fois s'en remettre uniquement à son fils ; il prit en personne, avec lui, la direction de l'ouest. Jean sans Terre s'était acheminé vers le comté de la Marche pour obtenir la soumission des Lusignan qui étaient les plus puissants barons du Poitou. Louis et Philippe tentèrent une opération hardie : lui couper la retraite vers la mer. Ils passèrent la Loire et se dirigèrent vers l'Aunis, souhaitant occuper le port même de La Rochelle. Mais le roi Jean eut vent de l'opération et habilement se déroba, battant en retraite vers Saintes, puis vers La Réole. Au moment où la question se posait de savoir jusqu'où il faudrait aller pour rencontrer l'insaisissable adversaire, arriva la nouvelle qu'on pouvait redouter : la guerre avait repris en Artois. Il fallait désormais faire front des deux côtés.

Philippe tint conseil à Châteauroux et décida de regagner la Flandre en brûlant les étapes ; il laissait au prince Louis le soin de combattre Jean sans Terre.

L'inquiétude était à son comble à l'époque où Blanche accoucha d'un fils, le 25 avril. Elle le nomma Louis, du nom de cet époux très aimé, qui au même moment se mesurait seul à seul avec le roi d'Angleterre. C'était le jour des « croix noires », celui où l'on faisait les processions des premières Rogations pour implorer la bénédiction de Dieu sur les récoltes à venir. Blanche était alors à

Poissy ; on raconte qu'incommodée par les cloches de l'abbatiale, elle se retira pour ses couches à quelque trois lieues de là, à la Neuville-en-Hez, dans une ferme appartenant au prieuré de Poissy. Le jeune enfant fut en tout cas baptisé dans l'abbatiale et fut allaité par une nourrice nommée Marie la Picarde à qui Blanche le confia pendant ses premiers mois.

Les nouvelles devaient lui parvenir assez régulièrement, le théâtre des opérations n'étant pas très éloigné ; et les noms mêmes des lieux de combats devaient lui être assez familiers. Son époux était installé dans ce château de Chinon qui avait été l'une des résidences favorites des Plantagenêts. Sa situation était de jour en jour plus périlleuse ; le roi Jean, aussitôt appris le départ de Philippe, revenait en force ; un heureux coup de main l'avait rendu maître de Nantes ; il s'était emparé presque sans coup férir d'Ancenis, d'Oudon, puis d'Angers qui à cette époque n'avait pas encore ses remparts ; enfin ses troupes occupaient le château de Beaufort-en-Vallée qui dominait, comme son nom l'indique, le pays environnant. Allait-il, comme il l'avait promis, reconquérir d'un coup toutes les terres que lui avait une à une arrachées le roi de France ? Déjà, Geoffroy de Lusignan, s'étant vu enlever ses deux châteaux de Mervent et Vouvant, avait prêté hommage au roi d'Angleterre. Celui-ci, fort de ses succès, mettait le siège devant un autre château, celui de La Roche-aux-Moines qu'avait fait récemment élever son ancien vassal devenu son ennemi, Guillaume des Roches. Ce château commandait la route de Nantes où déjà avait été fait prisonnier l'un des barons les plus proches du prince Louis, Robert de Dreux son cousin. Que faire ? Battre en retraite ? Hasarder le combat contre les mercenaires de Jean, très supérieurs en nombre à ses propres forces ? Conscient de l'importance de la partie qu'il jouait, Louis dépêcha à son père un messager, qui rapporta la réponse : « Son père lui mandait qu'il chevauchât contre le roi d'Angleterre et le fît partir du siège. »

Et Louis, une fois de plus, se conduisit en fils obéissant : il chevaucha contre le roi d'Angleterre et le fit effectivement « partir du siège ».

Au vrai, ce fut plus facile qu'il ne l'avait escompté. Comme le voulait l'honneur féodal, il envoya à son adversaire un défi en règle ; la garnison qui défendait La Roche-aux-Moines était à toute extrémité, prête à se rendre ; or, contrairement à ce qu'on pouvait prévoir, Jean, à l'annonce de l'approche de Louis, dont tous les témoins du temps affirment qu'il n'avait que des forces très inférieures à celles du roi d'Angleterre, leva subitement le siège et « déguerpit vilainement ». On attendait un combat et ce ne fut qu'une poursuite éperdue ; Jean avait abandonné sur place ses machines de guerre, ses tentes, tout son attirail de perrières et de mangonneaux, et se mit à fuir « tant que son cheval le put porter ». C'était le 2 juillet ; le 4, il se trouvait déjà à Saint-Maixent, à quelque trente lieues de là, ce qui donne idée de la rapidité de sa fuite. Il devait y gagner le surnom de « Cœur-de-Poupée », souvenir parodique de celui de Cœur-de-Lion qu'on avait jadis décerné au roi Richard, tandis que le prince Louis devenait désormais, pour ses contemporains, Louis le Lion.

Celui-ci s'empressa d'envoyer un messager à son père pour lui dire comment il avait accompli ce qu'il lui avait « mandé ». La légende veut qu'à Villemétrie, à l'entrée du chemin pavé, près de Senlis, ce messager en rencontrât un autre, envoyé par le roi Philippe : il apportait la nouvelle de la victoire de Bouvines. Aujourd'hui encore, on voit les ruines de l'abbaye qui fut élevée à l'endroit où les deux messagers se rencontrèrent, pour commémorer le double événement : l'abbaye de la Victoire.

« Quels mots pourraient détailler, quel cœur penser, quelle plume, quelle peinture, quel tableau détailler les applaudissements de reconnaissance, les hymnes de triomphe, la foule innombrable des gens qui trépignent de joie, les chants mélodieux des clercs, les sons harmonieux des trompettes dans les cortèges, les ornements solennels des églises, au dehors comme à l'intérieur, les villages, les maisons, les rues, dans toutes les cités et places fortes, tendues de courtines et de draps de soie, partout jonchées de fleurs, d'herbe et de branches d'arbres verdoyantes, tous, quels que soient leur genre, leur sexe ou leur âge, accouraient au spectacle d'un tel triomphe ; paysans et moissonneurs interrompaient leur ouvrage, suspendaient à leur cou leur faux, leur râteau et leur fourche, se ruaient en foule vers les routes, cherchant à voir Ferrand dans les chaînes, lui qu'autrefois ils redoutaient dans ses armes. Mais ces paysans, vieux et jeunes, ne craignaient pas de se jouer de lui à cause des plaisanteries dont son nom donnait l'occasion, car le nom de Ferrand désigne aussi bien un cheval qu'un homme et, par une rencontre fortuite, c'étaient deux chevaux « ferrands » qui le portaient dans une litière. Aussi lui criaient-ils qu'à présent il était enchaîné, ce Ferrand, qu'il ne pourrait plus ruer, celui qui, gonflé d'orgueil, avait rué auparavant et avait levé le talon contre son maître. Il en fut ainsi partout jusqu'au moment où l'on parvint à Paris. Les Parisiens, et surtout plus encore incomparablement que les autres, toute la multitude des étudiants, le clergé et le peuple, venant à la rencontre du roi avec des hymnes et des cantiques, tous criaient et manifestaient la joie qui emplissait leur âme. Et il ne leur suffisait pas d'exulter ainsi pendant le jour : mais la nuit, mais pendant sept nuits de suite, ils continuèrent, d'innombrables lumières allumées, au point que la nuit était aussi claire que le jour. Les clercs surtout n'en finissaient pas d'organiser infatigablement, avec le plus grand empressement, des festins, des chœurs, des danses, des chants[12]. »

Une joie immense : la sensation d'une délivrance, à voir lever le péril qui avait menacé le royaume, l'exultation d'une double victoire, — tout cela s'exprimait dans une allégresse populaire telle que Blanche n'avait jamais eu l'occasion d'en voir, telle qu'on n'en avait sans doute jamais vu en France. Non sans raison : à la veille de cette victoire de Bouvines, où, disait-on, les rangs des ennemis étaient quatre fois plus épais que ceux des Français, on s'était par avance partagé le royaume : Otton de Brunswick octroyait au comte de Flandre Ferrand la cité de Paris, à Renaud celle de Péronne, à Guillaume Longue-Épée, le frère naturel du roi d'Angleterre, celle de Dreux, au comte de Nevers le Gâtinais, etc., en précisant bien que lui-même « serait sur tous couronné ». La France ne serait plus qu'une annexe de l'Empire.

Le comte Ferrand, fort de ses précédents succès, l'était aussi, disait-on, de l'oracle qu'avait recueilli pour lui sa belle-mère Mathilde, fille du roi de Portugal : « On combattra et dans le combat le roi de France sera jeté à terre et foulé au pied des chevaux, et n'aura pas de sépulture. Ferrand, après sa victoire, sera reçu en grande pompe par les Parisiens. » Et le chroniqueur qui rapporte l'anecdote ajoute sournoisement que l'oracle était exact à condition qu'on l'interprétât correctement[13]...

Blanche aussi bien que son époux, qui avait dû faire avec joie la connaissance du nouveau-né qui portait son nom savourait les détails devenus populaires de la bataille soutenue par le roi Philippe à Bouvines le 27 juillet. C'était un dimanche ; l'empereur Otton avait envoyé le matin un messager au roi pour lui dire qu'il allait engager le combat ; le roi avait demandé qu'en respect de la trêve de Dieu ce combat fût reporté au lendemain, et chacun avait interprété cette réponse comme une dérobade. On avait, dans les rangs ennemis, fait dresser les étendards ; celui d'Otton représentait un dragon la gueule ouverte en direction du royaume de France « comme s'il avait dû tout manger[14] ». L'ennemi était supérieur en nombre, mais — hasard ou astuce — les Français, en combattant, avaient le soleil derrière eux, tandis que dans les rangs ennemis on l'avait en face. Mince avantage, mais qui comptait en un temps où casques, cottes de mailles, épées et boucliers projetaient sans cesse un jeu mouvant de reflets et d'étincelles. Avec le soleil pour allié, le roi de France avait gagné la bataille ; un instant mis en péril, il avait été désarçonné, jeté à bas de son cheval et sans ses gens qui lui avaient promptement porté secours, il eût été probablement fait prisonnier. Mais à présent il tenait en prison Ferrand de Flandre qui dans la tour du Louvre pouvait apercevoir de loin cette cité de Paris qu'il avait convoitée. Et aussi son compère Renaud de Dammartin. Quant à Otton de Brunswick, il n'avait dû son salut qu'à la fuite, tout comme un peu plus tôt Jean sans Terre, lequel à présent, retranché à Parthenay, attendait non sans trembler la suite des événements.

Le roi Philippe se porta lui-même vers l'ouest et

reçut à Loudun les barons qui venaient implorer sa clémence ; Jean sans Terre lui délégua un messager, Renouf de Chester, et le pape un légat, Robert de Courçon, qui, étant anglais de naissance, sut plaider la cause du roi. Lui-même d'ailleurs n'aspirait qu'à la paix après les alertes si chaudes de ces derniers mois ; une trêve fut finalement signée à Chinon, le 18 septembre 1214 ; les deux rois se juraient la paix pendant cinq ans.

« Il n'y eut plus personne qui lui osât faire guerre ; aussi vécut-il ensuite en grande paix[15] », écrit un chroniqueur du temps en parlant du roi Philippe, désormais Philippe-Auguste. Mais un autre chroniqueur, un anglais celui-là, Matthieu Paris, note de son côté : « Sachez que les Français se réjouissaient moins de la victoire remportée à Bouvines que de la déroute infligée au roi d'Angleterre par Louis, parce qu'ils concevaient l'espoir d'avoir en lui un souverain vaillant qui confondrait ce même roi[16]. » De fait, pour Louis comme pour Blanche, la victoire de La Roche-aux-Moines, — victoire décisive car si Jean sans Terre avait pu joindre ses forces à celles de ses alliés, il ne fait pas de doute que le royaume de France eût succombé, — n'était encore qu'une étape sur le chemin de cet autre royaume qu'à nouveau ils espéraient bien conquérir.

Mais il importait d'abord de reprendre des forces et, puisque les deux rois s'étaient juré la paix, d'attendre ce faisant la fin des trêves. L'atmosphère de joie générale dut permettre à Blanche de supporter le double deuil qui vint pour elle assombrir cette année 1214 ; à quelques semaines d'intervalle moururent en effet son père, le 6 août, et sa mère, morte de chagrin le 31 octobre. Ils avaient sur le trône donné l'exemple du couple parfait, soutenu par l'amour sans tache qu'ils s'étaient voué l'un à l'autre. Pour Blanche un tel exemple ne devait pas être perdu. Pas plus qu'elle n'oublierait leur pensée dernière : la volonté d'être ensevelis dans le monastère de Las Huelgas qu'ils avaient fondé non loin de leur château de Burgos. L'idée de rassembler ainsi les tombes familiales dans une abbaye sera par Blanche transmise à son fils le roi de France, qui fera de Saint-Denis un rendez-vous royal. Aujourd'hui encore, les religieuses de Las Huelgas se réunissent chaque jour dans la belle salle capitulaire élevée par Alfonse et Aliénor, sur les murs de laquelle est encadré un tissu de soie écarlate aux somptueuses broderies d'or : l'étendard pris à l'émir sarrasin lors de la bataille de Las Navas de Tolosa.

Le prince Louis de France est désormais pour ses contemporains Louis le Lion. Mais ce surnom qu'il s'est acquis à La Roche-aux-Moines ne signifie plus grand-chose dès l'instant où il se trouve réduit à l'inaction. Fâcheuse trêve qui l'empêche de faire ses preuves. Il est temps de se souvenir qu'il a jadis pris la croix contre les hérétiques du Midi. Cela se passait en l'an 1213 ; son père, d'autorité, avait interdit le départ et lui-même n'avait d'autre souci en tête que de revendiquer l'héritage de Blanche.

Or, voilà qu'à nouveau, au début de cette année 1215, l'évêque de Carcassonne, Guy, vient solliciter contre les hérétiques du Midi le secours du roi de France. La situation était peu claire dans ces régions où l'on savait seulement que le chef désigné de la croisade, Simon de Montfort, se plaignait de ne recevoir que des renforts épisodiques, les chevaliers rentrant chez eux une fois leur quarantaine accomplie. Louis prit effectivement la route avec quelques seigneurs de son entourage et gagna la vallée du Rhône, non sans éveiller quelques appréhensions : Qu'allait faire « le Lion » ? Le pape venait précisément d'envoyer dans ces régions un légat, Pierre de Bénévent, lequel redoutait fort que l'héritier du roi de France « veuille occuper ou détruire les cités et les châteaux que l'Église romaine avait pris en protection » ; mais lorsqu'à Valence le légat fut mis en présence du prince, il fut pleinement rassuré : Louis était « doux et très bénin ».

Bénignité exemplaire ; Louis accepte tout, confirme tout ce qu'on lui demande de confirmer, va de ville en ville ; à Montpellier, à Béziers — où avait eu lieu, au début de la croisade, un affreux massacre, — il assure les habitants de sa protection ; sur la demande de Simon de Montfort, il contraint les habitants de Narbonne à détruire eux-mêmes les remparts de leur ville ; il lui confirme la possession de la cité de Toulouse que le pape a tenté de soustraire à sa rapacité ; puis il regagne l'Ile-de-France, nanti d'une relique : la mâchoire de saint Vincent dont lui a fait cadeau le chef de la croisade. Une mâchoire...

Quand Louis de France retrouve son père le roi Philippe, il lui narre sa promenade dans le Midi, et comme, sans rien dire, il a tout vu, il ne manque pas de raconter « comment Simon de Montfort a su se pousser et s'enrichir ». Le roi « ne répond mot et ne dit rien[17] ».

Le Lion s'est momentanément changé en agneau, mais une nouvelle ne tardera pas à lui rendre toute son ardeur combative. C'est qu'une fois de plus il s'agit de l'héritage de Blanche ; en septembre et octobre 1215, les va-et-vient de messagers sont incessants de part et d'autre de la Manche. Cette fois, il n'est plus question de prendre des initiatives hasardeuses : ce sont les barons d'Angleterre qui viennent expressément demander au roi de France de devenir leur suzerain et se mettre sous sa tutelle ; l'héritage de Blanche est offert par eux à son époux.

L'Angleterre vit en effet des heures dramatiques ; les événements qui se sont passés le 12 juin 1215 marqueront à jamais son histoire. Ce jour-là, les barons anglais ont fait ouvertement acte de révolte envers le roi Jean sans Terre ; avec une audace qui va stupéfier le monde, ils ont assigné le roi à comparaître et l'ont obligé à apposer son sceau à la Grande Charte, un acte solennel où se trouvent énoncées les libertés dont ils entendent jouir désormais ; cela s'est passé à Runnymede, entre Staines et Windsor ; le vieux Guillaume le Maréchal a servi d'intermédiaire entre les barons — à la tête desquels se trouve Robert Fitz-Gautier, le fugitif de jadis — et le roi Jean, qui n'a plus à ses côtés que sept chevaliers fidèles.

A son retour du Poitou, déconsidéré par la double défaite subie à La Roche-aux-Moines et à Bouvines, il n'en avait pas moins, avec une totale inconscience, réclamé des taxes arbitraires aux barons qui ne l'avaient pas suivi en Poitou. Cette fois la mesure était comble. Se souvenant fort opportunément d'une charte autrefois octroyée par le roi Henri Ier, les seigneurs anglais, soutenus par les bourgeois de Londres, s'étaient décidés à la rupture ouverte. Leurs exigences se trouvaient couchées par écrit et, bon gré mal gré, le roi Jean avait dû souscrire à la Grande Charte.

« Le roi d'Angleterre demeura seul... Cette nuit-là il se retira au château de Windsor, se reposant sans prendre de repos, et, au matin, il s'enfuit avant l'aube en cachette, l'esprit troublé et agité, à l'île de Wight où, dans l'angoisse de son esprit, il se mit à réfléchir en cherchant les arguments et le genre de vengeance qu'il pourrait tirer contre ses barons[18]. » Un homme fini.

La Grande Charte allait jusqu'à lui imposer ce qu'il pouvait considérer comme une mise en tutelle : un corps de vingt-cinq barons chargés d'en surveiller l'exécution. Ceux-ci, sentant qu'ils avaient la situation en main, ne ménageaient pas les affronts à l'homme exécré qu'ils tenaient à leur merci.

« Un jour vinrent les vingt-cinq barons en la cour du roi pour un jugement faire. Le roi gisait en ce point malade en son lit de ses pieds qu'il ne pouvait venir ni aller. Il manda aux vingt-cinq barons qu'ils vinssent en sa chambre rendre le jugement, car il ne pouvait aller à eux. Ils lui mandèrent en réponse qu'ils n'iraient pas car ce serait contre leur droit, mais s'il ne pouvait aller, qu'il se fît porter. Le roi, qui n'y put rien, se fit porter devant les vingt-cinq barons, là où ils étaient. Ils ne se levèrent pas devant lui, car on leur dit que s'ils s'étaient levés, ils eussent agi contre leur droit. De tels orgueils et de tels outrages lui faisaient-ils à grand plenté (abondance). »

Le roi d'Angleterre était à bout de ressources, mais non d'astuces. Un recours lui restait : l'appel au pape. Après tout, ne lui avait-il pas fait hommage de son royaume dans des circonstances tout aussi critiques ? Comble de ruse, il fit le vœu de croisade ; cela lui attirait d'emblée, il le savait, les faveurs d'Innocent III qui n'avait qu'un but, qu'une idée en tête, dominant tout le reste : libérer les Lieux saints. L'effet escompté allait être pleinement atteint.

« Ainsi, les barons d'Angleterre veulent expulser de son royaume un roi croisé, et qui s'est mis sous la protection du siège apostolique ! Ils veulent transférer à quelqu'un d'autre le domaine de la sainte Église ! Par saint Pierre, nous ne pouvons pas laisser cette injure impunie ! »

La Grande Charte avait été scellée au mois de juin ; dès le mois de septembre les barons étaient excommuniés. Il leur fallait un chef, un garant, un roi ; tout naturellement ils se tournaient vers Louis de France ; à lui de venir au plus tôt faire valoir les droits de son épouse. Un beau jour, le roi de France vit arriver, non de simples messagers, mais une solennelle ambassade conduite par le comte de Winchester, Sehier de Quincy. Elle débuta en coup de théâtre : le comte déclara qu'il venait en son nom et au nom de ses pairs faire hommage à Louis de France. A ce moment même, un messager se présenta et demanda à être reçu en audience royale. Stupeur générale : la lettre qu'il remit au roi Philippe-Auguste portait que le roi Jean venait de conclure un accord avec ses barons. Louis de France n'avait pas à se déranger ; au reste on l'indemniserait des frais qu'il aurait pu faire en vue de passer la mer. La lettre portait sceau et souscription des principaux barons que Sehier de Quincy déclarait représenter.

Après quelques minutes de silence angoissé, fureur du roi Philippe. Que signifiait cette comédie ? Qui cherchait à le tromper ? Se ressaisissant, Sehier de Quincy demanda à examiner la lettre et les sceaux : c'étaient des faux, forgés par le roi Jean. Il en avait envoyé de même aux barons du nord de l'Angleterre, comme on l'apprit plus tard, leur disant au nom de Robert Fitz-Gautier qu'il avait conclu la paix.

L'assemblée se sépara sur un échange de promesses. Toutefois, rendu prudent, le roi Philippe exigea des otages, et bientôt vingt-quatre jeunes hommes, fils des barons insoumis, débarquaient en France et venaient loger au château de Compiègne, garants de l'existence de Louis qui se disposa, lui, à prendre la mer.

Louis et Blanche avaient pour régner sur l'Angleterre des droits incontestables ; ils se trouvaient expressément appelés par la noblesse aussi bien que par les artisans et marchands de Londres dont la voix commençait à compter ; du point de vue militaire, l'entreprise se présentait avec pour le moins autant de chances de succès que jadis celle de Guillaume le Conquérant, ou même celle d'Henri Plantagenêt au siècle précédent. « Aussitôt manda Louis à travers la France tous les bacheliers qu'il put avoir et s'en vint jusqu'à Hesdin, son château. Là, fit-il requête aux barons de sa terre qu'ils l'aidassent avec leurs chevaliers pour passer en Angleterre et il les pria plusieurs d'y venir de leur corps même. »

Plus aucune trace de « bénignité » chez ce fils de France impatient de régner. Une question de conscience se posait aux féodaux, puisque les barons anglais étaient excommuniés. Louis n'en tient pas compte et bouscule tous les obstacles qui se trouvent sur sa route. Le duc Eudes de Bourgogne proteste qu'il a fait vœu de partir pour la Terre sainte : fort bien, qu'il parte, mais qu'il verse mille marcs d'argent pour les frais de l'expédition anglaise. La comtesse Blanche de Champagne objecte qu'elle ne peut fournir une aide contre un prince croisé (la ruse de Jean sans Terre produisait son effet) : Louis fait envoyer une troupe de chevaliers armés qui la menace sans ménagement, au point que Blanche, terrifiée, s'enfuit dans sa chambre, non sans avoir promis tout ce qu'ils voulaient. Le roi Philippe, que le procédé choqua, dut rappeler son héritier à la modération.

Dès les premiers jours de décembre, un premier contingent de cent quarante chevaliers débarquait à Orewell et se rendait à Londres « où ils furent fort bien reçus et, depuis, menèrent fort belle vie. Mais, ajoute le chroniqueur, ils y eurent grand dommage, car le vin leur manqua et ils n'eurent à boire que cervoise, dont ils n'étaient pas contents[19] ». Un second convoi de cent vingt chevaliers devait suivre « qui tant cinglèrent par la mer qu'ils entrèrent à la bouche de Tamise et arrivèrent au pont de Londres », cette fois au début de janvier 1216.

« Louis, fils aîné du roi Philippe, à tous ses fidèles et amis qui sont à Londres, salut et sincère affection. Sachez pour certain que le jour même de Pâques à venir nous serons à Calais, prêt, si Dieu le veut, à nous embarquer. Pour m'avoir soutenu avec zèle et courage en toutes mes affaires, je vous rends abondantes grâces et vous prie avec instance et vous demande plus instamment encore que, comme vous l'avez toujours fait, vous continuiez à me montrer courage et zèle. Nous voulons, en effet, que vous soyez certains que, brièvement, vous aurez notre secours, et vous demandons instamment que, à ce sujet, vous ne vous en remettiez à aucune autre fausse suggestion ou lettre ou messager, car nous croyons que, sur tout cela, vous avez de fausses lettres ou des messagers menteurs. Adieu[20]. »

Cette lettre a dû être envoyée par Louis vers la fin de mars ou le début d'avril 1216 — Pâques tombait cette année-là le 10 avril. Ses chevaliers, envoyés à Londres trois ou quatre mois plus tôt, devaient commencer à trouver le temps long et la bière fade. Les barons anglais pourtant, et les citoyens de Londres, en accord avec leur maire, Serle le Mercier, ne négligeaient rien pour leur rendre la vie agréable. Les tournois se succé-daient. Il y en eut même un qui finit tragique-ment. « Les chevaliers commencèrent à tournoyer pour se distraire. Geoffroy de Mandeville, qui était comte d'Essex, fut là avec les autres. Mais il n'avait revêtu ni cotte ni pourpoint. Un chevalier de France, qu'on appelait Accroche-mûre, pointa vers lui. Le comte lui cria, quand il le vit venir : « Accroche-mûre, ne frappe pas, je n'ai pas vêtu mon pourpoint. » Mais celui-ci ne prit garde à son cri et le frappa au ventre tant qu'il le tua. Grand deuil en fut mené, mais jamais le jeune homme n'en fut puni[21]. » Geoffroy de Mandeville, avant de mourir, avait expressément recommandé de ne pas l'inquiéter.

Or, tandis que les chevaliers passaient leur temps en tournois, Jean sans Terre se défendait avec cette fois l'énergie du désespoir. Il avait fait venir des mercenaires flamands, gallois et autres, ramassés à grands frais. Quelques-uns de ces chefs de bandes, comme le Poitevin Savary de Mauléon ou le Normand Fauquet de Bréauté, pré-figurent déjà les terribles routiers des guerres franco-anglaises aux XIVe et XVe siècles. Il pouvait compter sur quelques dévouements, celui de Pierre des Roches, évêque de Winchester, un Poi-tevin aussi, d'ailleurs fort mal famé, et que des deux côtés on accusa successivement de trahison ; mais aussi celui d'un Hubert de Bourg, d'un Phi-lippe d'Aubigné, d'un Guillaume le Maréchal qui, ce dernier surtout, ont toute leur vie incarné la fidélité due au seigneur, quoi qu'il en coûte. De leur côté, les barons en révolte avaient pu nouer alliance tant avec les chefs gallois qu'avec le roi d'Écosse, Alexandre II, mais ils n'osaient passer à l'action tant que Louis, qu'ils avaient désormais choisi pour chef, ne serait pas présent parmi eux, et, sans perdre de temps, Jean sans Terre multipliait les ravages dans la contrée. C'est dire que, de chaque côté de la Manche, l'impatience croissait. Pourtant d'autres obstacles encore allaient retarder le débarquement tant attendu.

Quelqu'un, en effet, suivait les événements avec une attention désespérée et c'était le pape Innocent III. A nouveau il se trouvait devant un de ces cas impossibles à trancher qui ne lui avaient pas été ménagés au cours de son pontificat :

« Si le roi d'Angleterre est vaincu, nous sommes confondus par sa propre confusion, car il est notre vassal et nous sommes tenu de le défendre. Si le seigneur Louis est vaincu, ce qu'à Dieu ne plaise, l'Église romaine est frappée par le coup qui le frappe et nous regardons comme nôtre sa blessure. Nous l'avons toujours considéré, ajoutait-il, et le considérons encore comme le bras, la consolation et le refuge de l'Église romaine en toutes les circonstances, dans le malheur et la persécution. »

Pour tenter d'interrompre le cours des événements il avait envoyé en France son légat Galon de Beccaria ; choix significatif au demeurant : le légat passait pour un homme peu accommodant et c'était lui qui, huit années auparavant, était venu soutenir, contre Philippe-Auguste, les droits de la reine Isambour. Il n'en fut pas moins reçu avec grand honneur à la cour de France où une assemblée solennelle fut décidée à Melun, le 24 avril. Blanche y figurait-elle ? Elle était de nouveau enceinte, attendant un fils, Robert, qui devait naître au mois de septembre suivant. Si elle n'y assistait pas en personne, c'était cependant de ses droits qu'il s'agissait ; elle était au centre même des débats qui agitaient l'assemblée.

Débats sans bienveillance. Devant le légat qui trônait, vêtu de la robe vermeille qui était alors la couleur pontificale (les légats en voyage représentaient le pape et en portaient les ornements), le roi de France siégeait, entouré de ses barons. Louis vint prendre place aux côtés de son père, non sans jeter au passage, disent les textes, un regard torve vers le légat[22]. Celui-ci prit le premier la parole renouvelant la demande que déjà le pape avait faite par écrit : « Que Louis renonce à débarquer en Angleterre et à venir occuper le patrimoine de l'Église romaine ; que son père ne le lui permette pas. »

« J'ai toujours été dévot et fidèle envers le seigneur pape et l'Église romaine, répondit Philippe, et en toutes ses actions jusqu'à présent, j'ai toujours fait mon possible pour promouvoir efficacement ses affaires ; aujourd'hui encore, ce n'est pas avec mon aide et mon conseil que mon fils Louis attenterait en quoi que ce soit à l'Église romaine. Cependant, si Louis a quelque droit à faire valoir au sujet du royaume d'Angleterre, qu'on l'entende et qu'on lui concède ce qui paraîtra juste. »

Sur quoi, un chevalier désigné par Louis pour être son procureur en la circonstance se leva et répondit :

« Sire roi, c'est chose parfaitement connue de tous que Jean, qui se dit roi d'Angleterre, a été condamné à mort pour sa trahison envers son neveu Arthur qu'il a tué de ses propres mains, dans votre cour, par le jugement de ses pairs. Et par la suite, il a été renié par les barons d'Angleterre pour de multiples crimes et autres énormes forfaits qu'il avait faits là-bas ; ils n'ont pas voulu qu'il règne sur eux, et c'est pourquoi ces barons ont commencé à lui faire guerre pour l'expulser sans espoir du sol de son royaume. C'est alors que le roi susnommé, sans demander le consentement de ses barons, a porté son royaume d'Angleterre au seigneur pape et à l'Église romaine pour le recevoir de nouveau de leurs mains et le tenir moyennant un tribut de mille marcs par an. S'il n'a pu donner la couronne d'Angleterre à quiconque sans le consentement de ses barons, il a pu cependant s'en démettre et aussitôt qu'il l'a fait, il a cessé d'être roi et le royaume s'est trouvé sans roi. Or, le royaume ne pouvait demeurer vacant sans le consentement des barons. C'est pourquoi les barons ont élu le seigneur Louis en raison de son épouse dont la mère, c'est-à-dire la reine de Castille, était seule vivante parmi tous les frères et sœurs du roi d'Angleterre. »

Une vive discussion allait s'ensuivre, le légat arguant du fait que le roi Jean était croisé, le procureur de Louis énumérant les crimes dont ce même roi Jean s'était rendu coupable. Galon de Beccaria agita la menace d'excommunication. Sur quoi, Louis s'adressa à son père :

« Seigneur, si je suis votre homme-lige pour le fief que vous m'avez donné dans votre terre deçà-mer, il ne vous appartient pas de décider en quoi que ce soit du royaume d'Angleterre. C'est pourquoi je me soumets sur ce point au jugement de mes pairs, à savoir si vous devez m'obliger à ne pas poursuivre mon droit — un droit au sujet duquel vous ne possédez pas sur moi haute justice. Je vous demande donc de ne pas empêcher que je poursuive ce droit si la nécessité m'en force et que je combatte jusqu'à la mort pour l'héritage de mon épouse. »

Cela dit, Louis se retira de l'assemblée avec les siens. Le légat demanda au roi de France un sauf-conduit pour aller jusqu'à la mer. A quoi le roi répondit : « Sur ma terre propre, je vous donnerai volontiers un sauf-conduit, mais si par hasard vous tombez entre les mains d'Eustache le Moine ou de quelque autre des hommes de Louis qui gardent les voies de mer, n'allez pas m'en rendre responsable s'il vous arrive quelque chose de malheureux. » Le légat, furieux, quitta la cour[23].

*
**

Louis n'attendait plus pour passer la mer qu'un temps favorable ; mais ce printemps de l'année 1216 se révélait désastreux ; les tempêtes se succédaient ; une flotte envoyée par le roi Jean contre Calais fut dispersée et l'on s'en félicita « car bien valait une de ses nefs quatre de celles de Louis »[24]. Déjà s'affirmait en fait de marine la supériorité anglaise ; il est vrai que Louis possédait un atout en la personne de cet Eustache le Moine dont avait parlé le roi Philippe. Personnage étonnant que ses exploits devaient faire passer pour sorcier, il jouissait, comme pirate et homme de mer, d'une telle réputation que par la suite on devait composer sur sa vie un poème épique, le *Roman d'Eustache le Moine* ; son surnom lui venait de ce qu'il était d'abord entré dans les ordres au monastère de Saint-Vulmer avant de jeter le froc aux orties. Comme beaucoup d'autres, il s'était engagé au service du roi d'Angleterre, mais avait été par lui si maltraité que, dès qu'il l'avait pu, il était venu offrir ses services à l'héritier de France.

L'alliance de marins de la trempe d'Eustache le Moine représentait un appoint inappréciable pour la réussite de l'entreprise française : « Je crains beaucoup que le roi n'ait pas le pouvoir de lui résister quand il viendra, écrivait dès la date du 7 janvier 1216 un seigneur anglais à l'un de ses amis en parlant du prince Louis ; il doit venir en telle puissance que je crains que la terre ne soit entièrement détruite. Il donne les terres de ceux qui sont contre lui, à ce qu'on m'a donné à entendre[25]... » La perspective de se voir dépouillé de ses terres aurait peut-être suffi à rallier ceux des barons que le roi Jean sans Terre n'aurait pas réussi à s'aliéner ; la bourgeoisie de Londres dont la voix commençait à compter dans le pays était entièrement acquise à l'héritier de France. Quant au peuple des villes et des campagnes, il hésitait sans doute entre ces sentiments contradictoires, qu'expriment avec une égale véhémence des chroniqueurs anglais du temps, l'un, Matthieu Paris, affirmant, en énumérant les villes prises : « Les ribauds de France y burent maints tonneaux » (il ne précise pas s'il s'agissait de vin ou de cervoise !), l'autre, Giraud de Barri, s'écriant plein d'enthousiasme : « Qu'elle se réjouisse, la race anglaise sur laquelle la bienveillance suprême a jeté enfin un regard favorable ; qu'elle se réjouisse et que, tendant un cou toujours docile, elle sache servir celui qui lui a procuré ce bonheur. » Ce qui est certain, c'est d'abord que Jean sans Terre était universellement détesté et d'autre part que les Anglais étaient habitués à voir un roi venir du continent pour régner sur l'Angleterre.

Restait le clergé : sa position était délicate ; quelqu'un en effet avait débarqué presque en même temps que Louis de France et n'avait pas désarmé : c'était le légat du pape Galon de Beccaria ; il avait incontinent pris la défense de Jean et excommuniait Louis ; l'archevêque de Cantorbéry Étienne Langton, préalablement, avait été suspendu par le pape pour avoir embrassé le parti des barons et joué un rôle de premier plan dans l'élaboration de la Grande Charte. Beaucoup se demandaient avec inquiétude ce que pouvaient signifier des sanctions ainsi prises contre un prélat irréprochable et un prince sans défaut, tandis qu'on persistait à soutenir un homme tel que Jean sans Terre, dont les crimes ne se comptaient plus ; aussi bien distinguait-on à Londres les paroisses dans lesquelles « on chantait » et celles dans lesquelles « on ne chantait pas » pour se conformer à l'interdit pontifical. Bientôt il n'y eut plus dans la cité que cinq paroisses qui ne « chantaient pas ».

**
*

Cependant, les tempêtes paraissaient s'apaiser. Louis, après avoir réuni nefs et chevaliers, fixa le départ au vendredi 20 mai 1216 à 9 heures du soir. Il « fit ses trompes sonner et commanda de cingler ». Or, au cours de la nuit, le mauvais temps reprit. Quelques-uns durent rebrousser chemin, entre autres Enguerrand de Coucy et Hervé de Donzy, comte de Nevers, qui du reste, tout au long de cette équipée, allait jouer un rôle assez équivoque (lui-même avait été quelque temps l'allié de Jean sans Terre, et des projets de mariage avaient été ébauchés entre sa fille Agnès et le fils du roi). Louis, toujours hardi, avait décidé de foncer malgré le temps, mais il n'avait plus que sept nefs avec lui lorsque, le lendemain, il arriva en vue des côtes anglaises. Se doutant que le port de Sandwich devait être gardé par les forces royales, il se décida pour Stonor dans l'île de Thanet.

Quant au roi Jean, il avait totalement « perdu cœur ». L'auteur de l'*Histoire des ducs de Normandie,* qui probablement avait été lui-même un mercenaire à sa solde, le montre dans un état de complet abattement à l'arrivée de Louis. « Il chevaucha un peu sur le rivage avant et arrière, il fit sonner ses trompes, mais peu éveilla ses gens et peu les conforta ; il fut de très pauvre semblant. Quand il eut été là un moment, il partit à l'amble et s'en alla en grand allure vers Douvres. Bien fut une lieue au loin avant que la plupart de ses gens l'aient su... Quand ils surent que le roi s'en était allé, cela leur déplut fort ; ils n'osèrent là demeurer, mais s'en allèrent après lui tout pleurant, car ils étaient fort dolents et courroucés ; à Douvres le trouvèrent très déconforté[26]. »

L'issue des événements paraissait certaine. Louis d'ailleurs montrait une activité en complet contraste avec la dérobade de Jean. Entré à Londres le 2 juin, et reçu « en grande joie » par les bourgeois de la ville, il se mettait en campagne le 6. Le 7, il recevait la soumission de plusieurs châteaux dans le Sussex ; le 8, celle de Guildford en Surrey ; le 11, celle de Farnham. Il se dirigeait ensuite vers Winchester où Savary de Mauléon était obligé de capituler. La noblesse d'Angleterre achevait de se rassembler autour de lui. Il reçut même l'hommage du frère bâtard du roi, Guillaume Longue-Épée, comte de Salisbury, qui, jusqu'alors, avait gardé foi au Plantagenêt. Seuls restaient obstinément fidèles à Jean, contre vents et marées, le comte de Chester et Guillaume le Maréchal, le vieux ; son propre fils, par contre, était passé au service de Louis. Le jeune roi d'Écosse, Alexandre II — il avait seize ans —, vint aussi faire hommage à Louis.

Somme toute, vers la fin de juillet, Louis pouvait se considérer comme maître de l'Angleterre. Seules trois forteresses restaient fidèles à Jean : Lincoln, Windsor et Douvres. Lincoln était défendue par une femme, Nicole de la Haie, qui avait tenu tête obstinément à une première attaque. Windsor fut assiégée sans résultat et l'on soupçonna le comte de Nevers, qui n'avait embrassé que mollement la cause de son suzerain de France, de s'être entendu avec le châtelain pour ne pas pousser le siège plus avant. Restait Douvres que Louis allait assiéger inutilement pendant près de deux mois. Finalement, des trêves furent signées avec son défenseur, Hubert de Bourg : si le roi Jean n'envoyait aucun secours, Hubert capitulerait ; cela, le 14 octobre 1216.

Cinq jours plus tard c'était le coup de théâtre : Jean mourait le 19 octobre à l'abbaye de Swineshead, d'une indigestion de petits pois, disent les uns, d'une attaque de dysenterie causée par l'excès de cidre, selon d'autres.

Jamais l'héritage de Blanche n'a été si proche : à portée de mains, littéralement. En face de Louis que reste-t-il ? Jean a eu plusieurs bâtards, mais les trois enfants légitimes qu'il a eus d'Isabelle d'Angoulême sont encore très jeunes ; l'aîné Henri atteint tout juste neuf ans. Avant de mourir, son père l'a confié à celui qui déjà l'avait mis lui-même sur le trône, Guillaume le Maréchal — alors âgé de quatre-vingts ans : « Pour Dieu, priez le Maréchal de me pardonner les torts que je lui ai faits et dont je me repens pleinement ; toujours il m'a servi loyalement ; jamais il n'a agi contre moi, quoi que j'aie pu lui faire ou dire. Pour Dieu, seigneurs, priez-le de me pardonner, et, comme je suis plus sûr de sa loyauté qu'aucun autre, je vous prie de lui confier la garde de mon fils, qui ne réussira jamais à tenir terre sinon par lui[27]. »

Un enfant de neuf ans, un octogénaire ; dans l'intérêt même du royaume, l'Angleterre ne devait-elle pas revenir à Louis et à Blanche ?

C'est toi seul qu'il demande,
C'est à toi qu'il réserve
Les devoirs dus à toi seul
Selon les droits de ton épouse,
Pour lesquels le choix unanime
Du clergé, du peuple et des grands d'Angle-
[terre
T'ont préparé un droit exprès.

Ainsi s'exprime le chroniqueur officiel de la cour de France, Guillaume le Breton, s'adressant à Louis ; et son adjuration résume sans aucun doute les sentiments de tout le monde à commencer par Blanche elle-même : si le père a été déchu de son droit, il ne peut le transmettre à son fils.

Seul le terrible légat, le cardinal Galon, n'est pas de cet avis.

Quant à Guillaume le Maréchal, il est l'homme de son seigneur quoi qu'il en coûte, et que ce seigneur se trouve être aujourd'hui un enfant sans défense, c'est pour lui une raison supplémentaire de lui porter son hommage.

Une scène extraordinairement émouvante a lieu dans la plaine de Malmesbury où se sont rassemblés les quelques barons demeurés fidèles au roi Jean. « Là était Raoul de Saint-Sanson qui était le gouverneur du jeune prince et qui le portait dans ses bras. L'enfant, bien appris, salua le Maréchal et lui dit : « Sire, soyez le bienvenu ; je me rends à Dieu et à vous ; puisse Dieu vous faire la grâce de me bien garder. » Le Maréchal répondit : « Sire, sur mon âme, je ne négligerai rien pour vous servir en bonne foi tant que j'en aurai la force. Tous fondirent en larmes, le Maréchal comme les autres, puis ils se remirent en route pour Gloucester. » Les barons, assistés du légat, décident de faire aussitôt couronner le petit roi et confient à Guillaume le Maréchal l'honneur de l'armer chevalier : « Nul de nous n'arrive à sa hauteur ; c'est lui qui doit ceindre l'épée à celui-ci, et ainsi il aura fait deux rois chevaliers. » Au temps jadis en effet, le Maréchal avait armé chevalier celui qu'on appelait encore le Jeune Roi, fils aîné d'Henri Plantagenêt. « On revêtit l'enfant de vêtements royaux à sa taille : ce fut un beau petit chevalier... Le légat Galon chanta la messe et le couronna, assisté des évêques qui étaient là réunis[28] »

Que faisait dans le même temps la reine Isabelle — jadis Isabelle d'Angoulême ? Aucun texte ne la mentionne. Elle était du reste enceinte et devait bientôt mettre au monde une fille. Mais il y avait une femme pour suivre de loin les événements et manifester à l'enfant-roi le même attachement obstiné que manifestait aussi Guillaume le Maréchal : Nicole de la Haie, qu'on disait être « une fort ingénieuse et mal quérante et vigoureuse vieille ». Elle avait l'année précédente voulu rendre à Jean sans Terre, en visite à Lincoln, les clés de son château : « Je suis vieille ; j'ai subi ici bien des fatigues et des angoisses, et ne veux plus en éprouver de semblable. » Le roi Jean avait refusé : « Ma chère, je veux que vous gardiez encore ce château, comme vous l'avez fait jusqu'ici. » C'était probablement la meilleure décision qu'il eût prise, comme allait le montrer la suite des événements. Solide Normande, originaire de La Haie-du-Puits près de Coutances, Nicole allait se révéler de la même trempe que la fameuse Arlette, mère de Guillaume le Conquérant, ou que Mathilde sa femme.

Cependant Blanche dut accueillir avec bonheur son époux revenu passer avec elle les fêtes de Noël. Durant ses dernières semaines en Angleterre, il s'était emparé de deux places fortes, Hartford et Ely. L'hiver se prêtait mal aux expéditions militaires ; et d'ailleurs il jugeait la conquête militaire assez avancée pour prendre son temps désormais. Il avait donc conclu une trêve jusqu'à Pâques suivant.

La seule question préoccupante pour Louis et Blanche restait la question religieuse ; tant qu'ils seraient excommuniés, ils ne pouvaient songer à se faire couronner roi et reine d'Angleterre. Le pape Innocent III était mort dans l'intervalle et l'on pouvait espérer de son successeur, Honorius III, un vieillard débonnaire, quelque compréhension.

Il n'en fut rien pourtant : « Jean... avait mis entre nos mains et sous notre tutelle ses fils et son royaume : il ne convient pas qu'on puisse nous comparer au mercenaire qui à la vue du loup laisse là ses brebis et s'enfuit[29]. » Et d'envoyer des légats au roi de France avec de pressantes instructions : « Adjurez-le par le sang du Christ de pardonner à nos pupilles les offenses que leur père le roi Jean a pu lui faire ; suppliez-le de s'appliquer d'un cœur pur à faire revenir son fils Louis[30]. » Le couronnement du jeune Henri à Gloucester avait mécontenté le primat d'Angleterre, Étienne Langton : c'était lui qui, en sa qualité d'archevêque de Cantorbéry, était qualifié pour sacrer son roi ; mais Galon de Beccaria l'avait lui aussi excommunié et le légat venait de faire la preuve de son habileté en réunissant à Bristol quelques prélats et barons devant lesquels l'enfant-roi avait juré de respecter la Grande Charte.

Quand Louis de France reprit la mer à Calais, le 22 avril, c'était dans l'intention d'en finir promptement. Son père cependant, peu soucieux de s'attirer des difficultés avec l'Église, affecta de se désintéresser des préparatifs ; mais Louis et Blanche avaient des ressources suffisantes pour leur permettre de poursuivre la lutte.

Où frapper le coup décisif ? Nicole de la Haie, dans son château de Lincoln, résistait toujours et avait fait savoir qu'elle recevrait tous les seigneurs anglais rebelles qui désiraient se soumettre au petit roi. Son exemple raffermissait les courages et attirait à celui-ci des partisans. Louis envoya contre Lincoln le châtelain d'Arras qui ravagea le pays, mais échoua devant le château. Apprenant que Guillaume le Maréchal y rassemblait chevaliers et arbalétriers, il dépêcha des renforts : six cents chevaliers et mille fantassins, avec ordre de livrer combat.

Lui-même était à Douvres quand il apprit les nouvelles de la bataille qui s'était déroulée le 19 mai.

Un désastre : deux fois plus nombreux que leurs adversaires, les Français avaient cru pouvoir donner assaut au château de Lincoln. Ils s'étaient attaqués avec vigueur aux murailles et celles-ci commençaient à céder quand, du haut des créneaux, une pluie de flèches les avait obligés à s'éloigner : Nicole de la Haie avait adressé des messagers à Guillaume le Maréchal, lui indiquant que du côté nord les abords n'étaient pas gardés, ce qui avait permis aux arbalétriers envoyés en toute hâte de s'installer sur les positions élevées au-dessus des remparts. Une partie des assiégeants avait néanmoins pu pénétrer dans la place ; la bataille allait être acharnée près des portes de la ville. Guillaume le Maréchal se démenait comme un lion et, tout octogénaire qu'il fût, se porta droit vers la bannière du comte du Perche qui dirigeait les assiégeants : ce furent quelques minutes de combat dramatique au bout desquelles on vit le comte du Perche basculer de son cheval ; ses compagnons le relevèrent « tout frais mort ».

La bataille allait se terminer sur un épisode ridicule : l'armée de France était coincée devant la porte de Wigford, basse et étroite au point que deux chevaux n'y pouvaient passer de front ; or, une vache échappée d'on ne sait où vint se mettre en travers de cette porte ; il fallut la tuer et pendant ce temps les gens de Nicole de la Haie faisaient des prisonniers autant que bon leur semblait ; il y en eut quatre cents — autant que de chevaliers dans l'armée demeurée fidèle à Henri III. Bataille acharnée, — qu'il faut toutefois imaginer selon les normes du temps, car à la fin de cette journée on ramassa sur le terrain trois morts dont le comte du Perche.

C'était le 19 mai 1217 ; à Lincoln la situation se trouvait brusquement renversée ; l'enfant-roi Henri III apparaissait désormais comme le vainqueur et ce succès inespéré devait lui rallier nombre d'hésitants.

Louis s'empressa d'envoyer à son père « et à sa femme, dame Blanche » des messages pour les informer de la situation ; il était conscient de la perte de prestige qu'il venait de subir et voyait autour de lui les barons joindre peu à peu le fils de Jean sans Terre. Ce dernier avait été exécré (on disait couramment que l'enfer s'était souillé en le recevant) ; mais la pensée que « l'iniquité du père ne pouvait être imputée au fils », comme l'écrit Matthieu Paris, faisait son chemin. « Je tiens à vous faire savoir que je n'ai pas la possibilité de résister, ni de m'éloigner d'Angleterre si vous ne m'envoyez puissamment un secours militaire », écrivait Louis à son père et à son épouse.

Lorsque le roi de France eut appris la défaite de Lincoln, il demanda : « Est-ce que Guillaume le Maréchal vit encore ? — Oui, lui répondit-on. — Alors, je ne crains rien pour mon fils[31]. » Hommage rendu au Maréchal, loyal ennemi autant que vassal fidèle. Mais aux yeux de Philippe, habitué à mesurer la portée des événements, la partie était perdue.

Blanche était moins prompte à se laisser rassurer, comme à se laisser décourager ; elle allait donner sa mesure. Le joyeux Ménestrel de Reims, qui est l'inventeur des « vies romancées », a raconté à ce sujet une anecdote citée tout au long par les historiens et que nous ne pouvons moins faire que de rapporter à notre tour, car elle est éloquente, sinon quant aux faits, en tout cas quant au caractère de Blanche :

« Messire Louis... manda à son père que, pour Dieu, il l'aidât et lui envoyât des deniers. Et le roi répondit que, par la lance saint Jacques, il n'en ferait rien et n'irait pas se faire, pour lui, excommunier. Quand Madame Blanche le sut, elle vint au roi et lui dit : « Laisseriez-vous mourir Monsei-« gneur votre fils en terre étrangère ? Sire, pour « Dieu, il doit régner après vous. Envoyez-lui ce « qui lui fait besoin, au moins les revenus de son « patrimoine. — Certes, dit le roi, Blanche, je n'en « ferai rien. — Non, Sire ? — Non, vrai, dit le roi. « — En nom Dieu, dit Madame Blanche, je sais « bien ce que je ferai. — Que ferez-vous donc ? dit « le roi. — Par la bénie Mère de Dieu, j'ai de « beaux enfants de Monseigneur, je les mettrai en « gage et bien trouverai qui me prêtera sur eux. » « Alors, elle quitta le roi comme hors d'elle ; et « quand le roi la vit ainsi s'en aller, il pensa qu'elle avait dit vrai. Il la fit rappeler et lui dit : « Blanche, je vous donnerai de mon trésor autant « que vous voudrez et vous en ferez ce que vous « voudrez et ce que vous croyez que bon soit ; « mais sachez pour vrai que moi je ne lui enverrai « rien. — Sire, dit Madame Blanche, vous dites « bien. » Et alors fut délivré le grand trésor à Madame Blanche et elle l'envoya à son seigneur[32]. »

De fait, Blanche alla en personne parcourir le domaine de Louis, alerter les barons et les bourgeois de l'Artois et « se peina durement », disent les textes, pour apporter à son époux une aide efficace. « Était Madame Blanche, la femme de Louis, à Calais où elle assemblait toutes les gens et les chevaliers qu'elle pouvait avoir pour envoyer en Angleterre secourir son seigneur. Robert de Courtenay y était venu pour passer (la mer) et Michel de Harnes et autres chevaliers, mais en tout il n'y en eut pas cent. » Le biographe de Guillaume le Maréchal rend les armes devant l'énergie qu'elle sut déployer. « Si tous ceux qu'elle avait assemblés étaient venus en armes à Londres, ils auraient conquis le royaume. » La flotte réunie gagna Douvres. « Le lendemain, quand ils crurent aller vers la bouche de la Tamise, alors se leva une tourmente et une rage de mer qui les chassa en arrière en Boulonnais et en Flandre et leur fit grand peur. »

Cette fois, les partisans d'Henri, prenant confiance, marchèrent sur Londres. Les Français en sortirent et firent mine de combattre, sur quoi, raconte la chronique de Normandie, le légat monta sur un palefroi, « mais n'oublia pas ses éperons. Il s'enfuit d'une seule traite jusqu'à Windsor ». Les pourparlers pourtant ne cessaient pas. Un cistercien, pénitencier du pape, multipliait les avances pour faire conclure la paix, et la reine elle-même, Isabelle, rentrée en scène, eut, dans ce but, un « parlement » avec le comte de Nevers. Guillaume le Maréchal, pourtant, s'inquiétait de l'activité de Blanche, toujours à Calais. En fait, elle réussit à faire partir, le 24 août, près de quatre-vingts nefs « que grandes que petites ». Ce n'était pas un très fort contingent, mais il était dirigé par Eustache le Moine et on pouvait lui faire confiance.

Il y eut bataille en mer, non loin de cette île de Thanet où une première fois avait débarqué l'héritier de France. Eustache le Moine eut sa nef entourée et attaquée par trois autres. « Durement les assaillaient les Anglais et les ruaient de pierres et de chaux dont ils les éblouissaient tous.

Tant les assaillirent qu'ils les prirent par force[33]. »
Eustache le Moine fut terrassé ; un marinier qui
avait autrefois servi sous ses ordres, nommé
Étienne Trabe, lui trancha la tête. Ainsi prenait
fin l'équipée anglaise.

Cette fois, des pourparlers furent engagés entre
Louis en personne, Guillaume le Maréchal et la
reine. Ils eurent lieu dans l'île de Staines sur la
Tamise, près de Kinston. Les gens de Louis
étaient d'un côté de l'eau, les partisans de Henri
de l'autre, avec, au milieu d'eux, la reine et le
légat « tout de vermeil vêtu ». La suite de l'histoire se déroule comme toujours en ce temps. On
jure la paix de part et d'autre, on promet à Louis
une indemnité de combat, et, le lendemain, des
tentes ayant été dressées pour une chapelle, les
serments sont solennellement échangés devant
l'autel. L'héritier de France fut ensuite convoyé
par le légat et les barons de Londres jusqu'à la
mer et l'on fit par toute l'Angleterre « crier la
paix du roi ».

Déception, certes, pour Louis et Blanche, mais
il fallait s'incliner : les droits de l'enfant-roi, soutenu par ce vieux héros sans peur qu'était le
Maréchal et par cet autre vieillard qui, de Rome,
lui avait envoyé son appui, étaient désormais
consacrés.

Louis avait quitté Douvres le 28 septembre
1217. Sa défaite n'avait rien de honteux et l'indemnité de guerre — 6 000 marcs pour le paiement desquels s'était entremis un bourgeois de
Saint-Omer au nom significatif de Florent le
Riche — compensait les frais qu'il avait dû faire
pour s'équiper et armer ses hommes.
Mais la ruine de leurs ambitions allait être

pour le couple royal durement soulignée : l'année suivante en effet, 1218, Louis et Blanche virent mourir leur fils aîné Philippe. Mort, celui en qui Blanche avait « donné un maître aux Français et aux Anglais » ; mort, celui à qui avaient été promises, à sa naissance, les deux couronnes de France et d'Angleterre. Il n'était âgé que de neuf ans, et l'on ignore de quoi il mourut.

De l'autre côté du Channel mourut aussi la même année Guillaume le Maréchal, celui dont la fidélité avait par deux fois assuré dans le royaume d'Angleterre la survie des Plantagenêts. Il pouvait mourir : sa tâche était accomplie ; Henri III avait désormais rallié autour de lui tous les barons de son royaume.

3

LE ROYAUME DES LYS

Joies pour nous bienheureuses
Que nous ramène la tige royale !
Le premier-né du roi Philippe
Illustre des actes de son père
Non dépourvu de gloire personnelle.
Après tant de labeurs pénibles,
Après tant d'issues bienvenues,
La Gaule t'est bien due,
Toi dont le règne en ses débuts,
Roi désigné du doigt de Dieu,
Aspire vers ta clémence.
Viens, Esprit-Saint.

Vers en l'honneur du sacre
de Louis VIII inscrits sur
l'antiphonaire de Pierre de
Médicis[1].

CE n'est pas un roi, c'est un couple royal que l'on couronne à Reims, ce 6 août 1223, fête de la Transfiguration. Louis et Blanche sont ensemble couronnés comme ils ont été unis ensemble vingt-trois ans auparavant.

Le roi Philippe s'est éteint trois semaines plus tôt, le 14 juillet. Il a sur son lit de mort fait d'ultimes recommandations à son fils : « Craindre

Dieu, exalter son Église, faire justice à son peuple, protéger les pauvres, les petits, contre l'insolence des orgueilleux. »

> *Il lui manda qu'il tînt justice*
> *Sur haut et bas et pauvre et riche*

et il ajoutait dans un élan de tendresse : « Mon fils, jamais tu ne m'as causé de peine[2]. »

C'était vrai : ce fils auquel on ne pouvait dénier l'esprit d'initiative, ni le goût de l'action, voire la violence qui lui avait mérité son surnom de Louis le Lion, était un fils dévoué, marchant dans la ligne tracée par son père. Entre eux l'accord était complet. Le Gallois Giraud de Barri, comparant la dynastie d'Angleterre et celle de France, célébrait les bons rois pieux, modestes et chastes du « royaume des Lys ». Dans son enthousiasme il opposait l'insigne du roi d'Angleterre, le Léopard, au Lys de France. Le parfum du lys, disait-on, avait le pouvoir de mettre en fuite les bêtes sauvages[3] ; et l'on imagine le symbole que pouvait tirer de cette légende le chroniqueur gallois, qui détestait les Plantagenêts. Ceux-ci avaient donné, il est vrai, le spectacle d'une famille dont les membres ne cherchaient qu'à s'entre-déchirer. Pourtant les épithètes de « modeste » et de « chaste », appliquées à Philippe-Auguste, sentaient la partialité ! Une légende contemporaine de sa mort voulait que le roi eût été de justesse arraché au démon qui l'entraînait en enfer par l'intervention de saint Denis. Sibylle de Beaujeu, la belle-sœur du roi (sœur de sa femme Isabelle de Hainaut), la racontait à qui voulait l'entendre : un cardinal de Rome en avait recueilli le récit, disait-elle, de la bouche d'un moine qui avait eu cette vision au moment même où le roi mourait[4].

Dix ans avant sa mort, en 1213, Philippe avait

rendu à la reine Isambour sa juste place à la cour de France. Il avait épuisé pour la répudier tous les artifices de droit civil et de droit canonique, toutes les manœuvres d'intimidation, les menaces, les appels et les délais ; la reine avait été tour à tour enfermée à l'abbaye de Cisoing, près de Tournai, puis dans une tour à Étampes. Le mariage avait été tour à tour cassé par des prélats complaisants et rétabli par les légats du pape. Isambour pendant vingt ans avait persévéré, clamant son droit avec une obstination telle que, tout roi qu'il fût, Philippe avait dû céder.

> *Elle ne voulait consentir*
> *Que du roi s'en dût départir*
> (Qu'elle dût se séparer du roi)
> *Et disait, comme dame fine,*
> *Qu'elle mourrait toujours reïne* (reine).

Reine elle était, reine elle resterait. Elle le fut effectivement jusqu'à sa mort, survenue bien après celle de son époux, en 1236. Durant les dernières années de son existence, on l'appelait la reine d'Orléans ; car, après son veuvage, Orléans ou Corbeil étaient devenues ses résidences préférées. D'une forte trempe, comme la plupart des personnalités féminines de l'époque, cette reine d'Orléans.

Il semble d'ailleurs que durant ses dernières années le roi Philippe lui ait été relativement fidèle ; en la couchant sur son testament il l'appelle sa *carissima uxor,* son épouse très chère. Quant à Louis, au témoignage unanime de ses contemporains, il la traitait « non en marâtre, mais en mère ».

Louis était d'ailleurs doué sous le rapport des affections familiales et des liens personnels : fils plein de respect, époux plein de tendresse. Dans la première charte où son nom est mentionné, lorsqu'il fait jurer aux habitants d'Aire et de Saint-Omer de lui rester fidèles, il ne manque pas d'ajouter : « Sauf le droit de notre très chère dame Blanche », et la formule passe dans le serment que prêtent, sur sa demande, les bourgeois de ces villes.

Blanche, au moment où elle reçoit la couronne à côté de son époux, sait qu'elle règne seule sur son cœur. C'est un couple sans reproche que l'archevêque de Reims, Guillaume de Joinville, consacre par l'onction. Les pires ennemis de Louis en Angleterre n'ont rien trouvé à redire à sa conduite personnelle. Au contraire de son père, il est l'homme d'un seul amour. Blanche le sait. D'autres aussi le savent : ce qu'on souhaite obtenir du roi, on le demande à la reine. Le pape lui-même, bien renseigné par ses légats, recourt à Blanche lorsqu'il a quelque sollicitation à présenter à Louis.

Que d'espoirs en ce couple qui accède au trône dans l'épanouissement de sa maturité ! Blanche et Louis ont trente-cinq ans, l'âge des entreprises réfléchies et fécondes, l'âge où l'on devient ce que l'on est. Et pour réaliser de grandes ambitions ils ont en mains une puissance dont leurs ancêtres n'ont jamais disposé. Quels progrès accomplis durant les quarante années qui séparent le sacre de Louis et Blanche de celui de Philippe ! Le roi de France est aujourd'hui chez lui en des régions où naguère on bravait impunément ses volontés : de Paris à Calais, à travers les terres plantureuses de l'Artois et de la Flandre, d'Orléans à Rouen à travers la grasse Normandie, à Tours, en Anjou, en Berry, combien d'anciens domaines du roi d'Angleterre sont à présent des fiefs directs du roi de France ! Tout fait prévoir un règne glorieux. Et dans l'entourage royal on se plaît à sou-

ligner qu'avec Louis VIII, c'est la lignée de Charlemagne qui revient sur le trône. Le poète Gilles
de Paris dédie au prince Louis son œuvre qu'il
intitule le *Carolinus* et, rappelant que par sa mère
Isabelle de Hainaut Louis descend du grand
Empereur, raconte tout au long la légende de
saint Valéry apparaissant jadis à Hugues le Grand
pour lui annoncer qu'après sept générations le
royaume reviendrait à la lignée de Charles. Pour
confirmer les chances de cette lignée, cinq garçons entourent le couple royal : Louis, devenu
l'héritier du trône à la mort de son aîné Philippe,
Robert, Jean, Alphonse — dont le nom castillan
rappelle la famille de Blanche — et un autre Philippe, né l'année précédente et auquel, bizarre-
ment, on a accolé le nom de Dagobert.

Blanche est une mère heureuse, une femme
comblée. Lorsque Louis et Blanche accomplissent
selon l'usage le tour du royaume après leur couronnement, partout les sujets se portent à leur
rencontre ; partout ils recueillent sans démons-
trations inutiles les serments de fidélité. En septembre ils visitent ainsi la Touraine, l'Anjou, la
Normandie ; en novembre, le Nord, la région
picarde, l'Artois, Douai, Saint-Riquier, Abbeville.
« Il n'est personne qui s'insurge et qui dirige ses
armes contre la majesté royale ; la Normandie ne
lève pas la tête ; la Flandre ne refuse point de
courber humblement la nuque sous le joug d'un
tel maître[5]. »

C'est dans ces deux provinces de Flandre et de
Normandie qu'aurait pu le plus facilement se pro-
duire quelque rébellion à la mort de Philippe-
Auguste ; depuis Bouvines le comte Ferrand de
Flandre demeurait en effet enfermé dans la forteresse du Louvre ; quant à la Normandie, c'était
une conquête récente, un héritage du Conquérant

que son descendant, le jeune Henri III, ne manquerait pas de revendiquer.

Cependant celui-ci ne semblait pas encore se soucier de revendications ; une sorte de trêve sacrée s'était même manifestée quelques années plus tôt entre France et Angleterre, lors de la reconnaissance du corps de saint Thomas Becket qui avait eu lieu à Cantorbéry en 1220. C'était l'archevêque de Reims qui avait en cette occasion présidé l'office et chanté la messe ; la cérémonie s'était déroulée en présence de la reine Bérengère qui avait été la femme de Richard Cœur de Lion. On avait pu noter la courtoisie des barons anglais qui s'étaient abstenus de loger pour la circonstance dans la ville même de Cantorbéry afin de laisser les meilleures places aux étrangers et notamment aux Français venus nombreux. Seul Guillaume le Maréchal le Jeune était demeuré dans la ville où il agissait un peu comme maître de maison : son père lui en avait acquis le droit.

Tout semble donc propice au couple royal dans les débuts de son règne ; il réside souvent à Saint-Germain-en-Laye ; lorsqu'il se rend à Paris, dans la cité bien-aimée de Philippe-Auguste, Blanche doit constater les progrès de la cathédrale qui s'élève peu à peu. La nef, à l'époque du couronnement, sera terminée ; la façade monte jusqu'à l'étage de la rose que l'on a commencé à construire : procédé hardi que les maîtres d'œuvre ne craignent plus d'aborder désormais, le cercle évidé se trouve sous-tendu par de fins rayons de pierre en étoile et garni de vitraux qui s'inspirent des thèmes cosmiques, des rythmes du temps, auxquels la liturgie s'accorde, développant leur signification symbolique. Les acquisitions techniques des constructeurs leur permettent de ces audaces qui réalisent ce que leurs prédécesseurs de l'âge roman ne pouvaient accomplir complètement dans la pierre : le cercle, la figure parfaite et celle même du monde.

Comme tous les Parisiens, Blanche peut admirer désormais les sculptures des deux portails d'entrée, au nord et au sud, tandis qu'on travaille encore au portail central. Au sud c'est l'histoire de saint Marcel, dominée par la Vierge qui trône en majesté. Le sculpteur a représenté à ses côtés l'évêque Maurice de Sully qui a voulu cette cathédrale et en a posé la première pierre, et aussi le doyen de son chapitre, Barbedor. Au nord c'est encore la Vierge, la Vierge couronnée par son Fils ; c'est un thème qui a vu le jour dans le domaine royal, au portail de Senlis, et que la piété des fidèles affectionne désormais : celle qui a donné le Christ au monde est reine en ce monde et dans l'autre.

La piété de son temps, Blanche la partage entièrement ; piété dans la ligne de la vocation cistercienne pour laquelle elle éprouve une attirance particulière. La voix de saint Bernard, violente et tendre à la fois, correspond à sa personnalité. L'année qui précède son couronnement, Blanche a été associée sur sa demande aux prières et aux bonnes œuvres de l'ordre de Cîteaux, lors de la réunion du chapitre général ; c'est, dans nos Archives, l'acte le plus ancien qui la concerne, celui qui l'unit ainsi aux prières des cisterciens ; et l'on peut y lire la dominante spirituelle d'une reine qui fondera elle-même deux couvents de moniales cisterciennes.

De ce même temps date le premier ouvrage qui lui ait été expressément dédié, à elle : *Le Miroir de l'âme* : « Très noble et très puissante dame, Madame Blanche, par la grâce de Dieu reine de France, je vous envoie ce livre que l'on appelle *Le Miroir de l'âme,* que j'ai fait écrire pour vous », dit la dédicace. Plus tard le terme sera repris, et il y aura toute une littérature de « miroirs » : miroir du monde, miroir d'histoire ; il est ici pour la première fois employé, en français du moins, et l'auteur s'explique sur ce titre : « Pourquoi il est appelé Miroir de l'âme, il y a bien raison. Car comme nous voyons un homme, une femme se mirer au miroir corporel pour ôter ce qui leur peut déplaire, tout aussi convient-il que l'âme ait un miroir par quoi elle puisse ôter les vices et les péchés qui lui viennent du corps et le mènent à la mort d'enfer, et se peut orner en regardant ce miroir des bonnes vertus qui mènent l'âme et le corps à la joie de paradis. »

Tel qu'il nous est parvenu, ce *Miroir de l'âme*[6] (nous ne possédons pas l'original offert à Blanche) se présente sous la forme d'un petit manuscrit modeste, mais dont l'initiale s'orne d'une miniature à fond or, représentant une reine assise, recevant un miroir des mains d'une religieuse à genoux, qui porte le manteau blanc et le voile noir des moniales cisterciennes. Il n'y aurait rien de surprenant à ce que ce fût l'œuvre d'une femme, d'une religieuse ; elle s'adresse à la reine avec une sorte de familiarité pleine de gentillesse ; au moment où elle lui recommande d'être large dans ses aumônes et généreuse, elle ajoute : « Je ne le dis pas pour ce, Dame, que vous ne fassiez bien toutes ces choses, mais je le dis pour que vous soyez de mieux en mieux enflammée à agilité de bien faire. » Sans doute s'agit-il d'une religieuse qui a éprouvé elle-même la générosité royale. L'analyse des sentiments à laquelle elle se livre n'est dénuée ni de finesse ni de poésie : « Le cœur donc est tel qu'il ne se concorde pas à soi ; il saute d'un propos en l'autre, il entrechange sa volonté, il mue son conseil, il fait nouvelles choses, il dépièce les vieilles, il refait celles qu'il a dépiécées... il veut et ne veut, comme qui ne peut demeurer en même état... il est épris de çà et de là par beaucoup de choses et cherche où il puisse reposer... » Et d'énumérer ses avatars : « Vanité le déçoit, curiosité le démène, convoitise le trait (tire), délit (plaisir) le formène, luxure le conchie, envie le tourmente, ire (colère) le trouble, tristesse le courrouce... »

Pour finir, « vanités du monde sont plus frêles et plus légères de dormir ou d'ombre ou de petit vent qui souffle en l'air, et peu de grâce y trouve l'on... » A ce trouble s'oppose le bonheur du ciel, que la plus grande partie du traité est consacrée à évoquer : « Vous serez bourgeoise de cette Sainte Cité dont les anges sont les bourgeois, Dieu le Père en est le Moûtier, Dieu le Fils : Lumière, Dieu le Saint-Esprit : Clarté. » Et de s'étendre sur cette vision de Dieu : « Qui est Lumière des enluminés, Repos des travaillés, Paix des requérants et Vie des vivants, Couronne des vainquants. » Le traité se termine sur d'enthousiastes considérations sur les joies du ciel : « Très chère Dame, pensez donc comme noble cette cité peut être, car c'est une maison sûre, un pays qui tout contient ce qui peut plaire et délecter à tous, où tous les habitants sont en paix et sans murmure, et sans avoir souffrance ni malaise... Dame, quelle lumière croyez-vous que les âmes aient, quand la lumière du corps sera semblable au soleil... »

Quelle influence a pu avoir ce petit traité sur la reine à laquelle il était dédié ? On ne sait, mais il aide à composer une atmosphère ; dans la délicatesse du ton, dans la place dominante qui est faite à la vie « bienheürée » (« bienheürée de la douceur d'amour et de la suavité de contemplation... »), il respire un optimisme aimable et souriant qui est bien de son temps, — le sûr contemporain des anges sculptés dans les archivoltes de Notre-Dame, et de ces Vierges gracieuses qui, au tympan des cathédrales, reçoivent de leur Fils la couronne triomphale.

*
**

On aimerait pousser plus loin le portrait intérieur de Blanche et aussi pouvoir reconstituer
son aspect extérieur, ses traits, ses habitudes.
Mais les éléments nous font cruellement défaut.
Aucun des contemporains ne nous l'a décrite telle
qu'elle apparut, ce jour du couronnement, aux
côtés de son époux. Ils se sont contentés dans
l'ensemble de nous dire qu'elle était belle : « bien
faite de corps, d'allure, de beauté, enrichie des
plus nobles dons de la nature », — ce qui est positif, mais peu détaillé.

L'image qui nous est demeurée d'elle, en l'espèce son sceau, la marque de sa personne, ne
dément pas ce jugement. Elle est debout, silhouette noble et grave, d'une élégance extrême,
drapée dans le manteau royal fleurdelisé, dont sa
main gauche retient l'attache ; le geste découvre
ce qui devait être à son cou un beau fermail d'orfèvrerie ; la main droite tient une fleur de lys. Une
ceinture, placée assez bas, allonge la taille ; ses
pans soulignent le mouvement du corps que l'on
sent sous les plis de la robe. La couronne, le voile
qui encadre le visage, complètent l'impression de
grâce et de fermeté. Matthieu Paris, chroniqueur
dépourvu de bienveillance, et qui ne ménagera
pas les critiques à l'endroit de Blanche, l'a pourtant caractérisée d'un mot ; il l'appelle : la Reine
magnifique. Et le terme convient bien, surtout si
on l'entend dans le sens qu'il avait alors, c'est-à-
dire impliquant, outre l'allure personnelle, le
goût du beau et la générosité.

Que Blanche fût généreuse on n'en saurait douter. Les comptes nous révèlent au fil des jours ses

dons et aumônes, chose habituelle à l'époque, mais ceux de Blanche sont nettement plus nombreux que ceux des maisons royales contemporaines. Elle donne beaucoup : aux pauvres, aux religieux, aux moniales, aux lépreux, aux hôpitaux, aux messagers qui lui viennent d'Espagne ou d'ailleurs, aux familiers, qu'il s'agisse de son secrétaire, de Guillaume son cuisinier, de Girardin le palefrenier à qui elle donne dix livres à l'occasion de son mariage, de sa famille à qui elle distribue des fourrures, des bijoux comme cette ceinture d'or donnée à sa sœur Aliénor, reine d'Aragon. Il y a les dons réguliers : dix sous chaque jour aux pauvres, ce qui fait vingt-huit livres de la Chandeleur à l'Ascension ; du pain, chaque jour distribué pour la valeur d'une livre. Et aussi les dons d'occasion : cent sous aux pauvres de Corbeil au moment où elle arrive dans cette ville, cent soixante livres pour fournir en blanchets et autres tissus les moniales de Pontoise, dix livres aux lépreux de Dourdan, vingt sous à deux vieilles femmes de Montargis et autant à deux autres de Nemours, cent sous à la prieure d'Oursan pour la pension d'une jeune fille pauvre, huit livres au courrier qui vient d'apporter nouvelle de l'heureux accouchement de la reine de Navarre, etc. Les dons en argent et les dons en nature, comme ce bréviaire qui devait être, à en juger par son prix (14 livres), richement enluminé, offert à Hugues d'Athies, ou encore le jeu d'échecs offert à Louis, ou cet autre, en ivoire, dont on ne connaît pas le bénéficiaire.

On ne peut malheureusement, faute de détails, connaître ses goûts de façon précise : tel hoqueton que Blanche achète pour vingt sous est simplement dit « peint » sans autres détails ; de ce qu'elle fait draper son char de bleu on ne peut déduire qu'elle ait une prédilection personnelle pour cette couleur puisque c'est celle de France. Tout au plus peut-on penser que ce n'est pas un hasard si les deux crosses d'abbesse qu'elle offrira successivement à Maubuisson et à Notre-Dame-la-Royale sont en cristal, — un beau cristal de roche admirablement taillé. Et les pages enluminées du psautier qui fut très probablement le sien sont parmi les plus belles d'un siècle épris de beauté harmonieuse.

Les achats de robes et de vêtements reviennent assez souvent dans les comptes de Blanche pour qu'on n'ait pas de doute sur son goût bien féminin pour la parure ; et les témoins du temps nous disent le soin qu'elle prenait de faire « noblement vêtir » les enfants royaux. En cela aussi l'épithète de « magnifique » lui convient. En 1234, on la voit dépenser cent cinquante livres pour ses robes et, pour deux tapis destinés à sa chambre, vingt-cinq sous ; elle s'achète aussi un vase d'argent valant cent huit sous. Elle fait faire nombre d'achats à la foire du Lendit ; ainsi, en 1241, Jean d'Ermenonville, un valet de la reine vraisemblablement, achète pour elle drap, brunette, drap bleu, camelin (ce tissu de poil de chameau qu'on appelle parfois « triple » parce qu'il vient de la ville de Tripoli), peaux de lièvres et autres fourrures — pour soixante-quinze livres, une forte somme donc ; un autre achat de fourrures, la même année, se monte à quarante-deux livres.

Et l'on pourrait aussi suppléer l'indigence des fragments de comptes conservés par ce que nous savons des soins de beauté pratiqués à l'époque, dont Blanche n'a rien ignoré puisque, les contemporains l'attestent, elle demeura belle et attirante jusqu'en ses derniers jours. Il y a, bien sûr, toute la gamme de parfums que l'on fait venir d'Orient, à base de musc le plus souvent ; mais il y a aussi, et plus simplement, les petites recettes dont on use alors communément. La suprême élégance consiste à éviter de montrer un visage hâlé en une époque où l'on vit beaucoup dehors et où l'on pratique nécessairement la marche et l'équitation. Aussi pour blanchir le visage use-t-on de bains de vapeur après lesquels on étend une préparation de fard blanc (à base de froment broyé ou de céruse) délayée dans l'eau de roses. Pour aviver le teint on se sert d'huile de noyaux de pêches ou encore, selon un livre de recettes qui s'intitule l'*Ornement des dames,* de pois et pois chiches pilés, mélangés de blancs d'œufs, séchés puis réduits en poudre et appliqués en lotions dans de l'eau tiède. On combat les dartres avec l'orpiment, le jus de patience et d'absinthe, l'eau de savon ; les rides à l'aide d'une décoction de mauves et de violettes bouillies dans du vin. On blanchit les dents à la farine d'orge, mélangée d'alun en poudre, d'un peu de sel et d'un rien de miel fondu. Pour soigner les cheveux, on les oint d'huile d'olive, de miel, d'alun mélangés en quantités égales, avec du vif-argent ; les infusions de feuilles de saule les font pousser plus épais, l'huile d'olive et de graines de lin les empêchent de tomber[7].

Quelques mois après le couronnement de son fils, Isabelle d'Angoulême avait été priée, courtoisement mais très fermement, par les barons anglais, de quitter l'Angleterre. Elle n'avait pas insisté, se sachant impopulaire : on l'appelait, jouant sur son prénom, la reine Jézabel. Elle regagna donc le continent.

« La reine passa en Poitou et vint en Angoulême sa cité, qui était son héritage, et prit les hommages de la terre et fut depuis dame d'Angoumois ; elle fit mariage de sa fille au duc de Lusignan qui fut fils d'Hugues le Brun, comte de la Marche, pour avoir son aide ; puis elle défit ce mariage et le prit elle-même pour mari, dont grandes paroles en fut[8]. »

Il y avait de quoi faire parler en effet ; moins sans doute dans la désinvolture avec laquelle Isabelle prenait pour elle-même celui qu'elle avait d'abord destiné à sa fille, que dans le fait qu'elle revenait à ses premières amours de façon aussi impromptue qu'elle s'en était séparée une vingtaine d'années plus tôt quand elle l'avait quitté pour épouser Jean sans Terre. Isabelle, à vrai dire, était encore fort jeune ; elle n'avait guère que trente ans à la mort de Jean ; mais ce n'était pas une mince surprise de voir un baron comme Hugues de Lusignan accepter d'oublier ainsi l'affront qu'elle lui avait fait jadis. La suite de l'histoire allait le prouver, Hugues de Lusignan était littéralement subjugué par Isabelle, et les barons poitevins allaient sentir qu'ils avaient désormais une reine à leur tête.

Or Louis n'était pas couronné depuis six mois que déjà il avait engagé des négociations très actives avec Hugues de Lusignan. Son épouse réclamait vainement en Angleterre le douaire — les possessions dotales — que Jean sans Terre lui avait constitué jadis. Louis s'empressa de proposer en compensation une rente annuelle et les terres qu'il pourrait conquérir en Poitou. Il se réservait même, éventuellement, de lui remettre comme présent la ville de Bordeaux. Les pourparlers marchèrent tant et si bien que, bientôt, Hugues de Lusignan faisait hommage lige de son fief entre les mains du roi de France.

Une sorte de promenade militaire allait ensuite le conduire à Tours, puis à Montreuil-Bellay, enfin à Niort et à Saint-Jean-d'Angély. Ces deux dernières cités se rendirent au roi sans avoir présenté une forte résistance. Qu'allait-il en être de La Rochelle ? Posséder un port sur l'Océan, c'était, pour la dynastie capétienne, un appréciable appoint et surtout lorsqu'il s'agissait de ce port de La Rochelle qui pourvoyait en vin et en sel toutes les régions du Nord. Mais La Rochelle était défendue par un habile homme d'armes, Savary de Mauléon, qui avait fait ses preuves lors des luttes franco-anglaises ; il résista vigoureusement. A Paris, on ne manqua pas de s'inquiéter en apprenant les difficultés du siège, « Savari de Mauléon et trois cents chevaliers et plusieurs soudoyers (soldats) qui dedans étaient défendirent et tinrent le château fortement et vigoureusement contre le roi et ses gens. Comme le siège et la guerre avaient déjà duré par dix-huit jours, le clergé et les religieux et le peuple de Paris s'émurent et allèrent solennellement nu-pieds et en lange (en chemise) à une procession, de l'église Notre-Dame jusqu'à l'abbaye Saint-Antoine, pour que Dieu envoyât victoire au roi de France. Et furent à cette procession trois reines : Madame Isambour, jadis femme du roi Philippe, Madame Blanche, femme du roi Louis, Madame Bérengère, femme du roi Jean de Jérusalem[9]. »

C'était le 2 juin 1224. Le lendemain, la ville de La Rochelle se rendait au roi Louis. A l'origine de cette reddition, un incident tragi-comique : Savary de Mauléon aurait fait ouvrir un coffre que lui avait envoyé le roi Henri III et qu'il croyait rempli d'argent : il ne contenait que des pierres et du son. Peut-être l'anecdote traduit-elle de façon imagée la pénurie de ressources dans laquelle le roi d'Angleterre, en proie à bon nombre de difficultés, laissait les défenseurs de La Rochelle. Toujours est-il que Savary, découragé, décida de capituler.

Louis songea quelque temps à conquérir, après le Poitou, la Gascogne. Il ne rencontrait partout que soumission et dévouement. A Limoges, les bourgeois de la ville s'étaient rendus à lui ; de même à Pui-Saint-Front et Sarlat ; cette ville désormais porta dans ses armes une fleur de lys. Secondé par le comte de la Marche, Louis se voyait déjà seigneur de Bordeaux, mais la cité repoussa fermement toute offre française, déclarant qu'elle ne ferait paix ni trêve avec les ennemis du roi Henri. Sur quoi, le roi de France regagna les bords de la Seine où le rappelait une étrange histoire qui avait la Flandre pour théâtre. Un port ouvert sur l'Océan, le Poitou ramené entièrement en son obéissance, une alliance nouée avec les terribles Lusignan et Savary de Mauléon mettant désormais son épée à sa disposition, le tout en quelques mois — plus que jamais il avait mérité son surnom, « le Lion ».

Le comte de Flandre, Ferrand, était depuis près de dix ans déjà le prisonnier du roi de France, mais sa femme, Jeanne, n'en gardait pas moins le gouvernement de la province. Or, voilà que des bruits singuliers circulaient : le comte Baudouin, père de Jeanne, était, disait-on, revenu de Terre sainte. Ce comte Baudouin, parti pour la croisade en 1204 avec les seigneurs dont Villehardouin a raconté l'odyssée, avait été le premier empereur latin de Constantinople. Deux ans plus tard, tombé dans une embuscade, il avait disparu.

Un mystérieux ermite vivait alors dans la forêt de Glançon, entre Tournai et Valenciennes, auquel certains chevaliers flamands trouvaient une ressemblance frappante avec leur défunt comte. « Un homme vint en Flandre et dit qu'il était le comte Baudouin de Flandre, jadis empereur de Constantinople, et qu'il était échappé comme par miracle de la chartre (prison) des Grecs. Plusieurs gens grands et petits du comté de Flandre virent qu'il ressemblait merveilleusement au comte Baudouin... et le reçurent à comte et à seigneur. Et pour ce qu'ils avaient en haine la comtesse Jeanne, fille du comte Baudouin, ils la déjetèrent et lui prirent presque tout le comté de Flandre et s'entendirent en tout avec le faux Baudouin. Quand la comtesse se vit déjetée de sa terre, qui était son propre héritage, en telle manière, elle fut merveilleusement déconfortée et pour ce vint-elle au roi Louis de France et le pria, pour Dieu, qu'il eût pitié d'elle et lui montrât raison, pour quoi il pouvait et devait être ému et la rétablir, elle, sa terre et son comté. »

Une sculpture bien connue, que conserve l'église des Cordeliers de Nancy, restitue de façon saisissante ce que pouvait être le retour d'un croisé : le sculpteur a représenté un chevalier revenant en haillons, étroitement embrassé par sa femme[10]. On a cru y reconnaître le comte de Vaudémont, Hugues Ier, qui était parti pour la Terre sainte avec le roi de France Louis VII vers 1147 et qui, pendant longtemps, passa pour mort. Sa femme, Anne de Lorraine, avait refusé de se remarier et eut le bonheur de voir son époux revenir presque vingt ans plus tard, en 1163. Disparaître dans un combat, c'était le sort de beaucoup de chevaliers qui pouvaient ensuite, par d'extraordinaires concours de circonstances, se trouver parmi les rescapés d'un massacre, vivoter longtemps dans les geôles sarrasines ou au service de quelque émir et reparaître ensuite, alors que chacun les croyait morts. L'ermite de Flandre devait rappeler par ses traits l'empereur de Constantinople. Ceux qui s'y trompèrent pouvaient être de bonne foi, avoir connu jadis le comte Baudouin et se trouver abusés par une ressemblance fortuite. Certaines gens, comme les abbés de Saint-Jean de Valenciennes et de Saint-Vaast d'Arras, crurent très sincèrement avoir retrouvé leur ancien seigneur. On disait pourtant que le vrai Baudouin était plus grand ; et son ancien clerc (nous dirions : secrétaire) Gautier de Courtrai se présenta devant lui sans qu'il le reconnût. Quoi qu'il en soit, quelques-uns mirent à profit le mouvement de curiosité, puis d'enthousiasme qui ne tarda pas à se créer autour du mystérieux ermite, pour susciter des difficultés à la comtesse Jeanne. Elle n'était pas aimée et, qu'il s'agît des grands bourgeois des villes ou des petits seigneurs dans la campagne, beaucoup trouvaient là une occasion de manifester leur indépendance. Finalement, le mouvement prenait l'ampleur d'un coup d'État. Le faux Baudouin était porté de ville en ville, mené en triomphe à travers la Flandre ; il jouait parfaitement son personnage, et montrait sur son corps des cicatrices, affirmant qu'elles étaient celles de l'ancien empereur de Constantinople. Finalement, au jour de la Pentecôte, il ceignait solennellement la couronne comtale, créait des chevaliers, octroyait des fiefs et se conduisait comme le maître du pays. La comtesse Jeanne, qui, elle, avait refusé de le reconnaître, n'eut d'autre ressource que de venir se réfugier à Paris et implorer contre l'imposteur la justice du roi.

Le comte Baudouin était l'oncle du roi de France, frère d'Isabelle de Hainaut. Louis voulut s'entourer à son sujet de toutes les garanties et envoya d'abord sa tante, Sibylle de Beaujeu, sœur de Baudouin et d'Isabelle, qui se rendit en Flandre et aussitôt reconnut qu'elle avait affaire à un imposteur de grande envergure. Elle conseilla pourtant à l'ermite, qui eût été son frère, de venir

voir le roi et lui déclara que, s'il était véritable-
ment empereur de Constantinople, celui-ci le
recevrait avec tous les honneurs dus à son rang.
C'était alors à Louis d'agir. Il vint avec Blanche,
qui prenait personnellement intérêt à l'aventure,
s'installer à Péronne « et manda celui qui feignait
être le comte Baudouin ». Celui-ci accepta le défi
et se rendit devant le roi. « Il fit une contenance
grande et orgueilleuse. » L'évêque de Beauvais,
qui était présent, lui demanda : « Où avez-vous
épousé votre femme ? » Il ne répondit pas ; à
quoi, selon la chronique, le roi vit que c'était un
« barateur » ; il ne poursuivit pas moins l'interro-
gatoire, lui demandant où il avait fait hommage
au roi Philippe du comté de Flandre et où celui-ci
l'avait fait chevalier. Éludant la question,
l'homme « demanda pour ce soir-là son repas et
du repos, et qu'il répondrait le lendemain[11] ».
Louis « aperçut la folie et l'orgueil » du faux
ermite et en fut courroucé. « Il lui commanda
qu'il vidât dans les trois jours sa terre et son
royaume et lui donna un sauf-conduit pour s'en
retourner. » Baudouin n'insista pas. Il quitta les
lieux et, tandis que le roi revenait à Valenciennes,
il tenta d'échapper et gagna la Bourgogne. Là,
pourtant, un chevalier le reconnut et le livra à la
comtesse de Flandre qui, au début d'octobre de
cette année-là (1225), le fit pendre à Lille sans
autre forme de procès.

L'aventure eut pour conséquence un rapprochement avec la Flandre. Jeanne se mit à négocier
avec le roi de France la libération de son époux.
Louis était d'autant plus disposé à la concéder
qu'il était question pour Jeanne de faire annuler
son premier mariage et d'épouser le comte de
Bretagne, Pierre Mauclerc. On convint que Ferrand serait libéré pour la Noël de l'année suivante (1226), moyennant certaines garanties et le

paiement d'une rançon. Cette libération eut lieu, mais dans des circonstances très différentes de celles qu'avait prévues le roi Louis.

La reine, cependant, était à nouveau enceinte ; elle avait donné le jour, l'an 1225, à une fille, Isabelle, — la première fille du couple royal. Son dernier fils, Charles, devait naître en 1226[12]. Cette année, qui allait peser si lourd dans la vie de Blanche, s'ouvrit sur l'annonce d'une nouvelle croisade en pays méridional. Depuis l'année précédente, en effet, le légat Romain Frangipani, envoyé par le Saint-Siège, parcourait la France et tentait d'obtenir une levée d'armes pour en finir avec l'hérésie albigeoise qui perturbait les régions languedociennes.

Louis s'était déjà rendu par deux fois dans le Midi : de courts séjours qui avaient eu plutôt l'allure d'une visite de suzerain que d'une expédition de croisé ; le second toutefois avait été marqué par l'affreux épisode du sac de Marmande que raconte avec une verve féroce la *Chanson de la Croisade albigeoise*.

... Les barons et les dames et les enfants
[menus,
Les hommes et les femmes, tout dépouillés et
[nus,
Ils les tranchent et les taillent de leur fer
[émoulu,
Et la chair et le sang, la cervelle et le brucz
[(tronc),
Les membres et les corps assommés et fendus
Et les foies et les cœurs arrachés et rompus
Gisent parmi les places com(me) s'il en avait
[plu,
Car de leur sang épars qui là s'est répandu

Est la terre vermeille, le sol et le palud,
N'y reste homme ni femme, ni jeune ni chenu,
Ni nulle créature si ne s'est rescondue

[(cachée)
Et la ville est détruite et le feu répandu[13].

Cette deuxième partie de la *Chanson* s'achève sur les préparatifs du siège de Toulouse que Louis de France avait ensuite entrepris, montrant les archers postés sur le pont du Bazacle, l'admirable « ouvrage d'art », à la fois barrage et support de moulins, que l'on bâtissait alors sur la Garonne. Mais Louis avait laissé ce siège inachevé, soit échec, soit simplement parce que sa « quarantaine » — le temps de service militaire ordinaire — était accomplie.

En fait, pas plus que son père le roi Philippe, il n'avait jusqu'alors accordé beaucoup d'attention au Midi albigeois. Ses intérêts profonds étaient ailleurs : en Flandre, en Normandie, et vers l'Angleterre, cet « héritage de Blanche » qui à cette date de 1219 représentait pour lui une récente et cruelle déception.

En six ou sept ans, la situation avait évolué. Louis devenu roi doit se préoccuper de ce Languedoc dont il est le suzerain, et Blanche doit se souvenir que le jeune comte de Toulouse, Raymond VII, est son cousin germain : n'est-il pas fils de Jeanne, elle-même fille d'Aliénor d'Aquitaine ? Il a du reste été élevé en partie en Angleterre ; quel qu'ait été son père Raymond VI (« membre du diable, fils de perdition, ennemi de la croix, malfaiteur de l'Église, défenseur d'hérétiques... », à en croire Pierre des Vaux-de-Cernay)[14], on ne peut aucunement le tenir pour responsable des fautes commises par celui-ci. Ainsi d'ailleurs en avait décidé le pape Innocent III ; et le parlement qui s'est tenu à Paris en 1224 en présence du roi a « dénoncé et éprouvé que Raymond VII, comte de Toulouse, est bon chrétien et vit selon Dieu et la foi chrétienne[15] ». Il est temps d'intervenir dans ces régions où la guerre s'est installée comme à demeure et a pris un tour féroce :

> ... *Cette guerre ne fut pas jeu :*
> *Qu'on ardait* (brûlait) *Albigeois en feu.*
> *Et aux chrétiens tranchait-on*
> *Nez et baulèvres et mentons*
> *Et pieds et poings et les oreilles*
> *Pour regarder eux à merveille* (avec étonne-
> [ment — comme objet d'horreur)
> *Et pour Français détruire mieux*
> *Leur tranchait-on aussi les yeux,*
> *Fût chevalier ou fût sergent,*
> *Et les jetait en feu ardent[16].*

**

Où en sont, en ce début de l'année 1226, les affaires du Midi ?

Les croisés de l'an 1209, après le sac de Béziers et la prise de Carcassonne, avaient, on s'en souvient, mis à leur tête le comte de Leicester, Simon de Montfort ; par la suite on avait pu suivre chez cet homme — qui quelques années auparavant avait refusé de participer à la prise de Zara (« Je ne suis pas venu ici pour détruire les chrétiens[17] ») et s'était vu pour cela menacé de mort par les Vénitiens — le développement d'une ambition qui devait finalement causer sa perte, mais non sans dommage pour la cause, à vrai dire compromise dès le départ, de la croisade. Celle-ci n'avait pas tardé à dégénérer en rivalité personnelle entre le comte de Toulouse Raymond VI et

Simon, tandis que les populations méridionales, y compris celles qui n'avaient pas été gagnées par l'hérésie (c'était le cas de Toulouse elle-même, où seul le bourg marchand était favorable aux hérétiques, la cité proprement dite leur étant hostile), étaient de plus en plus révoltées par le caractère politique que prenait l'entreprise.

Une grande bataille livrée à Muret (12 septembre 1213) contre les forces coalisées du Toulousain et du roi d'Aragon Pierre II, venu à son aide avec des forces impressionnantes, avait permis à Simon d'étendre sa domination sur Toulouse même, et sur l'ensemble des rives de la Garonne. Mais au moment même de son triomphe se faisaient jour les difficultés d'une conquête qui rendait évidente la déviation de la croisade. Simon, frappé d'une pierre au front lors d'un nouveau siège de Toulouse — la cité sans cesse à reconquérir — était mort en 1218. Son fils Amaury n'était pas de taille à recueillir la lourde succession qu'il lui laissait. Raymond VI était mort en 1222, mais son fils, après avoir reconquis l'Agenais, reprenait successivement, outre Toulouse, Lavaur, Puylaurens, Montauban, Castelnaudary, Moissac, Carcassonne.

En fin de compte, le règlement d'une situation devenue inextricable appartenait au roi de France, suzerain naturel des seigneurs méridionaux et héritier déclaré d'Amaury qui, en 1225, résignait entre ses mains les droits qu'il tenait de son père. Un concile réuni à Paris le 28 janvier 1226 excommunia, une fois de plus, le comte de Toulouse dont la conduite avait entre-temps donné des inquiétudes au légat pontifical :

> *Et l'apostole* (le pape) *fit mander*
> *Au roi de France que, pour Dé* (Dieu) *!*
> *Allât à Toulouse et qu'il prît*

Toute la terre, s'il vousît (voulût)
Et fût sienne comme conquête
Sans ce qu'Amaury en eût quête.
Et bien le devait le roi faire
Car Toulouse est de son affaire (de son
[royaume)
Et de lui la doit-on tenir[18].

Le légat envoyé par le pape, Romain Frangipani, cardinal de Saint-Ange, était une forte personnalité qui tout de suite avait pris beaucoup
d'ascendant sur Louis — auquel il était d'ailleurs
apparenté —, et plus encore sur Blanche. A l'entendre il fallait sans tarder reprendre la croisade ;
les hérétiques relevaient la tête ; on les voyait se
promener partout à travers le pays, prêchant leur
fausse doctrine, comme le faisaient Pierre Garcias ou Raymond Niort, le châtelain du pays
de Sault ; l'évêque cathare Guilabert de Castres
officiait à Fanjeaux et venait de présider un véritable concile de l'hérésie à Pieusse. Leur prédication mettait les âmes en danger ; il fallait
intervenir.

Louis était d'autant plus disposé à écouter ce
langage qu'il savait par ailleurs que le jeune
comte de Toulouse Raymond VII négociait avec le
roi d'Angleterre.

Le rassemblement des croisés fut fixé sans plus
attendre à Bourges au printemps suivant. Le roi
de France devait réunir à ses côtés en cette occasion la plupart des grands seigneurs du royaume :
son cousin Humbert de Beaujeu, son frère bâtard
Philippe, le comte de Saint-Pol, Archambaud de
Bourbon, Enguerrand de Coucy, Robert de Courtenay, Thibaud de Champagne, le comte de Bretagne Pierre Mauclerc, Jean de Nesle et bien
entendu Amaury de Montfort ainsi que quelques
prélats parmi lesquels Frère Guérin, lequel déjà

avait accompagné Philippe-Auguste à Bouvines. S'il était certainement très loin d'avoir avec lui les cent mille chevaliers que lui attribue un chroniqueur à l'imagination exaltée voire les cinquante mille qu'un autre lui prête[19], Louis n'en avait pas moins une armée impressionnante et beaucoup de petits seigneurs méridionaux jugèrent plus prudent de se mettre d'emblée sous sa protection.

« Nous sommes avides de nous placer sous l'ombre de vos ailes et sous votre sage domination », lui écrivait Bernard Oton, seigneur de Laurac. Et de même faisaient les gens de Béziers, ceux de Saint-Antonin et beaucoup d'autres comme Raymond de Roquefeuil, Pons de Thézan, etc. Les alliés traditionnels du comte de Toulouse, Nunez Sanche, comte de Roussillon, et Jaime Ier d'Aragon, se déclaraient aussi pour le roi de France. Il paraissait évident que le temps normal d'une campagne (quarante jours) suffirait pour affermir la domination du roi sur les régions jadis rebelles. Louis hésita un peu sur le chemin à suivre et se décida pour la vallée du Rhône, comme il l'avait fait la première fois ; c'était l'itinéraire le plus commode, puisque la route fluviale restait la plus rapide et la plus facile d'accès.

La descente s'effectua sans incident. A Montélimar, le roi reçut les ambassadeurs de la cité. Beaucaire envoyait d'avance des ambassadeurs. Avignon en faisait autant ; c'était une forte cité, riche de son négoce et qui, jusqu'alors, n'avait pas cessé de témoigner de son alliance avec les comtes de Toulouse. Raymond VII s'était concilié les Avignonnais en les exemptant de tout péage sur ses États. On ne pensait pourtant pas y rencontrer de résistance sérieuse. Le roi installa son campement à Pont-de-Sorgues le 7 juin. Là, il reçut une députation d'Avignonnais. Deux jours plus tard, que se passait-il au juste ? La cité qui avait promis le passage libre revenait soudain sur sa décision ; le roi manquait tomber dans une embuscade ; les croisés en venaient aux mains avec les habitants et ceux-ci se mettaient en devoir de détruire le pont de bois sur lequel une partie de l'armée avait déjà passé. C'était la rupture, et le siège commençait aussitôt : obstacle inattendu sur une route qui s'annonçait sans histoire. Les deux tours d'Avignon — Quiquenparle et Quiquengrogne — en faisaient une cité très bien défendue ; ses bourgeois, riches et prospères, avaient fait d'abondants approvisionnements et même — ce qui laissait croire que la rupture n'avait rien de fortuit — pris à leur solde une bande de mercenaires brabançons et flamands. De plus, le comte de Toulouse avait pris soin de faire le désert devant l'armée du roi de France, jusqu'à faire labourer les prairies afin de priver les chevaux de fourrage. Au contraire de ce qui se passe en général durant un siège, les assiégés ne manquaient de rien et c'étaient les assiégeants qui souffraient de la famine. La chaleur était torride cette année-là ; l'armée ne tarda pas à souffrir des inévitables épidémies, la dysenterie entre autres. Une tentative d'assaut, le 8 août, tournait à la confusion des croisés : le pont sur lequel ils s'étaient engagés s'écroula sous leur nombre et près de trois mille hommes, assurait-on, se noyèrent dans le Rhône ; en revanche, les Avignonnais, quelques jours plus tard, firent une sortie au moment où les Français prenaient leur repas, — sortie qui coûta la vie à un grand nombre d'assiégeants. Blanche devait apprendre avec désolation les nouvelles de ce siège, inattendu autant qu'interminable, au point que dans l'entourage royal on parlait sérieusement de déguerpir.

Louis, dans le découragement général, fit à nouveau la preuve de son énergie ; il prit des mesures pour assainir les conditions d'hygiène, fit jeter dans le Rhône les cadavres qui encombraient le camp et ordonna de creuser entre la ville et leur propre retranchement un immense fossé pour empêcher les sorties par surprise ; enfin il fit savoir que le siège serait prolongé aussi longtemps qu'il le faudrait. Le « Lion » se réveillait : son attitude impressionna l'adversaire. Vers le 15 août, les Avignonnais entamaient des négociations. On exigea des otages ; moyennant quoi, le 9 septembre, le légat faisait son entrée dans la ville. Ses défenseurs auraient la vie sauve, mais les remparts seraient rasés. Les paysans alentour se mirent, dit-on, à les démolir allègrement, car la puissance d'Avignon était partout redoutée, et les bourgeois la faisaient durement sentir au plat pays.

Louis VIII laissa la ville à la garde du seigneur Guillaume d'Orange, dont le père avait été jadis écorché vif et massacré par ses habitants. L'érection d'une forteresse à Villeneuve-lès-Avignon fut décidée afin de tenir tête éventuellement aux révoltes possibles. Ce fut le château Saint-André.

Cependant, aussi bien pendant le siège qu'après sa victoire, le roi de France continuait à recevoir les hommages des seigneurs méridionaux. La suite de sa croisade ne devait plus être qu'une marche triomphale par Béziers, Carcassonne, Castelnaudary, Pamiers, Puylaurens. Sa puissance était partout reconnue.

L'épisode d'Avignon n'en devait pas moins peser sur l'expédition. Lassitude, mécontentement, murmure — beaucoup de barons avaient été tout près d'abandonner leur suzerain et il y avait eu une défection grave : celle du comte Thibaud de Champagne. Durant la première quinzaine d'août, en un moment où la situation paraissait désespérée, il décampa, faisant valoir que sa quarantaine était terminée ; le roi le menaça s'il partait d'aller lui-même plus tard dévaster et incendier la Champagne : Thibaud n'en tint aucun compte ; il n'osa pourtant partir que de nuit ; ses chevaliers furent hués par les valets, bouchers et savetiers de l'armée, « qui les clamèrent fous et faux ». Ce départ sentait la trahison. Il fit scandale. Au même moment des vides se creusèrent dans l'entourage du roi. L'archevêque de Reims, Guillaume de Joinville, qui l'avait couronné trois ans plus tôt, mourut de maladie ainsi que Philippe, comte de Namur, et Bouchard de Marly, l'un et l'autre ses conseillers. Le roi lui-même semblait dans un état de grande fatigue lorsqu'il reprit, dans le courant du mois d'octobre, le chemin de son domaine. Il avait remis à son cousin Humbert de Beaujeu la garde de la contrée qu'on pouvait somme toute considérer comme pacifiée.

L'inquiétude régnait. Visiblement, le roi s'était fatigué et dépensé outre mesure pendant ce siège mené par une chaleur épuisante. Il avait pris la route le 29 octobre ; on chevaucha à petites journées. Parvenu au château de Montpensier, Louis sentit qu'il ne pourrait aller plus loin.

Le 3 novembre, il réunit autour de lui ses compagnons les plus fidèles : son demi-frère Philippe Hurepel, Enguerrand de Coucy, les maréchaux de France Robert de Coucy et Jean Clément, les comtes de Blois et de Montfort, enfin plusieurs prélats comme l'archevêque de Sens, Gautier Cornut, les évêques de Beauvais, de Noyon et de Chartres. Il leur fit jurer solennellement de reconnaître son fils aîné Louis comme héritier du royaume. Un acte fut dressé séance tenante et scellé du sceau de chacun des assistants. Le roi avait fait son testament l'année précédente, avant de partir pour l'expédition méridionale. Il avait précisé qu'au cas où quelque malheur lui surviendrait, sa femme Blanche assurerait le gouvernement du royaume ; il avait distribué entre ses enfants divers domaines, ce qu'on appelait les apanages : à son second fils, Robert, la terre qui lui venait de sa mère, Isabelle de Hainaut, c'est-à-dire l'Artois, au troisième, Jean, le comté d'Anjou, au quatrième, Alfonse, le comté de Poitiers et l'Auvergne. Les puînés entreraient dans les ordres, comme le faisaient beaucoup de cadets à l'époque.

« Le roi mourut le dimanche après l'octave de la Toussaint. Jésus-Christ en ait l'âme, car bon chrétien était et avait été toujours de grande sainteté et de grande pureté de corps tant qu'il fut en vie, car on ne trouve pas qu'il eût jamais affaire à femme hors celle qu'il prit en mariage. Beaucoup disent que par la mort du roi fut accomplie la prophétie de Merlin qui dit : « *In monte ventris morietur leo pacificus* », c'est-à-dire : « Au mont du ventre mourra le Lion paisible. » Le roi Louis fut en sa vie fier comme un lion envers les mauvais et paisible merveilleusement envers les bons. Et on ne trouve pas qu'aucun autre roi de France hors celui-là mourut à Montpensier (au mont de la panse, *monte ventris)* [20]. »

L'armée magnifique qui s'était ébranlée six mois plus tôt s'était muée en cortège funèbre et ce cortège ne s'alourdissait pas seulement de la dépouille du roi : une pesante atmosphère l'assombrissait, rancunes, calomnies, racontars, qui semblait embrumer de façon sinistre cette route automnale.

On murmurait que le roi était mort empoisonné. Un mauvais vin lui aurait été servi. Par qui ? Par son ennemi, Thibaud de Champagne, qui avait déserté si honteusement ses rangs. Les vides que la maladie avait creusés autour du roi accréditaient ces légendes — simples légendes pourtant, car il n'est pas besoin d'avoir recours au vin empoisonné pour expliquer les maladies causées par le manque d'hygiène et les épidémies latentes dans toute armée. Comme Thibaud de Champagne avait quitté le siège dans la première quinzaine d'août il était difficile de lui imputer un geste criminel dont l'effet eût été si tardif. Mais sa défection, qui ressemblait à une trahison, avait vivement frappé les esprits et bientôt le contre-coup allait s'en faire sentir sur Blanche elle-même.

Le roi Louis VIII laissait en tout cas une réputation intacte. Il avait bravement guerroyé ; il s'était battu comme un lion chaque fois que son honneur, son ambition, son domaine étaient en cause ; mais, contrairement à son père dont les aventures amoureuses avaient défrayé la chronique, on ne trouvait rien à lui reprocher en tant qu'homme. On raconta même, par la suite, qu'au moment où il se sentait malade, son compagnon, Archambaud de Bourbon, avait introduit dans son lit une fille complaisante, avec l'idée que le roi malade s'en trouverait réchauffé et ragaillardi ; en termes du temps : un remède à la maladie. Peut-être le geste du vassal, s'il est authentique, traduisait-il tout simplement le désir d'arracher son suzerain aux sombres préoccupations qui l'assaillaient, après tant de peines imprévues aggravées par le départ de Thibaud. Mais le roi la refusa, et, remède ou « repos du guerrier », déclara vouloir se passer de tout ce qui pourrait ternir son âme.

*

> *On avait dit à la reïne*
> *Que le roi vient, sain, et chemine.*
> *Elle a fait son char attourner*
> *Pour ses fils encontre mener* (mener à sa
> [rencontre)[21].

Blanche, en ce début de novembre, avait fait « attourner » son char et s'était mise en route avec sa famille pour aller au-devant du roi. C'est Frère Guérin, le chancelier, qui, précédant les barons, rencontra le premier le cortège de la reine. Le petit prince Louis chevauchait en avant ; il le fit retourner en arrière et rejoindre sa mère.

Folle de douleur, le terme n'est pas trop fort pour dire le désespoir de Blanche. On assure que sous le choc de la nouvelle elle se fût tuée, si on ne l'avait retenue « contre son veuil » — contre sa volonté.

Blanche est d'une nature impulsive, absolue ; cette mort qui de façon si imprévue

> *s'était dressée emmi la route* (au milieu de la
> [route)

l'atteignait dans tout son être, dans toutes ses fibres. L'époux tendrement aimé, le roi tout jeune encore, le père de ses enfants, — Louis était tout pour elle ; sa mort ruinait deux existences ; tout s'effondrait en elle et autour d'elle. Cette violence dans les larmes accablait tout l'entourage ; de Frère Guérin les chroniqueurs du temps disent qu'il allait « de deuil enrageant ». Et le trouble était grand à la cour de France, qui avait eu, en trois ans, trois rois, dont un enfant.

Pourtant, à travers l'immense chagrin, une décision s'impose très vite : il faut faire couronner l'enfant.

Blanche eut-elle alors un retour en pensée vers

145

le saint évêque qui, quand elle-même avait l'âge du jeune Louis, l'avait exhortée à sécher ses larmes : « une reine ne pleure pas » ? Il est pour nous extraordinaire, à distance, de rapprocher deux dates : le 8 novembre, jour de la mort de Louis VIII à Montpensier en Auvergne, — le 29 novembre, jour du couronnement du jeune Louis IX à Reims ; vingt et un jours, trois semaines exactement se sont écoulés de l'un à l'autre événement. En un temps où l'étape normale ne peut guère dépasser quelque soixante kilomètres par jour, si l'on songe à tous les préparatifs que nécessite un couronnement, à tous les barons qu'il faut convoquer :

> *Et le jeune duc de Bourgogne*
> *Et tout le clergé à merci*
> *Et les trois frères de Coucy,*
> *Comte de Bar, comte de Blois,*
> *Les Normands et les Hurepoix...*

— autant de courriers et de messagers à envoyer dans toutes les directions, porteurs de chartes semblables à celles qui nous sont restées, munies des sceaux de tous les barons et prélats qui sur son lit de mort avaient assisté le roi : l'évêque de Chartres, l'archevêque de Sens Gautier Cornut, le frère bâtard Philippe Hurepel, les comtes de Blois et de Montfort, etc. ; si l'on passe en revue tous les détails d'une cérémonie dont le rite commence à se fixer — depuis le logement de la famille royale jusqu'aux vêtements du sacre et à la couronne qu'il fallait ajuster au garçonnet appelé à les porter —, on peut conclure que Blanche a su très tôt dominer sa douleur et se montrer reine autant que femme.

Son époux lui a expressément confié l'administration du royaume, ce qui d'ailleurs à l'époque ne fait aucune difficulté puisque les femmes dans la pratique succédaient aux fiefs, — le droit féodal ne connaissant pas sur ce point les restrictions du droit romain. Blanche allait donc être seule reine comme l'avait été quelque temps sa sœur Berenguela dans le royaume de Castille et de León ; c'est tout à fait inexactement, soit dit en passant, que les historiens ont plus tard parlé de « régence » à son propos. Les actes sont signés indifféremment par Blanche ou par son jeune fils le roi et il serait bien malaisé de distinguer les décisions qui doivent être attribuées à l'un ou à l'autre. Dans les années qui vont immédiatement suivre en tout cas, Louis n'étant qu'un enfant de douze ans, c'est Blanche qui gouverne.

**

« Maintenez notre reine et sauvez ses enfants. »

Ainsi s'est exprimée la voix populaire à travers le sermon en vers que composa, « le mois que le bon roi Louis trépassa », un prêtre de Sancerre nommé Robert[22].

C'est à la fin de ce même mois, le jour de la Saint-André (29 novembre), que prit place la cérémonie, rendue si émouvante, du couronnement « *sans son ni lai, sans chanson ni poème* ». L'enfant qui va recevoir l'onction a été amené sur un char.

> *Mais à l'entrée de la cité*
> *L'ont sur un grand destrier monté.*

Un bel enfant,

> *Blond fut et il eut le chef beau*
> *Comme tous les hoirs de Hainaut.*

Sa grand-mère Isabelle l'a doté de cette beauté qui est chez les comtes de Hainaut un legs familial : beauté blonde, fragile, raffinée. Louis, sur ce grand destrier qui l'amène jusqu'aux portes de la cathédrale, soulève certainement l'émotion de la foule ; un chroniqueur du temps nous le montre ayant à la fois « joie et deuil » en ce jour. La veille ou l'avant-veille, à Soissons, il a été armé chevalier ; c'est une cérémonie que l'on a hâtée pour la circonstance : la chevalerie n'est généralement conférée qu'à ceux qui ont atteint l'âge d'homme, dix-huit à vingt ans, puisqu'elle implique le port et le maniement des armes ; mais un roi se doit d'être chevalier.

Le jeune Louis met pied à terre, aidé par Frère Guérin qui à ses côtés incarne le service loyal, celui du bon et fidèle vassal, comme aux côtés du roi Henri III d'Angleterre, quelques années auparavant, Guillaume le Maréchal. Et comment n'être pas frappé de la similitude des deux cérémonies ? Dans les deux cas une femme, un vieillard et aussi un représentant de l'Église — ici le cardinal Romain de Saint-Ange, — veillent sur le destin de l'enfant. Blanche n'a pas pu, durant les quelques moments de répit que lui ont laissé ces trois semaines épuisantes, remplies d'émotion, — les funérailles de Louis ont eu lieu à Saint-Denis le 15 novembre —, rongées aussi de soucis et de préoccupations matérielles et morales, ne pas faire le rapprochement entre la situation de son fils et celle dans laquelle s'est trouvé, dix ans plus tôt, le jeune Henri III : dix ans presque jour pour jour (28 octobre-29 novembre).

Les angoisses vécues par elle en ces moments tragiques, nous en avons gardé un témoignage. On conserve aux Archives nationales un petit morceau de parchemin très simple, scellé d'une bulle de plomb qui pend à une cordelette de chan-

148

vre selon l'aspect habituel des actes pontificaux en ce temps qui maintenait, au moins dans la forme, quelque souvenir de la pauvreté de Pierre, le plomb et le chanvre étant les matériaux les plus vulgaires dont on se fût servi pour sceller. Il s'agit d'une bulle du pape Grégoire IX qui, le 7 décembre 1227, en son palais du Latran, relève la reine Blanche d'un vœu qu'elle avait inconsidérément prononcé et qu'elle ne pouvait tenir. Quel était ce vœu ? Quelle promesse Blanche avait-elle faite, qui se révélait impossible à exécuter ? En quelle circonstance et dans quel but l'avait-elle prononcée ? Nous n'en saurons jamais rien. La lettre du pape ne donne aucun détail, et sans doute est-ce oralement, par un messager fidèle, que Blanche aura imploré le pape, gardien des serments, de la délier du sien ; mais il semble impossible que ce vœu ne se soit pas rapporté, d'une manière ou d'une autre, aux événements tragiques de ce mois de novembre 1226. Et s'il demeure à jamais le secret de la reine, il nous révèle du moins un trait profond de son caractère : au moment où elle aborde cette période de son existence qui va exiger d'elle le don total de sa personne aux charges du royaume, elle puise sa force à une source cachée, celle même qui, de son fils, fera un saint.

Réjouis-toi, heureuse France.

Les fêtes du sacre sont traditionnellement l'occasion de chants nouveaux et celui qu'on appelle le « conduit du roi », le thème principal de la musique composée pour le sacre de Louis IX, nous a été conservé ; c'est le *Gaude, felix Francia*, Réjouis-toi, heureuse France. Ce chant accompagne la procession de la Sainte Ampoule que porte l'abbé de Saint-Remi, sous un dais soutenu par quatre moines, tandis que déjà le petit garçon que l'on va couronner a gagné l'estrade dressée en avant du chœur, qui lui est réservée ainsi qu'aux grands barons du royaume. Il prononce le serment exigé : maintenir les coutumes de l'Église, rendre la justice à son peuple, le garder en paix ; sagement, la mince silhouette s'agenouille pour se prosterner ensuite de tout son long devant l'autel, tandis qu'on chante sur elle la litanie des Saints,

Ainsi le veuille Dieu qui en la croix fut mis,
Vous garde, gentil roi, avec tous vos amis
Et vous donne, seigneur, et vertu et pouvoir
De garder votre règne et de tenir vos droits.

Puis éclate dans la cathédrale le chant du *Te Deum*. Sur l'autel ont été déployés les vêtements royaux, la couronne, l'épée dans son fourreau, les éperons d'or, le sceptre d'or surmonté d'une fleur de lys ; les chausses de soie violette, brodées de fleurs de lys d'or ; la cotte de même et le surcot, une sorte de chape. La cérémonie commence. Louis ôte sa robe, prenant soin de garder la chemise ouverte ; le grand chambrier Barthélemy de Roye lui enfile les chausses ; le duc de Bourgogne, un tout jeune homme, lui attache les éperons. En l'absence de l'archevêque de Reims, mort aux côtés de son père, c'est l'évêque de Soissons, Jacques de Bazoches, qui lui remet ensuite l'épée sortie du fourreau, et qui tout à l'heure lui fera les onctions ; le petit roi, très grave, offre l'épée à l'autel, puis se tourne vers son oncle Philippe Hurepel et la lui donne à porter ; il reçoit ensuite l'onction du sacre, cette onction qui rappelle la consécration des rois de la Bible : sur la tête, les épaules, les bras, les mains, la poitrine. Puis on le revêt de la tunique violette et de la chape ; on passe l'anneau à son doigt, on place le sceptre dans sa main droite ; l'évêque prend la couronne, et la lui pose sur la tête ; aussitôt tous les grands barons du royaume y mettent la main et la soutiennent symboliquement ; le roi est ainsi conduit vers sa chaire ornée de drap de soie brodé de fleurs de lys d'or ; et là il reçoit le baiser de l'évêque qui vient de le consacrer ; puis des barons ses pairs. « Tous pleuraient, même la comtesse Jeanne de Flandre » dont la fidélité était pourtant suspecte et qu'on disait peu sensible.

Tandis que la messe se déroulait, avec, au moment de l'offrande, le geste du roi apportant un pain d'argent et treize écus d'or, comme pour un mariage, Blanche pouvait, d'un regard sur l'assistance, mesurer les risques et les dangers auxquels elle devrait s'affronter : beaucoup de places vides dans cette assistance ; quelques-uns des barons avaient fait savoir qu'ils ne viendraient pas « pour le deuil du père et pour le déconfortement du règne ». Excuse, mais menace aussi. Le regret du père pouvait-il éclipser la fidélité due au fils ? Blanche pouvait compter ses fidèles ; en dehors de Philippe Hurepel et d'Hugues de Bourgogne, il y avait les deux fils de la maison de Dreux, Robert et son frère Henri de Braisne, qui peu après allait recueillir l'archevêché de Reims ; il y avait aussi les sires de Coucy, de Bar et de Blois, fidèles au serment qu'ils avaient prêté à leur suzerain défunt ; un seul grand personnage : Jean de Brienne, roi de Jérusalem, revenu depuis peu du pèlerinage à Saint-Jacques de Compostelle après lequel il avait épousé une nièce de Blanche nommée Bérengère comme sa mère ; il y avait aussi Jeanne de Flandre et Blanche de Champagne, sa parente ; et bien entendu tout le groupe des fidèles d'une loyauté solide et sans phrase, — ceux qu'on avait vus à Bouvines ou à La Roche-aux-Moines, qu'on avait retrouvés trois ans auparavant à une cérémonie semblable et qui, à présent, bouleversés, se regroupaient autour de Frère Guérin ; ceux-là, leur dévouement était sûr : Barthélemy de Roye le chambrier, Robert de Courtenay le bouteiller, Matthieu de Montmorency le connétable, Jean Clément, Jean de Beaumont, Guillaume des Barres le Jeune, Jean de Nesle et ce Michel de Harnes dont la vie était une épopée, liée à celle de ses souverains, une sorte de Guillaume le Maréchal qui, malheureusement pour nous, n'a pas trouvé comme celui-ci son biographe. Surtout, Blanche avait à ses côtés le cardinal Romain de Saint-Ange, le légat du pape, qui durant ces jours tragiques avait été pour elle le soutien, le réconfort inespéré.

Vous aurez haut confort de Dieu le roi puissant
Qu'il vous ait en sa garde, et tous vos beaux
[enfants.

A côté de ces dévouements sûrs et solides, beaucoup d'absences inquiétantes : Hugues, comte de la Marche, et son épouse Isabelle, n'avaient pas répondu à l'invitation, de même le comte de Bretagne, Pierre, qu'on surnommait le mauvais clerc, « Mauclerc » ; et combien d'autres encore dont certains avaient eu l'impudence de faire dire qu'avant tout couronnement il fallait libérer les comtes de Flandre et de Boulogne, prisonniers depuis plus de dix ans.

Une autre place vide aussi, celle de Thibaud comte de Champagne ; mais de cette absence, Blanche du moins connaissait la raison. Lorsqu'elle avait appris, la veille, que Thibaud avait envoyé ses sergents lui préparer un logis à Reims, elle leur avait fait signifier leur renvoi par le maire de la ville, sans ménagements ; ses bannières avaient été jetées à la rue et ses serviteurs proprement expulsés.

> *Le comte s'en est retourné*
> *tout courroucé et forcené.*

Blanche n'allait pas lui pardonner de sitôt la conduite qu'il avait eue envers son époux.

« Réjouis-toi, heureuse France. » A nouveau, on chantait le « conduit du roi » tandis que, hissé sur son cheval par Frère Guérin, le petit Louis IX, sceptre en main, la tête couronnée (une couronne plus modeste que celle de la cérémonie était prévue pour le cortège), répondait aux acclamations de la foule.

Réjouis-toi, heureuse France : quel choix singulier avaient fait de cette antienne le clergé et les chantres de Reims ! Pouvait-on se réjouir en ce couronnement noyé de larmes qui mettait à la tête du royaume un enfant, une femme, un vieillard ? Quel contraste lugubre entre cette acclamation et l'hiver qui déjà s'annonçait, avec les rafales de vent jetant au sol les dernières feuilles mortes de novembre ! Réjouis-toi : devant ce ciel chargé de menaces, dans ce pays où, à tous les horizons, des barons rebelles avaient désormais le champ libre pour prendre une revanche longtemps méditée sans doute, qu'il s'agît du Midi albigeois, du Poitou anglais, de la Flandre ou de la Champagne, sans parler de l'Angleterre dont le roi Henri III s'était bien gardé de venir remplir ses devoirs de vassal au couronnement de son suzerain.

Réjouis-toi, heureuse France : quelle erreur !

Ou quelle étrange prescience...

ÉCHEC A LA REINE

ÊTRE non plus celle qui seconde, mais celle qui décide. Prendre conseil et non plus conseiller. Se sentir responsable d'un roi, d'un royaume en même temps que de ses maisons, de ses terres, de ses enfants, de tout ce monde de parents, d'alliés, de clercs, de serviteurs, de dignitaires à titres divers qui gravitent à l'intérieur et autour d'une famille seigneuriale, — telle est la tâche qui attend Blanche[1]. Les regards autrefois levés vers le couple royal ne rencontrent plus que son regard à elle. Regards limpides de Louis, de ses frères, de sa petite sœur. Regards des familiers qui s'enquièrent de la besogne quotidienne ; regards des messagers auxquels est confiée une mission délicate, ou qui viennent rendre compte de celle qu'ils ont accomplie. Regards des conseillers, tantôt finauds et tantôt graves. Regards matois ou humbles des gens du commun venant « clamer justice » au parlement ; regards obséquieux de ceux qui implorent confirmation de privilèges ; regards ambigus de tel baron qui prête serment ; regards en coulisse, surpris au lever d'une tenture ; regards de rancœur, de raillerie, de compassion parfois ; regards qui démentent les paroles, ou qui les appuient.

Blanche est désormais seule pour jauger ces regards, seule pour discerner ce qu'ils révèlent ou ce qu'ils cachent ; seule pour y lire la bonne foi, la flatterie, l'avidité contenue ; seule pour deviner ce qu'un sourire peut celer de feintise, ce qu'un salut dissimule de perfidie, ce qui peut se cacher de droiture dans une attitude arrogante ; seule pour tenir tête aux regards qui exciteront à tort sa pitié, à raison son indulgence. Seule, seule, seule...

Parce qu'elle est femme, beaucoup de ces regards vont la blesser, la troubler, l'abuser ; mais peut-être aussi, parce qu'elle est femme, saura-t-elle plus aisément distinguer entre ces regards ceux qu'il faut accueillir et ceux qu'il faut ignorer ; ne voir que ce qu'il faut voir, voir au-delà de ce qu'elle regarde. Et parfois aussi — ce sera sa secrète revanche contre la solitude —, son regard à elle saura-t-il éveiller de trouble ce qu'il faut, imposer de respect ce qui se doit, susciter l'émotion, calmer la passion.

Seule, seule, seule... Mais la vie à côté de son époux l'a préparée à ces affrontements ; il ne lui a rien caché des affaires du royaume : c'est ce qui va lui permettre d'avoir le royaume en main.

Seule, mais non sans appuis ni ressources personnelles. Les conseils experts du cardinal de Saint-Ange, les sages avertissements de Frère Guérin, l'amitié amoureuse qu'elle sait pouvoir inspirer, l'affection de ses enfants, celle de Louis surtout, « qu'elle aime plus que tout au monde », — autant de réconforts dans sa solitude. Privée de l'essentiel dans sa vie de femme et d'épouse, elle saura du moins reconnaître, et accepter, les secours qui s'offrent à elle, y prêter attention, y puiser sa force. L'événement que plus que tout autre au monde elle eût redouté s'est imposé à elle, lui imposant du même coup une vocation qu'elle n'a pas choisie : celle de prendre en main les destinées du royaume pour le conduire à bonne fin. Or, cette tâche qu'elle devra assumer malgré elle, qu'elle eût refusée si elle en avait eu le choix, voici qu'elle y trouvera sa véritable vocation, celle qui fera, dans l'Histoire, le renom de la reine Blanche.

*
**

Les barons du royaume ont été dès longtemps tenus en respect par le roi Philippe-Auguste et par son fils le Lion. Mais l'ordre n'exclut pas les mécontentements ; ceux-ci n'attendaient qu'une occasion pour éclater et l'épisode du siège d'Avignon l'avait prouvé ; ils allaient désormais se donner libre cours.

Une vaste partie d'échecs s'organise à travers le royaume. Ici un château, là une province, — un peu partout la rébellion. Il faudra rendre coup pour coup, un pion contre l'autre, surveiller la partie, ensemble et détails, imaginer les parades et neutraliser les audaces.

Le premier acte de la reine, une fois son fils couronné, est une libération : la libération d'un prisonnier célèbre, puisqu'il s'agit de Ferrand de Portugal.

Certes, ce geste était attendu ; il avait même été préparé par son époux ; et le couronnement d'un roi était généralement l'occasion d'amnisties. Mais si l'on considère l'ensemble de la vie de Blanche et l'épisode qui marquera ses toutes dernières années, le geste prend valeur de symbole ; dès lors il n'est plus indifférent qu'il ait été le *premier* acte du règne.

Ferrand devait donc quitter, le jour de l'Épiphanie, l'an 1227, la prison du Louvre ; il allait regagner, avec sa femme la comtesse Jeanne, son domaine de Flandre ; il se trouvait en effet rétabli dans tous ses droits ; Blanche allait jusqu'à faire remise au comte de la moitié de sa rançon — vingt-cinq mille livres — et à le laisser jouir des trois villes qui en étaient le gage : Lille, Douai, L'Écluse ; elle ne gardait en gage que le château même de Douai ; c'était ajouter aux arrangements précédemment prévus une faveur supplémentaire ; auparavant elle avait prudemment envoyé deux de ses familiers, Aubry Cornu et le panetier Hugues d'Athies, faire prêter serment de fidélité au roi et à la reine par les habitants des principales villes de Flandre dans le cas où Ferrand et sa femme trahiraient à nouveau leur devoir. Mais le comte de Flandre pouvait-il encore songer à trahir ? Il n'était pas près d'oublier ses douze années de détention, pas plus que le geste de Blanche à son égard.

Aurait-elle la même indulgence envers Renaud de Dammartin, le comte de Boulogne ? Celui-ci l'espérait probablement. De la dure prison de Péronne où l'avait fait enfermer Philippe-Auguste, il avait été transféré au château du Goulet, en Normandie, et supportait mal sa détention. Mais, au contraire de Ferrand, il avait commis un acte de trahison caractérisé ; de plus, Blanche ne pouvait le libérer sans s'aliéner du même coup son beau-frère Philippe Hurepel à qui avait été remis le comté de Boulogne. Renaud ne tarda pas à comprendre qu'il n'avait rien à espérer ; le malheureux se suicida aux environs de Pâques 1227. De sinistres légendes ont longtemps circulé au sujet du château du Goulet, témoin de ce suicide qui est alors un acte rare et qui frappa d'horreur les contemporains.

Bien est France abâtardie,
Seigneurs barons, entendez,

Blanche est aux aguets : les places laissées vides lors du couronnement sont celles de seigneurs remuants. Hugues de Lusignan ne voit rien, n'entend rien, ne fait rien que ce que veut sa femme Isabelle d'Angoulême ; or, celle-ci n'oublie pas qu'elle a été reine d'Angleterre et mène son monde à son gré. Hugues vient de conclure un traité d'alliance avec deux autres puissants seigneurs de l'Ouest, le vicomte de Thouars et le sire de Parthenay. Ce sont là des noms familiers à ceux qui ont pris part, fût-ce de loin, aux événements de La Roche-aux-Moines ; du Poitou à l'Angleterre, en dépit de la géographie, il n'y a qu'un pas et ce pas a déjà été franchi, puisque le propre frère du roi Henri III, Richard de Cornouailles, débarqué sur le continent deux ans plus tôt, affiche insolemment le titre de comte de Poitiers ; il prétend le tenir de son oncle, son prédécesseur par le nom, Richard, le Cœur-de-Lion.

Or, quelqu'un est là tout prêt à faire le lien entre les barons de l'Ouest et l'Angleterre ; c'est Pierre, le comte de Bretagne, le « Mauclerc ».

Un être dangereux, ce Mauclerc : un de ces cadets de famille insatiables dont l'appétit s'aiguise à proportion de ce qu'on leur fournit pour les apaiser. Pierre a été bien nanti. Ils sont trois frères : l'aîné, Robert, celui qu'on surnomme Gâteblé, a recueilli le comté de Dreux ; le plus jeune, Henri de Braisne, qui est entré dans les ordres, vient d'être élu par les chanoines à l'archevêché de Reims ; reste Pierre qui à défaut d'héritage personnel a été bien pourvu par son mariage : le roi Philippe en effet lui a fait épouser l'héritière de Bretagne Alix. Celle-ci est morte cinq ans plus tôt, en lui laissant trois enfants :

Jean surnommé le Roux, Arthur et Yolande ; l'aîné recueillera le duché de Bretagne dont son père a la garde. Une garde qu'il ne laisserait à personne, car il s'y conduit en baron autoritaire, voire en despote. L'église de Nantes en a fait durement l'expérience. Pierre fait démolir des paroisses pour élever les remparts de ses châteaux et emprisonne les clercs qui murmurent ; il a même menacé un curé, qui refusait la sépulture ecclésiastique à un usurier, de le faire enterrer vif avec le cadavre de ce dernier ! Doit-il son surnom de « mauvais clerc » au fait qu'il serait d'abord entré dans les ordres ? Est-il vrai qu'il ait étudié à l'université de Paris ? On ne sait. Toujours est-il que ses démêlés avec le clergé ont été portés jusqu'en cour de Rome. Vassal fidèle au demeurant, il a combattu auprès de Louis VIII avec une vaillance sans reproche : que ce soit en Flandre, en Anjou ou en Angleterre.

Mais le séjour en Angleterre, précisément, a éveillé chez lui des ambitions. Les ducs de Bretagne sont aussi comtes de Richmond, et que vient-on d'apprendre ? Pierre a fiancé sa fille Yolande avec Henri III, le roi d'Angleterre en personne ! L'un et l'autre n'attendent que les autorisations pontificales pour célébrer le mariage, car ils sont parents à un degré prohibé par l'Eglise. Or, une légende circule à laquelle Pierre Mauclerc ne peut que prêter une oreille complaisante : la maison de Dreux dont il est le descendant est de souche royale ; Robert, premier comte de Dreux, était le fils de Louis VI le Gros. Certains murmurent : le fils aîné ; mais on l'aurait écarté au profit de Louis VII, comme moins intelligent que celui-ci. En ce cas, au moment où la France se trouve gouvernée par une femme et un enfant, n'y a-t-il pas une revendication à élever ? Pierre Mauclerc est l'homme des revendications ; toute sa vie se passe à revendiquer.

Blanche, qui le connaît assez pour s'en méfier, a été tenue au courant des alliances nouées dans l'ancien royaume Plantagenêt et voilà qu'aux dernières nouvelles toute une conjuration s'esquisse : Mauclerc a attiré dans ses filets le comte de Champagne en personne, Thibaud. De quoi regretter l'accès de colère qui l'a empêché de paraître au sacre. Son allié Henri de Bar a été gagné lui aussi ; quelque temps encore et le domaine royal se trouvera pris entre deux fronts ennemis.

Blanche n'attendra pas le printemps. Dès la fin de janvier elle convoque ses vassaux et ne tarde pas à se mettre en route elle-même, avec son fils le roi, mais aussi avec les barons fidèles : au premier rang son beau-frère Philippe Hurepel et Robert Gâteblé, le frère aîné du Mauclerc. Blanche et Louis sont reçus le 20 février en l'église cathédrale de Tours et accomplissent un pèlerinage au monastère de Saint-Martin que tout le pays tient en grande dévotion ; le lendemain, ils sont à Chinon, l'ancien château des Plantagenêts, puis se portent sur Loudun. Les rebelles ont concentré leur armée à Thouars ; c'est dire que forces royales et forces seigneuriales s'épient de très près. Alors commence un étonnant chassé-croisé de pions sur l'échiquier ; les cinq à six lieues qui séparent l'une de l'autre les deux cités sont bientôt sillonnées de messagers dont le lieu de rencontre favori se situe non loin de Curçay, au détour d'un très beau point de vue sur la vallée de la Dive. A qui confier les négociations ? Dans le camp des conjurés le choix se porte sur Thibaud de Champagne ; c'est un familier de la cour. Lui et le comte de Bar sont bientôt munis par le roi d'un sauf-conduit en règle ; à eux de

160

négocier. Effectivement ils négocient et Blanche les reçoit en personne.

Or, que se passe-t-il au bout de quelques jours ? Dans le camp des rebelles on commence à se demander si les négociations ne marchent pas un peu trop bien ; le comte Thibaud se montre toujours prêt à traverser la Dive, et Richard d'Angleterre, qui a réussi à soulever l'inquiétant personnage mi-baron mi-routier qu'on nomme Savary de Mauléon, se concerte avec ce dernier. Tous deux ont la même impression : dès le moment où Thibaud de Champagne a pu revoir Blanche, sa cousine et sa Dame, il n'est plus sûr. Leur inquiétude gagne les autres seigneurs rebelles, tellement qu'un beau jour Thibaud et Henri de Bar, revenant de Curçay, ont vent d'une embuscade et font volte-face ; lorsqu'ils se présentent de nouveau à Loudun, ce n'est plus en négociateurs, c'est cette fois pour demander l'asile et l'appui de l'armée royale ; ils reçoivent, inutile de le dire, l'accueil le plus bienveillant :

> Dame en qui est tout honneur assagi
> ... Si Fine Amour vous a de moi saisie
> Ne me mettez pour ce de vous arrièr(e).
> Votre hom(me) devins loyal, de vrai courage
> D'une chanson rendue à héritage,
> Un jour de mai.

Grand dépit pour le Mauclerc ! Le comte Richard avait raison : en ce qui concerne Thibaud, Blanche possède une arme secrète ; il cesse d'être sûr dès qu'il se trouve en présence de la reine.

Comment finir une partie mal engagée ? Blanche offre aux conjurés de venir la trouver à Loudun. Ils refusent et proposent Chinon. Va pour Chinon ; mais au jour dit les barons, qui n'ont pas digéré leur affront, ne se montrent pas ; nouveau rendez-vous est pris à Tours, même absence. Cette fois la reine Blanche perd patience : elle les somme de comparaître à Vendôme, faute de quoi l'armée royale entrera en action. Mauclerc se résigne. A Vendôme avec son compagnon Hugues de la Marche il fait sa soumission. Le tout se termine le 16 mars 1227 par un traité en bonne et due forme. Comme toujours à l'époque, les discordes finissent par des mariages. A Vendôme on fait bonne mesure : trois mariages sont prévus. Yolande, la fille du Mauclerc, au lieu du roi d'Angleterre, épousera un fils de France, Jean, celui à qui sont promis le Maine et l'Anjou. Son jeune frère Alphonse épousera Isabelle, la fille qu'Isabelle d'Angoulême a eue du comte Hugues de Lusignan, et une autre Isabelle, l'unique fille de Blanche, épousera un autre Hugues, fils du précédent. Ainsi trois enfants royaux épouseront les enfants des seigneurs rebelles ; la menace du mariage anglais est écartée, et le Poitou se retrouve dans l'orbite du domaine royal. Richard de Cornouailles, se sentant désormais quelque peu isolé, n'a plus qu'à signer une trêve et à regagner l'Angleterre. Après quoi, Blanche, comprenant que l'heure n'est pas aux économies, s'empresse de distribuer des terres à Robert de Dreux, de l'argent à Philippe Hurepel et, aux bourgeois de La Rochelle qui sont restés fidèles au roi de France au milieu de bien des tentations, des exemptions d'impôts.

La première manche revient incontestablement à la reine. Sans verser une goutte de sang, elle a démantelé une véritable conjuration. Mais ce serait mal connaître le Mauclerc que de ne pas attendre la revanche. Que lui a-t-il manqué pour réussir ? D'avoir pu compter sur Thibaud ; celui-là paierait le prix quelque jour. En attendant, le grand mal dont avaient souffert les rebelles avait été leur propre désaccord. Chacun craignait que l'autre ne vint à l'évincer en cas de réussite. Dès lors il y avait mieux à faire qu'à combattre de front le jeune Louis IX : s'assurer de sa personne, le détacher de sa mère. Garder le roi, mais sous son nom gouverner le royaume : programme à coup sûr plus habile et plus subtil que celui qui consistait à se révolter ouvertement.

> *Roi, ne croyez mie* (ne croyez pas)
> *Gens de femenie* (la race féminine),
> *Mais faites ceux appeler*
> *Qui armes sachent porter*[2].

En faisant honte à ce garçon de demeurer dans le giron de sa mère il sera probablement facile de se faire écouter. Précisément le jeune Louis accomplit une tournée dans son domaine et vient visiter Orléans. Les barons lui ont fait savoir « que la reine Blanche sa mère ne devait pas gouverner si grande chose comme le royaume de France et qu'il n'appartenait pas à une femme de faire telle chose ». Le roi a fait répondre qu'il n'avait pas besoin pour gouverner d'autre aide que celle « des bonnes gens qui étaient de son conseil ». Mais il est sur ses gardes et lorsque, parvenu à Châtres (Arpajon), il apprend qu'une armée puissante est concentrée à Corbeil, il juge, prudent en dépit de ses treize ans, que sa maigre escorte ne sera pas de taille à le protéger. Que faire ? Le château de Montlhéry est là tout proche, avec ses tours puissantes ; ce château dont le jeune Louis a entendu plus d'une fois raconter l'histoire et les soucis qu'il causa jadis à son ancêtre le roi Louis VI le Gros, l'empêchant de circuler en paix entre Paris, Étampes et Orléans, va devenir le refuge de la dynastie. Louis s'y rend en hâte, fait lever le pont-levis et garnir les créneaux, puis envoie à sa mère, demeurée à Paris, deux messagers lui rendre compte de ce qui se passe.

Blanche, comme toujours, va jauger rapidement la situation. Elle n'a pas le temps de convoquer les vassaux et ne se soucie pas de laisser les conjurés entreprendre un siège en règle autour de Montlhéry. A Paris, elle se sait aimée ; elle y a passé la plus grande partie de son enfance et de sa jeunesse. Elle, qui n'a cessé de surveiller amoureusement les progrès de la cathédrale proche du palais, dont la façade vient d'être terminée et s'élève à présent jusqu'à une belle galerie ajourée de fines colonnettes, a été reçue peu de temps auparavant dans ce qu'on appelle la Confrérie Notre-Dame aux prêtres et bourgeois, — une association charitable qui groupe clercs et laïcs. C'est au public parisien qu'elle va faire appel. Elle convoque les bourgeois, leur fait part du guet-apens dans lequel son fils a failli tomber ; tous se déclarent prêts à lui porter secours. Et ils conseillent à la reine de convoquer de même « les communes de France », c'est-à-dire d'Ile-de-France. « La reine envoya aussitôt ses lettres par tout le pays environ et demanda que l'on vînt en aide à ceux de Paris pour délivrer son fils de ses ennemis. Ainsi s'assemblèrent de toutes parts à Paris les chevaliers de toute la contrée et les autres bonnes gens. Quand ils furent tous assemblés, ils s'armèrent et sortirent de Paris bannière déployée et se mirent en chemin droit vers Montlhéry. Aussitôt qu'ils se furent mis en chemin, la nouvelle en vint aux barons ; ils redoutèrent fortement la venue de tels gens et se dirent entre eux qu'ils n'avaient pas assez grande force pour pouvoir les combattre. Ils partirent et s'en allèrent chacun en sa contrée, et ceux de Paris vinrent au château de Montlhéry. Là, ils trouvèrent le jeune roi ; ils l'amenèrent à Paris tout rangés et serrés et tout prêts de combattre s'il en fût besoin[3]. »

Blanche avait fait appel au peuple, elle ne l'avait pas fait en vain ; le guet-apens manqué se transformait en un triomphe populaire qui frappa vivement les contemporains, à commencer par le jeune roi lui-même ; beaucoup plus tard, c'était un de ces souvenirs sur lesquels il revenait volontiers dans ses conversations avec le sire de Joinville : « Depuis Montlhéry, le chemin était tout plein de gens en armes ou sans armes jusqu'à Paris, et tous criaient à Notre Seigneur qu'Il me donne bonne vie et longue et me défendît et me gardât de mes ennemis[4]. »

Peu de scènes sans doute étaient mieux faites pour frapper dans son imagination et sa sensibilité un garçon de cet âge ; quand plus tard Louis IX « mettra sa vie en péril pour son peuple » — ce que Joinville lui vit faire quatre fois, à ce qu'il dit expressément —, au sentiment d'accomplir un devoir de sa charge s'ajoute sans aucun doute celui d'avoir jadis contracté envers ce peuple une dette de reconnaissance.

Battus une seconde fois par une force qu'ils ne soupçonnaient pas, les barons rebelles ne se déclarent pas désarmés pour autant. Leur fureur redouble contre « Dame Hersent » — c'est le nom de la louve dans le *Roman de Renart,* ce Roman de Renart qui fait fureur dès à présent dans la bourgeoisie. Et les médisances aussi font fureur contre la reine ; cette étrangère qui gouverne le royaume, n'a-t-elle pas affiché impudemment sa liaison avec le comte de Champagne ? Et qui sait, après tout, si le comte n'était pas d'accord avec elle pour supprimer son époux, le roi Louis VIII, qu'il a lâchement trahi au siège d'Avignon ? D'ailleurs elle gaspille les biens du royaume ; elle prê-

che l'économie à son fils le roi, mais fait des largesses à la cour de Castille et au comte Thibaud.

De ma dame vous dis-je voirement (vraiment)
Qu'elle aime tant son petit enfançon
Que pas ne veut qu'il travaille souvent
A départir (distribuer) *l'avoir de sa maison.*
Mais elle en donne et départ à foison,
Moult en envoie en Espagne
Et moult en met à renforcer Champagne[5].

L'attention de Blanche était mise en éveil par
l'activité insolite qui se manifestait depuis quelque temps sur les terres du comte de Boulogne
Philippe Hurepel ; il faisait fortifier Boulogne ; il
élevait une enceinte et un château à Calais ; il
ajoutait aux fortifications de Hardelot et d'autres
places encore. Tant de pierres et de poutres entas-
sées ne signifiaient rien de bon. Depuis la mort de
Renaud de Dammartin, Hurepel n'avait plus à
craindre qu'on l'obligeât à restituer son comté ;
ne s'en trouvait-il pas plus facilement enclin à
prêter l'oreille au comte de Bretagne, lequel, en
dépit des accords de Vendôme, n'avait pas réellement désarmé ? Somme toute, pourquoi la garde
du royaume et du jeune roi n'aurait-elle pas été
exercée par un baron tel que Philippe, tout désigné par le sang, encore qu'il fût bâtard, plutôt
que par une femme ? et par une étrangère ! Ou
alors, puisqu'il fallait un roi, pourquoi pas l'un
des barons ? Plusieurs d'entre eux se sentaient
tout disposés à assumer la charge royale en un
temps où la dynastie semblait tomber en que-
nouille ; et parmi eux le nouvel allié que le Mauclerc, infatigable dans ses conspirations, avait
réussi à mettre de son côté : Enguerrand III de

Coucy. C'était un proche parent, lui aussi descendant de Louis VI par sa mère Alix de Dreux. Ce qu'il fallait, c'était mener un complot d'envergure, et cette fois agir par les armes, sans plus se laisser circonvenir par Dame Hersent. Il ne manquait pas de mécontents dans le royaume, et hors du royaume quelqu'un n'attendait que la fin des trêves pour reprendre les hostilités : le roi d'Angleterre. Aux fêtes de Noël, lorsqu'il tint sa cour à Oxford, en 1228, le jeune Henri III reçut des délégations de gens de Bordeaux, de Guyenne, du Poitou, de Normandie qui le priaient de manifester sa force en débarquant sur le continent.

Blanche, alertée par les préparatifs et les allées et venues insolites qu'elle surprenait ici et là, disposait elle aussi ses pions sur l'échiquier ; elle avait fait l'expérience de ce que pouvait être l'appui des communes et c'est aux gens des communes qu'elle s'adresse. Pendant le mois d'octobre 1228, les baillis royaux d'entre la vallée de la Seine et les limites de la Flandre sont priés de se présenter devant les échevins et les maires des principales cités et d'en obtenir un serment de fidélité à la reine et à son fils. Déjà c'était signe qu'entre la bourgeoisie et le roi s'ébauchait une alliance dont la suite des temps dira à quel point elle était riche de promesses. Que fera plus tard un roi comme Louis XI, sinon reprendre l'exemple donné par la reine Blanche ? Sans parler, bien entendu, de Louis XIV choisissant tous ses ministres sans exception parmi les bourgeois du royaume. Les circonstances sont évidemment fort différentes dans chacun des cas, mais avec une constante : tenir en échec une noblesse de plus en plus rebelle, insupportable, et ne cherchant qu'à se soustraire à l'autorité royale.

Dans les cartons des Archives nationales, à l'heure actuelle, on trouve sous forme de petits morceaux de parchemin, munis chacun des sceaux de la commune, trace de la fidélité promise jadis par les bourgeois, ceux d'Amiens et ceux de Compiègne, ceux de Senlis et ceux d'Arras ; ceux de Montreuil-sur-Mer et ceux de Tournai ; toutes ces cités (il y en a vingt-huit dont on retrouve ainsi facilement l'acte original de prestations de serments) qui ont elles-mêmes et parfois dans des temps lointains (c'était chose faite deux cents ans plus tôt ou presque pour Saint-Quentin) rejeté l'autorité de leur ancien seigneur ou acheté leur liberté, se déclarent prêtes à défendre leur petit roi et sa mère.

Celle-ci se sent plus forte à l'idée des appuis promis, — et promis sans condition, ce qui atteste la confiance que les gens des communes font à la dynastie[6].

De leur côté, les barons s'organisent et arrêtent entre eux une ligne de conduite bien précise pour éviter que se renouvellent les précédentes déceptions : Pierre le Mauclerc prendra l'initiative des hostilités. Il est à prévoir que la reine, pour lui répondre, convoquera l'« ost » seigneuriale, l'aide militaire que lui doivent ses barons. Ceux-ci ne manqueront pas d'y répondre ; ils se rendront au rendez-vous de la cour, mais chacun n'amènera avec lui que deux chevaliers ; ainsi ils ne pourront pas être accusés d'avoir manqué à leur serment envers le roi. Mais « Dame Hersent » sera jouée et, ne disposant pas de forces armées, sinon en quantité ridiculement insuffisante, devra bien capituler et en passer par où ils voudront. Échec et mat. N'est-il pas temps, après tout, que la dynastie d'Hugues Capet, élue par les barons et leur devant son élévation au trône, cède aujourd'hui la place à une autre dynastie plus jeune et plus forte ?

La fin de l'année approchait. Devant tenir sa

cour de Noël à Melun, le jeune Louis IX avait convoqué Pierre Mauclerc pour le 31 décembre. Il ne vint pas. C'était le début des hostilités prévues. Blanche n'en attend pas davantage. Sûre désormais de la fidélité des communes et des petites gens dans toute la région au nord et à l'est du domaine royal, elle a décidé d'aller surprendre le Mauclerc sur ses terres. Et la surprise sera grande, car contrairement aux prévisions des conjurés, l'armée qu'elle envoie est imposante. D'où lui vient ce renfort imprévu ? On pouvait s'en douter, le comte de Champagne est là, et il a amené avec lui non pas deux chevaliers comme il en était question parmi les rebelles, non pas même trois cents comme l'écrira plus tard Joinville qui n'a connu l'épisode que par ouï-dire, étant alors trop jeune, mais bien huit cents chevaliers comme en donne la preuve le rôle d'inscription qui est parvenu jusqu'à nous[7].

Au-delà de Chartres et de Nogent-le-Rotrou, sur la route de Bretagne, en plein pays du Perche confié jadis par le roi Philippe à Pierre Mauclerc, s'élève le château de Bellême qu'en dépit des engagements pris envers son suzerain le comte s'est empressé de fortifier au point qu'il passe pour imprenable. Ce sera l'objectif de la première expédition militaire menée par Louis IX en personne ; il n'a pas quinze ans, mais il sait qu'à son âge son grand-père Philippe menait lui aussi ses premiers combats.

Son objectif est d'ailleurs audacieux : sans parler des défenses du château, on se trouve en plein mois de janvier, et l'hiver s'annonce rude. Le duc de Bretagne, qui a commencé à ravager ici et là les terres du roi de France à sa portée, ne s'attendait pas à une réplique avant le printemps. Le roi sait que le siège peut durer. Il installe soigneusement ses quartiers sur les conseils du maréchal de France, — probablement Jean Clément, vieil homme de guerre expérimenté, — dans les demeures des villages environnants, ou sous la tente le plus souvent ; les bivouacs s'organisent ; on fait venir des hameaux alentour ce qui est nécessaire aux hommes et aux chevaux. Saint-Martin-du-Vieux-Bellême, Saint-Gean-de-la-Forêt, Saint-Ouen-de-la-Cour, Sérigny, — d'autres villages encore sont mis à contribution. Et, beaucoup plus tard, lors des enquêtes royales, la population égrènera de sinistres souvenirs des dommages subis : aussi bien les paroissiens de Saint-Sauveur et de Saint-Pierre de Bellême qui ont vu leur maison brûler sur l'ordre du comte de Bretagne, que ceux qui ont dû répondre aux réquisitions des sergents du roi. On s'installe, mais sans gaîté de cœur, car entre-temps l'hiver lui aussi s'est mis en route ; il gèle à pierre fendre ; il faut casser la glace des abreuvoirs ; les assiégeants sont littéralement paralysés par le froid.

Blanche est venue en personne surveiller les opérations. Elle a conscience de la situation critique dans laquelle elle se trouve : avec elle son fils et tous ceux qu'elle a exposés aux dangers d'une expédition qui doit être un succès ; le sort du royaume en dépend.

Ainsi en jugerait n'importe quel chef d'armée. Mais elle n'est pas n'importe quel chef d'armée et en ce moment même, plutôt qu'un réflexe de stratège, elle sait avoir une réaction de femme : ces gens ont froid ; avant toute chose il faut les réchauffer. Le bon sens, doublé du sens maternel : « Il fit si grand froid qu'il eût été trop périlleux aux hommes et aux chevaux, si ne fût la reine Blanche qui était au siège devant le château et fit crier dans l'armée que tous ceux qui voudraient gagner aillent abattre des arbres, noyers et pommiers, et tout ce qu'ils trouveraient de bois à brûler, et l'apportent à l'armée. Sitôt qu'elle l'eut commandé, les menus valets de l'armée allèrent abattre ce qu'ils trouvèrent et l'envoyèrent par charrettes et par chevaux en l'armée. Et ceux de l'armée firent grands feux vers les tentes et les pavillons, si bien que la froidure ne put atteindre les hommes ni les chevaux[8]. »

La forêt de Bellême toute proche et même, dans la ville comme dans le bourg voisin de Sérigny, les poutres des vieilles maisons fournissent un combustible à l'armée et les « grands feux » qui s'allument de partout rendent cœur aux hommes et aux chevaux. Bellême, la forteresse imprenable, se rendra au bout de deux jours d'assaut. Tout en faisant grâce à la garnison, Louis peut se dire que son premier succès militaire est dû à un geste maternel de la reine Blanche. Et les habitants du lieu, conscients de ce qu'ils lui doivent, élèveront par la suite une croix en souvenir de ce siège mené comme peut le faire une femme ; à travers les siècles on continue à l'appeler : « la Croix-feue-Reine ».

Aux alentours la nouvelle n'a pas tardé à se répandre ; le châtelain de La Perrière, à l'ouest de Bellême, Hugues le Blond, s'empresse de rendre au roi les clés de la forteresse, tandis que Blanche envoie contre l'un des alliés du Mauclerc, le sire de la Haie-Paynel, qui possède d'importantes terres en Angleterre, son bailli de Gisors, Jean des Vignes. Il lui suffit de se présenter au nom de la reine pour que, tout surpris d'apprendre le succès remporté au cœur de l'hiver par la ténacité de Blanche, la Haie-Paynel se rende comme La Perrière.

« Vous me disiez que ce jeune roi n'obtiendrait aucune aide de ses hommes : je vois qu'il a plus de gens que moi et vous n'en n'avons », écrivait aigrement, au comte de Bretagne, le roi d'Angleterre à quelque temps de là.

Une forte armée, mais d'où lui vient cette force ? La rage qu'il porte au cœur depuis son échec, le Mauclerc comme ses compagnons la reportent contre celui qu'ils en tiennent responsable, le comte Thibaud de Champagne. C'est lui, c'est ce gros homme amoureux qui a fait échouer le dispositif en place. Il va lui en coûter. « Comte Thibaud, doré d'envie, garni de félonie, votre renom ne vous vient pas de vos exploits de chevalerie, mais de votre savoir de chirurgie. » Ce n'est pas d'aujourd'hui qu'on le tient pour un empoisonneur ; « si votre maître avait vécu, vous auriez été déshérité. » Et les barons de tourner leurs armes contre la Champagne. Précisément Thibaud, qui n'a rien d'un fin politique, a trouvé le moyen de se brouiller récemment avec le comte Hugues de Bourgogne ; pis encore, dans un injustifiable accès de colère, Thibaud s'est emparé de la personne de Robert d'Auvergne, l'archevêque de Lyon, qu'il accuse de comploter contre lui avec les Bourguignons. Un rapt en règle ; l'archevêque a été assailli au moment où il traversait la Champagne ; on s'est emparé de sa personne et on l'a transféré de nuit, les yeux bandés, dans un château où on l'a gardé en otage ; il y serait probablement resté quelque temps s'il n'avait eu un libérateur inattendu, le comte de Bar, qui, indigné du procédé, l'a fait délivrer. Du même coup, le comte Thibaud s'est retrouvé avec trois nouveaux ennemis : le duc de Bourgogne, l'archevêque et le comte de Bar, qui jusqu'à présent avait été pour lui un allié ; il devient la cible des railleries, épigrammes et chansons qui circulent de château en foire contre le baron, « vieil et ord et boursouflé » (l'embonpoint de Thibaud qui, notons-le, n'a pas trente ans alors, sera toute sa vie l'objet de plaisanteries).

Et si l'on se contentait de paroles et de poèmes ! Mais sans plus tarder le duc de Bourgogne, le comte de Nevers ont commencé à envahir la Champagne ; ils ont saccagé Saint-Florent, mis le feu au château d'Ervy, et investi Chaource. Une nouvelle chanson court les châteaux et les bourgs, montrant Thibaud, dépouillé, en quête d'amis qui puissent venir à son secours.

> Lors dit le comte à son ribaud* :
>   « Compagnon, je vois bien à plein
>   Que d'une denrée** de pain
>   Rassasierais tous mes amis ;
>   Je n'en ai nul, ce m'est avis,
>   Et je n'ai en aucun fiance
>   Hors qu'en la reïne de France. »
>   Elle lui fut loyale amie :
>   Bien montra qu'el(le) ne le hait mie,
>   Par elle fut finée la guerre
>   Et conquise toute la terre.

Et le rimeur de conclure sur deux vers gros de sous-entendus :

>   Maintes paroles l'on dit en
>   Comme d'Yseult et de Tristan.

Il est bien évident que si Blanche sait agir en mère, elle sait aussi agir en femme, — cela entendu comme on peut l'entendre au siècle de l'amour courtois. Toujours est-il que, sans tarder, elle-même et son fils dirigent leurs armées vers la

* Ribaud, terme de mépris : Thibaud, d'après l'auteur de la chanson, n'aurait plus que des « ribauds » pour compagnons.
** Denrée : la valeur d'un denier.

Champagne. Au bout de quelques jours, elle se trouve à Troyes. Par ailleurs, contre Philippe Hurepel qui s'est ouvertement allié avec les ennemis du Champenois, Blanche a lancé cet ancien ennemi dont elle s'est fait un ami, Ferrand de Flandre. Ferrand a pris l'offensive à son appel, marché sur Calais, incendié au passage le château de Marck et la ferme d'Oye. Le ménestrel de Reims devait un peu plus tard raconter plaisamment les tergiversations de Philippe :

« La reine eut conseil qu'elle aiderait à défendre la terre de Champagne et de Brie, car le comte de Champagne était son parent et l'homme du roi. Elle fit assembler une grande armée à quatre lieues de Troyes, et y fut le roi avec elle. Elle manda au comte de Boulogne et aux barons qu'ils ne fussent tant hardis de méfaire en rien sur le fief du roi, et leur manda qu'elle était toute prête de faire droit pour le comte s'ils savaient que lui demander. Et ils lui mandèrent qu'ils ne plaideraient, et dirent que c'était coutume de femme que celui qui lui avait meurtri son mari, elle le préférait volontiers à un autre.

« Alors répondit le comte de Boulogne, qui déjà s'était aperçu de leur trahison et il dit : « Par ma « foi, vous dites mal. Il n'est pas déclaré ce que « vous demandez au comte. Et d'autre part, nous « serions parjures envers le roi, si dorénavant « nous faisions mal malgré la défense qui nous en « est faite. De plus, le roi est mon neveu, fils de « mon frère ; il est mon seigneur lige et je suis « son homme lige. Aussi je vous fais assavoir que « je ne suis plus de votre alliance ni de votre « accord, mais serai envers le roi de tout mon « loyal pouvoir. » Quand les barons entendirent ainsi parler le comte, ils se regardèrent l'un l'autre et furent tous ébahis, et dirent au comte qui leur chef était : « Sire, vous nous avez donc mal-

« menés, car vous allez avoir paix avec la reine, et
« nous, nous perdrons notre terre. — En nom
« Dieu, dit le comte, mieux vaut folie laisser que
« folie poursuivre. » Aussitôt, il fait écrire une lettre et mande à la reine qu'il ne veut enfreindre
son commandement ni celui du roi, mais qu'il est
tout prêt de l'accomplir. Quand la reine le sut,
elle en fut fort heureuse, et le comte de Boulogne
se sépara des barons et les barons s'en allèrent,
et s'en alla chacun en sa terre à malaise de cœur.
Car ils n'avaient pas assouvi leur vouloir et
avaient acquis la male amour de la reine qui bien
savait haïr et aimer ceux et celles qui le méri-
taient, et rendre à chacun selon ses œuvres[9]. »

De fait, Philippe ne s'était pas montré pour les
barons peu avisés un allié très résolu ; la démonstration de Ferrand lui fut une leçon profitable ; il
n'insista pas. De son côté, Hugues de Bourgogne
ne se souciait pas de rencontrer l'armée royale : il
fit la paix. Il y eut tout un chassé-croisé d'alliances renouvelées et d'alliances rompues, d'offres
de trêves et de menaces de guerres ; certains
barons allèrent, si l'on en croit des chroniqueurs
contemporains, jusqu'à demander à la reine Blanche en personne la permission de liquider leurs
conflits avec le comte de Champagne par un duel
judiciaire. C'est sans doute à cette occasion que le
fielleux poète qui s'appelle Hugues de la Ferté
composa une nouvelle chanson montrant la reine
si hautaine qu'elle ne daigne même pas répondre
à la question posée par les seigneurs :

> Car tous les hait et dédaigne.
> Bien y parut l'autre jour à Compiègne
> Quand les barons ne purent droit avoir :
> Ne les daigna regarder ni v(e)oir.

En ce début du XIIIe siècle, le duel judiciaire

était un genre de solution fort désuet : désigner des champions et donner tort à celui dont le champion serait vaincu, c'était en revenir aux temps mérovingiens ! On comprend que Blanche n'ait opposé qu'un silence dédaigneux à ces propositions réactionnaires. Et cela préfigure curieusement le jour où, par une simple ordonnance, le roi son fils mettra fin dans les institutions à une pratique déjà disparue dans les mœurs.

Mais le Mauclerc ne se reconnaissait pas battu pour autant ; au mois d'octobre 1229, il arrivait en Angleterre. Il s'agissait de lever les dernières hésitations de Henri III et de le convaincre d'opérer un débarquement. C'était, cette fois, la trahison caractérisée. Le roi Henri, il est vrai, faisait de toutes façons des préparatifs pour récupérer ce que son père avait autrefois perdu, et l'invasion aurait eu lieu tôt ou tard. Précisément il venait d'avoir une scène affreuse avec son justicier Hubert de Bourg — celui qui jadis avait si fidèlement défendu la forteresse de Douvres et permis son couronnement, — auquel il reprochait de n'avoir préparé le départ qu'avec mollesse : les vaisseaux qu'il avait réunis à Portsmouth étaient loin d'être suffisants pour transporter l'armée nécessaire à l'invasion. Dans sa fureur le jeune roi était allé jusqu'à accuser le vieux ministre de s'être laissé acheter par la reine de France ! Elle, toujours elle !

L'arrivée du Mauclerc rendit le roi à son optimisme. Les deux compères décidèrent ensemble de préparer l'invasion pour Pâques de l'année suivante et, en attendant, Pierre fit à Henri III hommage de son duché de Bretagne.

A nouveau il fallait reprendre les armes, et si possible devancer le débarquement anglais. Henri III faisait des préparatifs minutieux et ne cachait plus son ambition de voir la couronne de

France passer sur sa propre tête : dans ses bagages, à côté de la vaisselle d'argent qu'il emportait, il s'était commandé un manteau royal en drap de soie blanche, un sceptre, un bâton en argent doré, des sandales d'apparat et des gants. Si Enguerrand de Coucy nourrissait toujours des visées au trône, il devenait évident qu'il aurait un compétiteur.

Mais Blanche était là, et dès le mois de janvier 1230 le roi Louis se trouvait à Saumur à la tête des troupes royales ; puis il gagna Angers. A lui les armes, à Blanche les tractations. Elle réussissait à détacher du Mauclerc jusqu'à ses familiers, comme son beau-frère André de Vitré, et bientôt, ô surprise ! passait un traité avec le comte de la Marche en personne, qu'on aurait cru facilement gagné à l'alliance avec les Plantagenêts. Deux autres seigneurs du Poitou, Raymond et Guy de Thouars, se ralliaient bientôt à ce traité de Clisson. Sur ce, Louis IX enlevait successivement au comte de Bretagne Ancenis, Oudon et Champtoceaux, tandis que Henri III — prudence ou inconscience ? — se livrait dans l'ouest de la France à une promenade militaire sans paraître le moins du monde pressé de rencontrer les troupes royales. Il assiège et prend au mois de juillet la petite forteresse de Mirambeau, descend jusqu'à Bordeaux, y séjourne quelque temps, puis revient à Nantes et finalement se rembarque à Saint-Malo pour retrouver le 28 octobre ses domaines insulaires. L'expédition annoncée de façon si fracassante avait avorté ; la montagne avait accouché d'une souris.

Sans doute la défection de Philippe Hurepel — qui eut lieu à l'automne après une nouvelle attaque contre les États du comte Thibaud et une nouvelle poussée des armées royales sur Troyes — fut-elle pour quelque chose dans la dérobade du roi d'Angleterre. Elle laissait en tout cas ses partisans déçus, furieux et inquiets. « La reine de France a juré qu'elle me déshéritera », écrivait Renaud de Pons au souverain anglais. Enguerrand de Coucy, lui, se retirait sur ses terres et se consolait avec la fière devise où passe quelque chose de ses anciennes ambitions :

> *Roi ne suis,*
> *Prince, ni duc, ni comte aussi :*
> *Je suis sire de Coucy.*

C'est alors qu'il entreprend la construction du splendide donjon qui jusqu'en notre XXe siècle devait demeurer le plus beau et le plus vaste d'Europe[10].

Le Mauclerc, la rage au cœur, ne désarmait toujours pas ; mais autour de lui on commençait à chansonner. L'une de ces chansons, qui a la forme d'un débat dans lequel deux interlocuteurs se répondent en strophes alternées, donne bien le ton de ces combats irrésolus et des conclusions qu'on en tirait autour des barons rebelles, décidément incapables de faire échec et mat.

« Gauthier, qui venez de France et avez été avec ces barons, dites-moi donc si vous savez quelle est leur intention. Leurs disputes dureront-elles toujours, et ne les verrons-nous jamais d'accord ? N'en viendront-ils jamais aux mains d'assez près pour percer un écu blasonné ?

« Pierre, si l'on en croit notre comte Hurepel, et le Breton, et le hardi Barrois, et le sire des Bourguignons, avant que passent les Rogations, vous verrez les Basques si bien repoussés, leur forfanterie tellement matée, qu'il n'y aura roi qui puisse les défendre.

« Gauthier, elles durent trop longtemps, ces menaces, elles ne valent pas grand-chose, il ne semble pas qu'ils aient le désir de se venger, et pourtant ils l'ont, par ma foi. Chaque jour, je les vois s'assembler, ils viennent de loin, en grande compagnie, pour perdre leurs biens, leur honneur, leur argent, en hommes qui ne savent ni parler ni se taire.

« Pierre, on a vu souvent arriver malheur par trop de désarroi. C'est à bon escient qu'ils ont fait honneur au cardinal et au roi, qui les a mis à mal par le conseil de Dame Hersent. Mais désormais tout s'en irait en fumée et chacun n'a plus qu'à penser à soi.

« Gauthier, je n'ose m'y fier ; je les trouve trop lents à commencer, ils ont laissé passer le beau temps, et maintenant il va pleuvoir et neiger, et quand je les vois le plus courroucés, quand par dépit ils s'émeuvent de la cour, ils laissent en arrière deux ou trois des leurs pour travailler sous main à prolonger les trêves[11]. »

Au milieu de tant de préoccupations, Blanche avait réalisé l'acte le plus important peut-être de son règne celui qui, vu avec le recul du temps, a sans doute influé le plus profondément sur le destin du royaume de France. En tout cas, vu en son temps, c'est l'acte qui marque le mieux sa politique à elle, une politique qui rompt résolument avec celle qui avait été suivie jusqu'alors : elle a fait la paix avec Raymond de Toulouse.

Cette paix ne dépend évidemment pas que de la reine. Avant tout, la guerre menée en Albigeois a été entreprise sur la décision du pape, et pour combattre les hérétiques. Mais depuis vingt ans qu'elle traîne, qui saurait dire où sont la part de la politique et celle de la religion, celle de l'ambition et celle de la convoitise, la part des seigneurs et celle des prélats ? A plusieurs reprises, les conciles ont voulu décider du sort du Languedoc. Les comtes de Toulouse ont été tantôt excommuniés et tantôt absous ; mais une chose est sûre : chacun est las d'une entreprise mal engagée, mal menée et jamais terminée. Qui saurait dire à présent pourquoi on se bat dans les régions méridionales, où ceux même qui avaient pris parti contre les hérétiques sont à présent exaspérés contre les bons chrétiens ? Il faut agir *autrement.* Le perpétuel recours aux armes n'a rien amené sinon la mort du roi de France.

Et Blanche agira autrement ; en cela, elle va être merveilleusement secondée par le cardinal de Saint-Ange qui, chargé par le pape Honorius III de mener à bonne fin la guerre en Albigeois, finira par y imposer la paix.

Tout d'abord le prélat s'emploie avec énergie à faire payer par le clergé les subsides qui lui ont été imposés : s'il s'agit d'une guerre religieuse, il est bien normal que les clercs s'acquittent de leur part. Il connaît les difficultés auxquelles se heurte la reine et que toutes ses ressources lui sont indispensables pour entretenir l'armée royale et mater l'orgueil des barons. Blanche, furieuse de voir les chapitres des cathédrales du domaine trouver indéfiniment des prétextes pour refuser de verser l'impôt levé à l'occasion de la croisade, s'est plainte au légat ; celui-ci lui a répondu que, pour lui faire avoir le « décime » (un dixième des revenus de la cathédrale), il irait au besoin jusqu'à vendre les chapes des chanoines. Lesquels chanoines l'ont mal pris et se plaignent au pape ; malentendus irritants, plaintes, appels et contestations se termineront enfin par le versement d'une contribution de cinq mille livres tournois par les chapitres récalcitrants, ceux de Reims, Tours et Rouen. Blanche y gagnera quelques soupçons d'anticléricalisme, mais aussi les ressources nécessaires pour mener à bien les affaires en Languedoc, comme elle entend les mener.

Le connétable Humbert de Beaujeu, laissé sur place avec cinq cents chevaliers après la mort de son suzerain, a entre-temps mené quelques opérations incertaines ; il s'est fait battre à Castel-Sarrasin où le comte de Toulouse, averti des mouvements de ses troupes a préparé une embuscade : « Quand les Français vinrent au lieu où il leur avait tendu l'embûche, il fit irruption contre eux avec ses armées. Ils n'étaient pas avertis. Le combat fut très violent. 500 chevaliers et plus furent pris et beaucoup tués parmi les Français. Il y eut environ 2 000 sergents d'armes qui furent faits prisonniers ; on les dépouilla jusqu'à les laisser nus et, à certains d'entre eux, le comte fit arracher les yeux, couper le nez et les oreilles ; à d'autres il fit trancher les pieds et les mains et il les renvoya ainsi honteusement mutilés vers les leurs pour offrir aux Français ce spectacle d'abomination[12]. » Le chroniqueur anglais qui rapporte le fait l'a probablement exagéré ; il reste que les Français se trouvaient certainement en mauvaise posture.

Quelque temps après, cependant, un succès venait compenser ce revers : l'imposante forteresse de Termes, qui jadis avait causé tant de difficultés aux croisés et dont le nom revient à chaque instant dans la *Chanson de la Croisade*, est remise au roi de France ; les deux seigneurs, Olivier et Bernard, la conservent moyennant hommage. Est-ce cette défection ? Est-ce lassitude ? Quelque temps avant Noël 1228, Raymond de Toulouse envoyait l'abbé du monastère de Grandselve, Hélie Guérin, dire à Blanche sa cousine qu'il souhaitait rentrer en l'obéissance du roi.

Tandis que le cardinal Romain de Saint-Ange tenait successivement deux conciles pour régler l'affaire avec les gens d'église, Thibaud de Champagne prenait en main les négociations ; finalement il voyait un beau jour arriver sur ses terres, à Meaux, le comte de Toulouse rempli des dispositions les meilleures : il souhaitait être réconcilié avec l'Église et acceptait les conditions du traité préparé par ses envoyés. Après quelques jours consacrés aux nécessaires discussions, Raymond de Toulouse était reçu à Paris, et Blanche faisait la connaissance de ce puissant vassal qui était son cousin germain par sa mère. Les termes dans lesquels Raymond lui écrira par la suite ne permettent pas de douter qu'il y ait eu entre eux sympathie, voire affection, au point qu'on en fera reproche à Blanche.

La grande affaire était la levée de l'excommunication. Raymond dut se soumettre à une cérémonie expiatoire et, comme l'avait fait jadis son père devant le portail de Saint-Gilles-du-Gard, il se présentait le jeudi saint, 12 avril 1229, devant le portail de Notre-Dame de Paris, pieds nus, en chausses et en chemise. En présence du cardinal, il jura solennellement obéissance à l'Église. Alors, le relevant de toutes les sentences qui l'avaient frappé, Romain Frangipani le prit par la main et le conduisit jusqu'à l'autel. Le lendemain, pour bien confirmer ses résolutions, le comte de Toulouse déclarait prendre la croix : il promettait de consacrer cinq ans de sa vie à la défense de la Terre sainte.

Une page était tournée, un chapitre clos : celui qu'avait ouvert, vingt ans plus tôt, le meurtre du légat. Peut-être Blanche avait-elle bénéficié de circonstances favorables, encore que le tout se fût déroulé en un temps où l'on se trouvait encore en pleine lutte avec les barons, et où l'on attendait comme prochain le débarquement du roi d'Angleterre ; il reste qu'intervenant dans une lutte si douloureuse à laquelle avaient participé, avant elle, toutes les autorités ou presque de l'Occident chrétien, son intervention est la plus positive qui soit : là où son époux n'avait su qu'apporter les armes, avec des conséquences tantôt affreuses comme à Marmande, tantôt douloureuses comme en Avignon, elle apporte la paix.

Comme de coutume, les traités prévoyaient un mariage : l'un des frères du roi épouserait Jeanne, fille du comte de Toulouse. Il n'avait pas d'autre enfant ; Jeanne serait son unique héritière ; mais lui-même reprendrait sa vie durant la jouissance paisible de son domaine, du moins dans la plus grande partie : le Toulousain, la moitié nord de l'Albigeois, une partie du Quercy et de l'Agenais, enfin le Rouergue ; il cédait au pape les droits qu'il possédait sur le marquisat de Provence, relevant de l'Empire, et la dot de Jeanne se trouvait constituée par le duché de Narbonne, le sud de l'Albigeois et les deux seigneuries de Castres et de Mirepoix. Enfin le roi gardait dans son domaine direct Carcassonne et Beaucaire. Diverses clauses garantissaient l'exécution de ce traité ; en particulier la citadelle de Toulouse, ce qu'on appelait le Château-Narbonnais, recevrait pendant dix ans une garnison composée des gens du roi, et vingt bourgeois de la ville viendraient demeurer en otages jusqu'à ce qu'on eût détruit les remparts de la cité toulousaine ; mais le gage le plus précieux était évidemment Jeanne de Toulouse, alors une petite fille de neuf ans, qui, selon l'usage, serait élevée à la cour de France auprès de son fiancé.

Blanche dut la voir arriver sans illusion excessive : les mariages bretons avaient été des échecs, avortés aussitôt que projetés ; que vaudrait le mariage toulousain ?

Le comte demeurait au Louvre en attendant l'arrivée de sa fille. Il allait avoir d'autres occasions de revenir à la cour de France, et toujours les cadeaux qu'il reçoit attestent un accueil bienveillant.

La mission du légat Romain Frangipani touchait à sa fin ; il avait eu cette joie de pouvoir la remplir intégralement : « Romain, par la miséricorde divine cardinal de Saint-Ange, ... Considérant l'humilité et la dévotion de noble homme, Raymond, fils de Raymond, jadis comte de Toulouse... avons pris soin de lui dispenser le bénéfice de l'absolution selon la forme rituelle de l'Église[13]... » Et c'est lui aussi qui sans nul doute avait pris la plus grande part à la rédaction du traité. On a remarqué en effet que ce traité[14] de Meaux-Paris était le premier à présenter une forme ordonnée en un temps où les diverses questions abordées sont évoquées en général sans grand souci de logique et de façon assez embrouillée ; les diverses clauses y avaient la clarté d'un traité de droit ; deux d'entre elles d'ailleurs présentaient une importance dont personne ne se doutait encore à l'époque : celle par laquelle le comte Raymond VII s'engageait à mettre son pouvoir au service de la répression de l'hérésie, et celle qui stipulait qu'une somme de quatre mille marcs serait donnée par lui aux maîtres de l'université de Toulouse, qui n'existait pas encore, mais qui devait être créée pour permettre précisément de lutter contre l'hérésie.

Or, au moment même où il prévoyait cette fondation d'une université à Toulouse, le cardinal de Saint-Ange, comme la reine Blanche elle-même, allait avoir l'occasion d'un affrontement en règle avec le monde universitaire.

Tout avait commencé de façon banale. Le lundi gras, cette année-là (26 février 1229), « quelques clercs de l'université de Paris se rendirent à Saint-Marcel pour y prendre l'air et s'y livrer à leurs ébats habituels. Une fois là, après s'être quelque temps récréés et ébattus, ils trouvèrent par hasard dans une taverne du vin excellent, délicieux à boire. Or, une querelle éclata sur le prix de ce vin entre les clercs qui buvaient et les taverniers. Ils commencèrent à se prendre aux cheveux et à échanger des coups jusqu'au moment où les gens du bourg, accourant, délivrèrent les taverniers de la main des étudiants ; mais ils blessèrent ceux-ci, qui ne voulaient pas lâcher prise, et les contraignirent à s'enfuir après les avoir bien et copieusement rossés. Eux donc, revenus à la ville en lambeaux, excitèrent leurs compagnons à les venger. Le lendemain, revenus avec des épées et des bâtons à Saint-Marcel, ils font irruption violemment dans la maison du tavernier, lui brisent tous ses vases à vin et répandent le vin sur le pavement de la maison. Puis, s'en allant par les rues et les places, ils donnent la chasse à tous ceux qu'ils rencontrent, hommes et femmes, et les laissent à demi assommés ». C'est ainsi que le chroniqueur anglais Matthieu Paris raconte les événements[15].

Le doyen du chapitre de Saint-Marcel — c'était alors un bourg de la banlieue — prit aussitôt la défense de ses gens contre les étudiants et porta plainte devant le légat, Romain de Saint-Ange, et l'évêque de Paris, Guillaume d'Auvergne. L'un et l'autre ne pouvaient que lui prêter une oreille complaisante.

L'évêque n'occupait pas depuis trois mois le siège épiscopal de Paris qu'il avait eu maille à partir avec les étudiants du collège Saint-Thomas-du-Louvre : un petit groupe d'excités avaient un soir forcé les portes d'un couvent de religieuses. Quant au cardinal, ses rapports avec les universitaires parisiens avaient été désastreux. Quelques années auparavant en effet (cela se passait du vivant du roi Louis VIII, en 1225) ceux-ci lui avaient demandé confirmation de leurs privilèges, qui ne remontaient guère alors qu'à une quinzaine d'années. Le cardinal, tout imbu de l'autorité que lui conférait le mandat du pape, avait convoqué les maîtres et devant eux, sans les entendre, avait brisé le sceau de l'Université. Stupéfaction, puis fureur : le sceau, c'est la marque de la personne ; briser le sceau revenait à nier l'autonomie du corps universitaire ; or, cette autonomie avait été reconnue tant par le roi que par le pape et le précédent légat, Robert de Courçon. Le bruit s'en était immédiatement répandu dans tout le monde des clercs. Maîtres et étudiants avaient aussitôt pris les armes et donné un assaut en règle à la demeure épiscopale où le cardinal s'était retiré après son exploit. Heureusement pour lui, le roi séjournait alors à Paris et, le bruit de l'émeute étant parvenu jusqu'au palais, il s'était empressé d'envoyer cavaliers et sergents rétablir l'ordre ; mais deux hommes de la suite du cardinal avaient été tués. Lui-même, dès le lendemain, quittait discrètement la ville et s'empressait d'excommunier ses assaillants. Mais un mois ne s'était pas écoulé que les quatre-vingts maîtres excommuniés étaient absous. Inutile de dire qu'entre l'université et le légat subsistait une solide inimitié. L'affaire du bourg Saint-Marcel fournissait une excellente occasion de prendre une revanche contre ce monde universitaire sans cesse en ébullition.

Évêque et légat s'en vont tout en émoi trouver la reine. Celle-ci semble avoir été toute disposée, elle aussi, à écouter leurs doléances ; visiblement elle n'aime pas les universitaires ; peut-être se souvient-elle de ces nuits d'émeutes qui ont effrayé son enfance et sa jeunesse. Mais laissons parler Matthieu Paris :

« La reine, dans un accès d'impulsivité toute féminine (elle avait un caractère naturellement emporté), donna illico l'ordre au prévôt de la cité et à quelques-uns de ses hommes de main d'aller immédiatement en armes hors de la ville et de châtier sans rémission les fauteurs de trouble. Ces gens-là, prompts à commettre toute cruauté, franchissant en armes les portes de la cité, trouvèrent derrière les remparts, se livrant à leurs ébats, des étudiants qui n'avaient eu absolument aucune part aux violences commises. En effet, ceux qui avaient provoqué ces scènes de tumulte et de combats venaient des régions lointaines de la Flandre — on les appelle en langue vulgaire des Picards. Malgré cela, les gens d'armes, se ruant sur ceux qu'ils rencontrent et qui étaient innocents et sans armes, tuent les uns, blessent les autres, en rouent d'autres de coups, les traitent sans aucun ménagement ; quelques-uns prennent la fuite, ils se réfugient où ils peuvent... Parmi les blessés, il y eut deux clercs estimés et de grande autorité qui moururent ; l'un était flamand et l'autre normand.

« Cette monstrueuse transgression parvint aux oreilles des maîtres de l'Université ; tous se réunirent en présence de la reine et du légat, ayant au préalable suspendu leurs leçons et leurs « disputes » ; ils demandent avec instance qu'on leur fasse justice d'une pareille injure. Il leur semblait indigne, en effet, qu'à l'occasion d'une cause si légère, la faute des quelques étudiants blâmables rejaillît au préjudice de toute l'Université... Comme toute espèce de justice leur était refusée tant par le roi que par le légat et par l'évêque de la cité, tous les maîtres et étudiants unanimement se dispersèrent, interrompant l'étude des docteurs et la discipline des écoliers, si bien que pas un seul ne demeura dans la cité et la ville resta privée de ses étudiants dont elle avait coutume de se glorifier. »

Paris sans ses étudiants, les cours interrompus, finies les « disputes » dont retentissaient les demeures des clercs, — c'était grave. Le porte-parole de l'université ne craignit pas d'assigner un délai à la reine : si à Pâques prochaine (15 avril) maîtres et étudiants n'avaient pas obtenu réparation, la grève générale serait décidée pour six ans : comme on le voit, l'époque n'admettait pas les demi-mesures. C'est qu'en effet, en vertu du privilège clérical octroyé par le roi Philippe, il était interdit aux sergents royaux de porter la main sur les étudiants.

Blanche se sentait soutenue par le légat et aussi par l'évêque dont les écoles de Paris avaient autrefois dépendu. Elle voulut faire front devant les universitaires comme devant les barons rebelles. Mal lui en prit : la grève fut générale ; les étudiants quittèrent Paris ; quelques-uns allèrent aux écoles de Reims, d'autres à Orléans, beaucoup à Angers qui dépendait alors de Pierre Mauclerc, le duc de Bretagne. Les maîtres de la nouvelle université de Toulouse allaient profiter de la circonstance. Ils s'empressèrent d'adresser aux clercs des circulaires leur offrant l'accueil de la cité languedocienne. Quelqu'un d'autre encore tenta de profiter du mouvement : le roi Henri d'Angleterre qui, le 16 juillet 1229, promettait aux maîtres et aux écoliers de Paris toutes les facilités souhaitables pour venir s'installer dans son royaume. Un peu partout, les calomnies allaient bon train, portées par les chants goliardiques : ce légat qu'on voyait sans cesse aux côtés de Blanche, qui prenait avec une telle chaleur sa défense en toutes occasions, tyran de l'Université, pourfendeur de clercs, l'amant de la reine à n'en pas douter...

« Alors s'éleva un propos honteux qu'on ne devrait pas répéter. On disait que messire le légat se comportait, à l'égard de Madame Blanche, d'une façon peu décente ; mais ce serait une impiété de le croire, ce bruit ayant été répandu par les ennemis de la reine. Dans le doute, un esprit bienveillant doit plutôt croire le bien. » Et comme Matthieu Paris à qui l'on doit ces lignes est lui-même un esprit rien moins que bienveillant, il affirme plus loin que si certains barons avaient refusé de paraître au sacre, c'est à cause du légat et des relations qu'on l'accusait d'entretenir avec la reine. Accusation certainement fausse, mais qui devait avoir la vie dure. Impossible de citer ici, même en latin, les chants des « goliards », — qui en d'autres temps eussent été pendus ou emprisonnés pour lèse-majesté. Bien après l'événement (il écrit à la fin du règne de Louis IX), le facétieux ménestrel de Reims s'en faisait l'écho dans une scène racontée à sa manière pleine de saveur :

« La bonne reine sage se pensa de grand sens ; elle n'avait oublié la vilenie... qu'on avait dite d'elle, car elle se dépouilla en simple chemise et s'affubla d'un manteau et sortit de sa chambre ainsi. Et s'en vint en la salle où les princes et les prélats étaient et fit faire paix par les huissiers ; et quand le bruit fut abaissé, elle monta sur une table dormante à deux pieds et dit... : « Seigneurs, « regardez-moi tous ; certains disent que je suis « enceinte d'enfant. » Et laisse choir son manteau sur la table et se tourne devant et derrière tant que tous l'eurent vue, et bien paraît qu'elle n'avait enfant en son ventre. Quand les barons virent leur Dame qui nue était, ils sautèrent avant et lui affublèrent son manteau et la menèrent en sa chambre et la firent vêtir ; et puis revinrent au parlement et moult y fut parlé d'une chose et d'autre[16]. »

Inutile d'ajouter que l'anecdote n'a rien d'historique.

On pouvait croire que, mis au courant de l'affaire, le pape donnerait tort aux fauteurs de troubles. Ce fut le contraire qui arriva. Le 24 novembre 1229, Grégoire IX adressait au roi de France et à sa mère une lettre sévère ; il avait d'ailleurs écrit dans les mêmes termes à l'évêque de Paris Guillaume d'Auvergne. Les désavouant l'un et l'autre, il prenait fait et cause pour les étudiants et les maîtres.

Au moment où Blanche reçut cette lettre, elle avait d'elle-même fait ce qui était en son pouvoir pour apaiser le différend puisque dès le mois d'août le roi son fils avait renouvelé le privilège octroyé par Philippe-Auguste à l'Université ; le prévôt de Paris avait même prêté serment de respecter désormais les immunités universitaires. La grève n'en persista pas moins ; elle devait durer deux ans.

Finalement, dans une lettre datée du 14 avril 1231, le pape se montra disposé à une solution à l'amiable tout en maintenant ses exigences en faveur des universitaires : le roi devrait renouveler les privilèges dont ils bénéficiaient, ce qui était chose faite dès le mois d'août 1229 ; il fixerait un tarif maximum pour les logements loués aux étudiants à Paris et dans ses faubourgs : Montagne Sainte-Geneviève et « Quartier latin » en général ; enfin, il verserait les indemnités appropriées. Le cours normal des études allait reprendre durant cette année 1231.

***

Le jour se lève. Dans le palais de la Cité chacun dort encore. Blanche, déjà prête, écoute la lecture que lui fait un frère prêcheur, l'un de ceux que Frère Dominique a entraînés à sa suite, et qui viennent d'installer un couvent à Paris, sur le chemin de Saint-Jacques. La reine a coutume de profiter du silence matinal pour le recueillement et la prière, ses journées trop remplies ne lui laissant guère de loisir. Soudain le moine à genoux près de la fenêtre lui fait un signe. Blanche s'approche et regarde comme il l'y invite, par la fenêtre, la cour du palais. Elle est ouverte à tout venant et les pauvres, loqueteux, clochards, vagabonds de la cité s'y rendent le matin en quête d'aumône. Or, en cette heure où l'on croit tout le monde endormi dans les chambres de la vaste demeure royale, un jeune garçon, vêtu comme un simple écuyer, s'est glissé par une porte dans la cour ; il circule parmi les miséreux, donnant à chacun des pièces de menue monnaie. Blanche, étonnée, met quelque temps à reconnaître, à ses cheveux blonds qu'il porte mi-longs sur le cou, toujours très bien peignés, son propre fils, le roi Louis.

Lorsque celui-ci regagne sa chambre, dans le couloir, le frère prêcheur l'arrête et le fait entrer chez la reine : « Sire roi, j'ai vu votre forfait ! » Louis, surpris, rougit un peu et répond : « Mon Frère, ces gens sont les vrais soldats du royaume ; ils combattent pour nous contre nos adversaires ; ce sont eux qui nous conservent en paix le royaume de France. Au vrai, nous ne leur avons pas versé toute la solde qu'ils méritent[17]. »

Blanche connaît son fils mieux que quiconque ; elle sait que de semblables gestes font déjà partie de ses jeunes habitudes. C'est avec émerveillement qu'elle voit grandir ce fils qui dépasse ses espérances. Elle met certes toute sa vigilance, toute sa tendresse à le bien élever, à le préparer soigneusement à la grande tâche qui l'attend ; elle lui procure les meilleurs maîtres, veille sur ses études et prend soin de le confier à des ciercs qu'elle sait pieux et irréprochables aussi bien que savants. Le roi et ses frères ont reçu l'éducation qui paraît normale en leur temps, c'est-à-dire que prière et exercices religieux font partie de leur vie quotidienne ; ils écoutent chaque jour la messe et entendent chanter vêpres. Mais pour la famille royale, pour Blanche et surtout pour Louis, il ne s'agit pas là de simples rites ou de formalités sociales : prière quotidienne, déroulement de la liturgie qui rythme alors toute l'existence de temps forts et de temps faibles, de pénitences et de joies, de jours « maigres » et de jours de fêtes, avec festins à l'appui, ils les ont adoptés, acceptés, jusqu'aux fibres les plus intimes de leur être. C'est avec ardeur que le jeune Louis puise à une source tout intime, toute secrète, ce qui fera la trame de son existence. Nul besoin de le contraindre à chanter les psaumes et à fréquenter l'église. Louis est comme naturellement tourné vers cette vie mystique, et plus tard ses familiers déclareront qu'aux pires moments de son existence « il était toujours en oraison ». On peut en voir la preuve dans l'attention qu'il manifeste dès cet âge de l'adolescence, généralement tourné vers d'autres préoccupations, aux plus pauvres, aux plus humbles. Les pauvres dont il dit qu'ils sont « les soldats du royaume et ses protecteurs », ils sont pour lui sur terre l'incarnation même du Christ. Un tel sentiment ne peut être puisé qu'à la source de l'Évangile.

Mais sans doute ces dispositions spontanées ne se seraient-elles pas développées sans l'éducation pleine de tendresse et de vigilance que Blanche donne à ses fils, et notamment à « celui qu'elle aimait avant tous les autres ». Il est remarquable que les deux sœurs, Blanche et Berenguela, auront l'une et l'autre un saint parmi leurs enfants : Louis IX et Ferdinand III ; elles ne sont ni l'une ni l'autre des saintes, mais elles ont su être mères.

Le seul trait que la postérité ait retenu de Blanche en tant qu'éducatrice est celui que nous rapporte Joinville : la reine disant « qu'elle aimerait mieux voir son fils mort que de lui voir commettre un seul péché mortel » : ce qui implique une haute idée de la perfection, mais une sensibilité un peu courte. Si l'on se reporte à la narration de Geoffroy de Beaulieu, le Frère prêcheur qui fut confesseur du saint roi et qui, mieux que son compagnon d'armes, discerne les nuances de la vie spirituelle, l'anecdote se présente un peu différemment. Le roi lui-même lui a raconté, dit-il, qu'un religieux avait entendu dire par de faux témoins qu'avant son mariage Louis avait des concubines avec lesquelles il péchait de temps à autre, et cela au vu et su de sa mère qui cachait ses débordements. Ce religieux était allé trouver Blanche et lui en avait exprimé son étonnement scandalisé. « Celle-ci, en toute humilité, s'était disculpée elle-même d'une telle fausseté et avait ajouté ce mot dont on peut la louer : que si son fils le roi, qu'elle aimait sur toutes autres créatures mortelles, était malade à mort et qu'on lui dise qu'il serait guéri en couchant avec une femme autre que son épouse, elle préférerait qu'il meure plutôt que de pécher mortellement une seule fois en offensant son Créateur[18]. »

Ainsi replacée dans son contexte, l'anecdote prend son vrai sens. Elle n'est pas sans rappeler celle qu'on raconte aussi sur Louis VIII au moment de sa mort. Elle s'accorde avec le sentiment, général à l'époque, que la mort du corps est préférable à la mort de l'âme, et ne fait que traduire, avec une violence d'images familière au temps, le précepte évangélique : « Ne craignez pas ceux qui peuvent tuer le corps », ou encore : « Si ton œil te scandalise, arrache-le et jette-le loin de toi. » Saint Louis reprendra lui-même cette pensée sous une autre forme en posant à son sénéchal la question fameuse : « Vaut-il mieux commettre un péché mortel ou être lépreux ? »

Pour en revenir à Blanche, on imagine assez sa réaction véhémente aux racontars que lui rapportait ce moine un peu simplet. D'autres témoignages nous sont restés qui apportent des indications un peu plus positives sur l'éducation qu'elle fait donner à ses enfants. Il y a en tout premier lieu ce psautier dont l'enluminure est encore toute romane d'inspiration et qui porte une mention pour nous émouvante : « Ce psautier fut monseigneur Saint Louis qui fut roi de France, auquel il apprit en s'enfance » (son enfance). Le psautier, c'est le livre de lecture. La grande initiale qui orne la première page est un B, celle de *Beatus,* Bienheureux l'homme... Début de la prière familière pendant des siècles au peuple chrétien, c'est aussi le début de l'initiation scolaire. Louis enfant, comme tout écolier de son âge, a d'abord appris à retrouver sur le manuscrit les mots qu'il a entendu chanter à l'office, jour après jour. Toute instruction débute par la Bible, trésor de prière, de poésie, et de haute sagesse, qui est le fond commun de l'humanité d'alors, et l'on dit indifféremment savoir lire ou savoir ses psaumes. Le jeune roi aussi bien que ses frères et sa sœur — celle-ci devenue si savante qu'elle était capable par la suite de reprendre ses chapelains lorsqu'ils commettaient une faute de latin — étaient donc lettrés ; autrement dit, ils avaient appris le latin, « les lettres ». Ils auront étudié aussi cet art de la musique que la même miniature du psautier évoque avec cinq instruments : une vielle, une cithare, une harpe et deux sortes de violes avec archet. Leur temps est celui d'un grand épanouissement musical, d'un perfectionnement dans l'art de l'écriture, aussi bien mélodie que calligraphie, et Saint Louis toute sa vie aura l'amour des livres : c'est lui qui constituera le premier embryon de ce qu'est aujourd'hui la Bibliothèque nationale après avoir été pendant plusieurs siècles la Bibliothèque royale. Ce don, il est hors de doute qu'il le doit à sa mère, puisque le *Psautier de Blanche de Castille* est l'un des plus beaux manuscrits de son temps, égalé seulement par le fameux *Psautier de Saint Louis*.

Nous n'avons d'ailleurs pas de détails sur l'emploi du temps qui pouvait être celui des enfants royaux, mais nous savons que dans cet emploi du temps était ménagé celui des sorties et récréations. Plus tard le premier biographe de Louis racontera comment, sur l'initiative de sa mère, le roi mettait « aucune fois entente pour se jouer à aller en bois et en rivières[19] » ; et le même biographe a noté le soin que prenait la reine « à le faire aller noblement et en nobles atours, comme il convenait à si grand roi ». Il est vrai qu'aucune époque n'a su comme la sienne allier l'amour de la pauvreté avec le goût de la magnificence.

Le 24 octobre 1227, Blanche et son fils le roi se trouvaient à Longpont, non loin de Soissons, où à la requête de l'abbé ils étaient venus assister à la consécration d'une nouvelle abbatiale remplaçant celle qui avait été édifiée quelque cent ans plus tôt lors de la fondation même de l'abbaye par l'évêque de Soissons, Jocelyn de Vierzy. C'était un splendide vaisseau — cent cinq mètres de long —, couvert de ces voûtes d'ogives dont la construction devenait familière. En dépit de ses vastes dimensions, vingt-sept années à peine avaient suffi à l'élever : triple nef, transept et déambulatoire sur lequel s'ouvraient sept chapelles rayonnantes. L'abbaye de Longpont avait été fondée par des moines cisterciens venus de Clairvaux en 1132 et avait ajouté aux annales de l'ordre quelques saints personnages dont l'un était en vénération particulière à la cour de France : Jean de Montmirail, ancien connétable entré dans les ordres à Longpont à quarante-quatre ans. Il y était mort en odeur de sainteté dix années auparavant, en 1217, et son souvenir demeurait vivant sous les voûtes neuves qu'il avait vu élever.

La cérémonie liturgique fut suivie comme de coutume d'un grand banquet. Au comte Raoul de Soissons, échanson, revint l'honneur de trancher les viandes pour son royal maître. Il se servit pour cela d'un couteau à manche d'or ciselé offert deux ans plus tôt à Longpont par l'abbé de Westminster, Richard de Berking, alors en mission diplomatique en France.

Aujourd'hui, il ne subsiste plus que des ruines de l'abbaye de Longpont. Cet édifice, le plus vaste et probablement le plus beau du Soissonnais, a été sauvagement détruit pendant mais surtout après la Révolution — l'époque des destructions les plus systématiques et les plus cruelles parce qu'elles ont été l'œuvre de marchands qui tiraient profit de la pierre. Mais, assez curieusement, le couteau qui avait servi à trancher la viande du roi subsiste encore. Il fut retrouvé en effet chez un épicier de Villers-Cotterêts dans les dernières années du XIXe siècle. Son manche d'or avait disparu, mais sa lame d'acier portant encore les traces de son ancienne dorure nous est restée avec l'inscription qui ne laisse pas de doute sur son origine. C'est le seul témoin de ce jour qui devait marquer dans les annales de l'histoire de l'art.

En effet, peu après cette consécration, le jeune roi — il avait alors quatorze ans — faisait, près de la résidence d'Asnières-sur-Oise qui était l'un des châteaux royaux où la famille séjournait communément, l'achat d'un domaine : une terre appelée Cuimont. Il faisait savoir sa décision d'y fonder une abbaye en exécution de la volonté de son père. Louis VIII avait précisé en effet que les perles et joyaux de la couronne seraient vendus pour fonder une abbaye. Et c'est ainsi que naquit Royaumont — le Mont Royal. Blanche, dont on connaît la prédilection pour l'ordre de Cîteaux, a certainement été pour quelque chose dans la fondation de Royaumont et sa destination à une communauté cistercienne ; le testament de Louis VIII stipulait en effet que l'abbaye serait confiée aux moines de Saint-Victor ; le changement s'est fait d'ailleurs en plein accord avec cet ordre, puisque l'abbé même de Saint-Victor, Jean le Teutonique, est l'un des exécuteurs testamentaires du roi aussi bien que le cistercien Gauthier de Chartres, et que l'un et l'autre approuvent cette fondation.

En fondant Royaumont, le jeune Louis exécute le vœu de son père et réalise aussi certainement le vœu de sa mère. Aucun doute que celle-ci n'ait assisté à cette fondation dans les mêmes sentiments qu'elle avait eus en découvrant que le jeune écuyer faisant l'aumône n'était autre que son fils le roi. Les travaux de Royaumont, aussitôt commencés, sont menés si vivement que dès l'année suivante, 1229, quelques moines déjà pouvaient s'installer sur place. Louis révèle dès son jeune âge le goût du bâtiment qui marquera son règne autant que le goût des livres. Il va en personne voir les travaux, les surveille, ordonne la disposition des pièces et au besoin se mue en manœuvre. A Royaumont précisément ont eu lieu plusieurs de ces scènes que beaucoup plus tard ses biographes aimeront à évoquer en parlant de la jeunesse du roi.

« Le roi, qui demeurait en ce temps en son manoir d'Asnières qui est assez près de ladite abbaye (2 km), venait souvent à cette abbaye ouïr la messe et autres services et visiter le lieu. Et comme les moines sortaient, selon la coutume de leur ordre de Cîteaux, après heure de tierce au travail et à porter les pierres et le mortier au lieu où l'on faisait ces murs, le roi prenait la civière et la portait chargée de pierres et allait devant, et un moine la portait (avec lui) derrière. Et ainsi fit-il plusieurs fois en ce temps-là. Et aussi en ce temps, le roi faisait porter la civière par ses frères, monseigneur Alphonse, monseigneur Robert et monseigneur Charles. Et il y avait avec chacun d'eux un des moines portant la civière d'un côté. Et cela même faisait faire le roi par d'autres chevaliers de sa compagnie. Et comme ses frères voulaient parfois parler et crier et jouer, le roi leur disait : « Les moines tiennent en ce moment « silence et aussi le devons-nous tenir. » Et comme les frères du roi chargeaient trop leur civière et voulaient se reposer au milieu du chemin, avant qu'ils ne viennent vers le mur, il leur disait : « Les moines ne se reposent pas, vous ne « devez pas non plus vous reposer. » Et ainsi le saint roi entraînait sa mesnie à bien faire[20]. »

« Elle voulait que chacun fît tout bien et se réjouissait de tout bien et volontiers faisait bien selon son pouvoir », dit, en parlant de Blanche, Guillaume de Saint-Pathus à qui nous devons les récits qui précèdent. Son fils lui a donné plus d'une fois occasion de se réjouir.

Pour Noël, l'an 1230, Louis tient sa cour à Melun. En quatre ans de règne il a connu déjà bien des impasses et plus d'une fois son pouvoir a failli sombrer. Pourtant, autour de ce suzerain de seize ans, la plupart des grands vassaux du royaume se trouvent aujourd'hui réunis. Il y a là les fidèles et les moins fidèles. Il y a Philippe Hurepel, décidément rallié à son neveu, le comte de la Marche qui ne se trouvait pas quatre ans plus tôt au couronnement, et Thibaud de Champagne qui aurait bien voulu s'y trouver. Il y a Amaury de Montfort qui a fait cession au roi de tout ce qu'il a pu acquérir en Languedoc, le duc de Bourgogne, le comte de Vienne et Mâcon, Jean de Braisne (l'un des frères du Mauclerc), Enguerrand de Coucy en personne, beaucoup d'autres encore. On les retrouve, tous ces seigneurs, on retrouve leur sceau entourant le sceau royal dans l'ordonnance qui est rendue à cette occasion. Cette ordonnance, qui est devenue fameuse en notre temps, interdit à tous la pratique de l'usure, c'est-à-dire du prêt-à-intérêt ; à tous et spécialement aux Juifs qu'on accuse couramment d'être très portés sur le trafic de l'argent. Les dettes contractées envers eux leur seront remboursées sans intérêt. Chacun d'eux sera placé sous la dépendance du seigneur du lieu où il réside. Ils pourront demeurer sur le domaine à condition qu'ils s'abstiennent de toute pratique usuraire.

Mais, si importante soit-elle dans sa teneur, cette ordonnance de Melun revêt aussi pour Blanche une signification particulière. Dans sa présentation matérielle, simple rectangle de parchemin, elle a conservé, et cela jusqu'à nos jours, dans la quasi-totalité, les dix-huit sceaux des seigneurs présents qui y souscrivent ; c'est dire que, faisant escorte au sceau royal, du type de majesté — le roi assis sur son trône, couronne sur la tête et

sceptre en main —, défile une éblouissante caval-
cade, les sceaux des seigneurs étant de type
équestre, chacun sur son cheval caparaçonné à
ses armes[21]. On imagine de quel œil complaisant
la reine Blanche a dû suivre les opérations auxquelles a donné lieu cette charte : chacun des seigneurs présents découvrant tour à tour la matrice
de son sceau au chauffe-cire chargé de l'opération. Parmi ces dix-huit seigneurs, combien se
trouvaient, il n'y a pas si longtemps, du côté des
« noirs », — les adversaires qu'on combattait les
armes à la main ! La plupart ont passé du côté
des « blancs », où naguère on n'avait pu compter
que quelques noms, Amaury de Montfort, — on
vient de le nommer connétable de France —,
Robert de Courtenay, et bien entendu Thibaud de
Champagne.

Cela ne signifie certes pas que les luttes sont
terminées. Mais désormais l'offensive a changé de
camp ; c'est le jeune roi qui prendra l'initiative
des opérations et, fort du soutien de ces seigneurs
qui chevauchent à ses côtés et pour des siècles
sur la charte de Melun, il lui suffira, l'année suivante, d'une simple démonstration militaire, d'ailleurs sans un seul combat, pour qu'à défaut de
paix une trêve du moins soit signée à Saint-
Aubin-du-Cormier, le 4 juillet. Trêve de trois ans,
ce qui signifiait que jusqu'à la Saint-Jean de l'année 1234 (24 juin), toute hostilité était suspendue
entre la France d'une part et de l'autre l'Angleterre et la Bretagne.

Blanche ne se relâche pas de sa vigilance pour
autant ; sans cesse elle ménage à son fils de nouvelles alliances qui finiront par enserrer le Mauclerc comme une araignée dans sa toile. Un à un
les châteaux aux alentours de la Bretagne font
hommage au roi de France : c'est Raoul, le châtelain de Fougères, c'est Henri d'Avaugour, le chef

de la maison de Penthièvre, qui, pour être devenu l'homme lige du roi, reçoit un château dont le nom passera dans l'Histoire, celui de Du Guesclin non loin de Cancale (on le nomme alors Guarplic) ; et lorsque Amaury de Montfort est devenu connétable de France, elle a pris soin de l'obliger à se démettre de toute prétention sur le comté de Leicester. Il a fait abandon de son droit à son frère puîné, appelé Simon comme leur père : trop de mécomptes sont venus de ce que les nobles de Normandie, de Bretagne ou du Poitou possèdent des fiefs en Angleterre. Simon le Jeune, dont l'ambition est à la mesure de celle qu'a manifestée le premier Simon de Montfort, a aussitôt passé la mer pour aller revendiquer son droit ; il a d'ailleurs été reçu à bras ouverts par le roi Henri III qui compte s'en faire un allié aux dépens de la reine de France, et ne se doute pas du venin qu'il a inoculé du même coup dans ses propres veines.

Et Blanche commence à regarder l'avenir avec plus d'assurance ; bon gré mal gré les mécontents, un à un, se taisent, tandis que continue à chanter pour elle la voix du prince des poètes, Thibaud le Chansonnier :

> *Très haute Amour qui tant s'est abaissée*
> *Que dans mon cœur se daigna héberger...*

Blanche s'est habituée à ses aveux de passion, voire à ses reproches :

> *Trop êtes trouble, et avez si clair nom...*

Il ne lui déplaît aucunement de jouer le rôle de la Dame et d'être pour le châtelain de la cour de Troyes, où vécut cet autre poète, Chrétien, la reine Genièvre d'un nouveau Lancelot. Précisément un auteur inconnu a commencé une dizaine d'années auparavant à reprendre en prose l'œuvre de Chrétien de Troyes et associe les aventures de Lancelot au thème du Graal, la coupe mystérieuse que recherchent les compagnons du roi Arthur. Ce thème issu du vieux fonds des légendes celtiques, qui n'a jamais cessé d'exciter les imaginations, sera magnifiquement développé en trois œuvres dont on a comparé l'architecture à celle des cathédrales contemporaines. Nul doute que *Lancelot, La Queste du Saint-Graal* et *Le Roi Arthur* n'aient fait les délices de la cour de France comme de celle de Champagne ; le héros des romans de chevalerie devient un personnage sublime et si Lancelot, en raison de ses fautes, se voit interdire l'accès au Saint-Graal, son fils, Galaad le pur, aura la révélation du don mystérieux fait aux hommes, Galaad, le chevalier sans reproche, ou plutôt l'incarnation même de l'esprit de chevalerie...

Et voilà que sur ces entrefaites une nouvelle éclate à la cour de France, avec la soudaineté d'une tour depuis longtemps minée qui croule sous l'incendie. Thibaud, comte de Champagne, veuf pour la seconde fois depuis l'année précédente, veut se remarier, et de qui a-t-il fait choix ? De la fille même du Mauclerc, Yolande.

Cette nouvelle incartade de son trouvère blessait Blanche au plus vif d'elle-même. Yolande avait été fiancée jadis à un fils de France, lors du premier traité passé avec le comte de Bretagne et par lui dénoncé de façon si déloyale. Il fallait au Champenois une certaine dose d'inconscience pour choisir comme fiancée précisément la fille de celui qui avait été son pire ennemi aussi bien que l'adversaire de la reine. Peut-être, car son sens politique fut toujours assez court, imaginait-il ainsi mettre fin aux mésententes qui n'avaient que trop duré ? La reine, elle, en jugeait tout autrement ; sachant mieux que personne à quel point le comte de Champagne pouvait être influençable, elle voyait s'écrouler d'un coup le patient dispositif conçu par elle pour isoler le Mauclerc.

Celui-ci avait fait envoyer sa fille dans une abbaye bien nommée du Valsecret, de l'ordre de Prémontré, près de Château-Thierry. De son côté Thibaud de Champagne, tout à ses projets, venait de quitter cette ville pour aller la rejoindre, quand il fut abordé par un compagnon du roi, Geoffroy de la Chapelle : « Sire comte de Champagne, le roi vient d'apprendre que vous êtes convenu avec le comte de Bretagne de prendre sa fille en mariage. Le roi vous mande de n'en rien faire si vous ne voulez perdre tout ce que vous avez au royaume de France, car vous savez que le comte de Bretagne lui a fait pis que nul homme qui vive. »

Thibaud, stupéfait de se voir ainsi deviné et devancé, eut un moment d'hésitation, puis un court colloque avec son escorte ; après quoi, tout penaud, il reprit la route de Château-Thierry.

> *Dame, merci ! qui tous les biens savez,*
> *Toute valeur et toute grand bonté*
> *Sont plus en vous qu'en dame qui soit née :*
> *Secourez-moi, que faire le pouvez !*
>
> *Chanson, Philippe, à mon ami courez*
> *Puisquë il s'est dedans la cour bouté ;*
> *Bien est s'amour en grand haine tourné ;*
> *A peine est-on de belle dames aimé* [22].

C'est à un ami, Philippe de Nanteuil, que Thibaud s'adresse ainsi comme à un intercesseur, en un temps où lui-même n'ose plus affronter le regard de la reine. Et certes il avait besoin d'intercession ! Par la suite il put mesurer pourtant l'étendue de l'erreur dans laquelle Blanche lui avait évité de tomber, en apprenant qu'au moment même où il préparait ce mariage, Pierre Mauclerc, inlassable à offrir la main de sa fille négociait pour savoir s'il ne parviendrait pas à lui faire épouser plutôt le roi d'Angleterre... Thibaud se consola en épousant Marguerite, fille d'Archambaud de Bourbon, qui, lui, était parmi les vassaux les plus loyaux de la cour de France.

Mais il était dit que, gaffeur incorrigible autant que grand poète, il passerait son existence à exciter tour à tour la fureur et le pardon de la reine. Quatre ans plus tard, Thibaud, qui entre-temps a été couronné roi de Navarre à Pampelune, recueillant ainsi l'héritage maternel, et a déclaré prendre la croix outre-mer, a de nouveau des projets matrimoniaux. Il ne s'agit plus cette fois de lui-même, mais de sa fille ; et comme ses choix sont inévitablement malheureux, il imagine de lui faire épouser le fils de Pierre Mauclerc à qui est promis l'héritage de Bretagne, Jean le Roux. Beau mariage, certes, mais la reine n'en veut pas et le roi prend les armes avec ses deux frères, Robert et Alphonse. Il vient entreprendre le siège de Montereau, qui appartient à Thibaud. Celui-ci n'ose même pas livrer bataille et n'a d'autre recours que d'implorer l'intervention du pape : il s'est croisé en effet deux ans auparavant et les biens des croisés sont inviolables. Le pape s'adresse au roi et, plus efficacement encore, Blanche intervient une fois de plus ; la paix est faite moyennant cession au roi de Montereau et de Bray-sur-Seine. Thibaud est invité à venir s'expliquer au palais en présence de Louis et de Blanche et renouveler le serment de fidélité auquel il a manqué.

Et c'est sur une scène de comédie que se termine l'affaire ; Thibaud arrive au palais et, au moment où il va faire son entrée dans la chambre royale, reçoit sur la tête le contenu d'une bassine de fromage blanc, jeté du haut d'un escalier par le valet du comte d'Artois, « qui jamais ne l'aima » !

« Jamais on n'entendit parler de traiter ainsi ni roi ni comte », remarque un chroniqueur du temps, Philippe Mouskès. C'est le moins qu'on puisse dire. Le spectacle du gros homme en habit de cérémonie dégoulinant de lait caillé était d'un comique d'assez mauvais goût. Blanche, « mal contente », ordonna de faire rechercher les coupables et parlait de les emprisonner au Châtelet ; sur quoi Robert d'Artois, à peine contrit, se dévoila ; il jugeait que le comte Thibaud méritait une leçon. Peut-être aussi ce garçon était-il agacé dès longtemps par l'attitude du poète tournant autour de sa mère. Toujours est-il qu'après cet épisode de comédie, Thibaud de Champagne se tint coi. C'est alors que les *Grandes Chroniques de France* racontent le pardon de la reine et l'amour du poète en des termes qu'on ne peut moins faire que de citer dans le texte original :

« Le comte regarda la reine qui tant était sage et belle que de sa grande beauté il fut tout ébahi. Il lui répondit : « Par ma foi, Madame, mon cœur « et mon corps et toute ma terre sont en votre « commandement ; il n'est rien qui vous puisse « plaire que je ne fisse volontiers ; et jamais, s'il « plaît à Dieu, je n'irai contre vous ni contre les « vôtres. » De là, il partit tout pensif, et lui venait souvent en remembrance le doux regard de la reine et sa belle contenance ; alors entrait son cœur en une pensée douce et amoureuse. Mais quand il lui souvenait qu'elle était si haute dame, de si bonne vie et si nette qu'il n'en pourrait jamais jouir, muait sa douce pensée amoureuse en grande tristesse. Et pour ce que profondes pensées engendrent mélancolie, il lui fut conseillé par quelques sages hommes qu'il s'étudiât en beaux sons de vielle et en doux chants délectables. Il fit, lui et Gace Brulé, les plus belles chansons et les plus délectables et mélodieuses qui jamais fussent ouïes en chansons ni en vielle. Et les fit écrire en sa salle à Provins et en celle de Troyes ; et sont appelées les chansons du roi de Navarre[23]. »

Après quoi Thibaud devait prendre décidément la croix d'outre-mer et se signaler par maints exploits en Terre sainte, sans cesser de penser à Blanche.

Dame de qui est ma grande désirée (désir)
Salut vous mand(e) *d'outre la mer salée,*
Comme à celle où je pense main (matin) *et soir*
N'autre pensée ne me fait joie avoir.

5

LES DEUX REINES

> *LE roi de France Louis**
> *Qui en tout avait obéi*
> *Au vouloir de sa mère Blanche*
> *Qui le tenait pour son très proche*
> *Et tant l'aimait que nulle mère*
> *Pouvait aimer ni fils ni frère,*
> *Voulut que ses barons mandassent*
> *Gentil(le) femme, et le mariassent,*
> *Si que sa mère le louât**.*
> *Et elle a dit qu'on lui mandât*
> *La fille au comte de Provence*
> *Car elle était de tel(le) naissance*
> *Qu'il n'était femme plus gentil(le)*
> *Entre deux mers — ce disent cil (ceux)*
> *Qui la connaissent — ni plus belle*
> *Ni plus courtoise demoiselle[1].*

Marier son fils aîné, c'est pour tout seigneur, du plus humble au plus opulent, une grande affaire ; sur ce fils reposent les espoirs de la

---

* Dans l'original, le nom de Louis compte pour trois syllabes.
** Tel mariage qui fût agréable à sa mère.

lignée, puisque c'est lui qui recueillera le manoir principal, l'essentiel de l'héritage.

Quand ce fils se trouve être le roi de France, l'affaire est plus grave encore. Blanche sait mieux que personne combien les destinées de la couronne et du royaume tiennent au choix de l'épouse. Louis aura bientôt vingt ans, c'est dire qu'il a largement atteint l'âge du mariage. Sa mère a longuement mûri son choix. L'an 1233, l'arbitrage du roi de France a été sollicité par le Toulousain : le comte Raymond VII, réconcilié avec l'Église, avait constamment maille à partir avec son clergé ; à plusieurs reprises Blanche était intervenue auprès du pape en sa faveur et notamment pour que lui fût restitué le marquisat de Provence que le Saint-Siège conservait en gage depuis le traité de paix signé quatre ans plus tôt. Il est vrai que Raymond se montrait peu pressé d'exécuter ses propres obligations, qu'il s'agît des dix mille écus qu'il s'était obligé à verser au clergé, ou du vœu de croisade qu'il ne se souciait pas d'accomplir. Toujours est-il que, pour tenter d'en terminer avec les querelles, un chevalier français, Gilles de Flagy, avait été désigné pour représenter le roi et servir d'arbitre entre le comte, l'évêque de Toulouse et les autres prélats de son domaine. Au moment où il se mettait en route, Blanche le fit appeler ; elle eut avec lui quelques conciliabules qui le firent changer d'itinéraire. Pour gagner Toulouse, Gilles de Flagy descendit la vallée du Rhône.

Le comte de Provence Raymond-Bérenger et sa femme, Béatrice de Savoie, formaient un couple heureux. Par sa mère Gersende de Sabran, le comte était fortement enraciné dans la noblesse locale, et, par son père, il était apparenté aux principales cours d'Europe, Castille et Aragon entre autres ; sa femme Béatrice appartenait à la puissante maison de Savoie relevant, comme la Provence elle-même, de l'Empire. Une ombre sur leur union : ils n'avaient pas de fils pour leur succéder, — pas de fils mais quatre filles. Très belles toutes les quatre, une légende voulait que l'homme de confiance du comte, le fameux Roméе de Villeneuve, lequel n'avait pas son pareil pour remettre de l'ordre dans des finances qu'on disait périodiquement endommagées, eût assuré à son maître que de ses quatre filles il ferait quatre reines.

Gilles de Flagy séjourna quelque temps au château comtal, peut-être celui des Baux, alors dans sa splendeur ; puis il suivit la route Regordane, qui par Nîmes et la vallée de l'Aude le conduisit à Toulouse ; là il s'acquitta de ses devoirs d'arbitre et regagna le domaine royal. Et de nouveau il eut avec Blanche de longs entretiens ; après quoi le roi « manda au comte de Provence qu'il lui envoyât Marguerite sa fille car il la voulait épouser et prendre à femme. De ces nouvelles fut le comte fort joyeux et fit grand joie et grand fête aux messagers et les honora beaucoup. Il leur donna sa fille, sage et bien endoctrinée dès le temps de son enfance. Les messagers reçurent la pucelle et prirent congé du comte et tant errèrent qu'ils vinrent au roi et lui donnèrent la pucelle. Le roi la reçut joyeusement et la fit couronner comme reine de France par la main de l'archevêque de Sens[2]. »

C'est ainsi que les *Grandes Chroniques de France* résument l'événement.

Marguerite de Provence fit donc un beau jour de mai son entrée à Sens, précédée de six hérauts sonnant de la trompette et d'un ménestrel de son père, le comte Raymond-Bérenger. Représentant celui-ci, l'évêque de Valence, Guillaume, escortait la jeune princesse.

Blanche avait envoyé à sa rencontre l'archevêque de Sens en personne, Gautier Cornut, l'un des fidèles de la dynastie royale, ainsi qu'un chevalier parisien, Jean de Nesle. C'était le 26 mai 1234. Le roi attendait à Sens sa fiancée. Il avait quitté Paris au milieu de mai, et par Fontainebleau, Pont-sur-Yonne et l'abbaye de Sainte-Colombe près de Sens, s'était acheminé au-devant de sa jeune épouse, qui, elle, avait remonté la vallée du Rhône, puis de la Saône, et dont on avait signalé le passage à l'abbaye de Tournus le 19 mai précédent.

Depuis plusieurs jours, de grands préparatifs ont eu lieu dans la ville de Sens dominée par sa cathédrale encore toute neuve. Routes et fleuves aboutissant à la vieille cité ont été sillonnés de barques, de voitures, de cavaliers et de charrois — animation qui plus ou moins se répercute sur toutes les routes du royaume, car, dans toutes les directions, on a envoyé des messagers. Tel écuyer s'en va prévenir le comte et la comtesse de la Marche, l'archevêque de Tours et le chapitre de Poitiers ; tel autre, Simon de Poissy, s'en va du côté de Soissons ; un autre, Guillaume de Coqueville, vers Angers ; un autre, Lobert, va prévenir le duc et la duchesse de Bourgogne, ainsi que le comte Archambaud de Bourbon ; un autre encore, Robert de Chamilly, le comte et la comtesse de Nevers ; et l'on ne manque pas de dépêcher aussi vers l'Espagne un clerc, Garcias, qui reçoit 32 livres (consignées sur les livres de comptes), pour la route et les présents que Blanche offre à sa famille en cette occasion.

La reine elle-même a fait envoyer d'avance à Sens deux émissaires, Bigot et Pierre de Crespières, pour préparer les demeures de son fils et de la maison royale ; les comptes ne précisent pas autrement le lieu où furent logés les uns et les autres, mais il est probable, en tout cas possible, que l'archevêque de Sens ait prêté son palais en cette occasion. On mentionne qu'il fallut un char spécial pour amener les vêtements royaux à Sens ainsi que les joyaux et objets du couronnement. Des charrois particuliers ont été prévus aussi pour le transfert des « deniers », c'est-à-dire de l'argent qu'on transportait alors généralement dans des tonneaux ou des sacs, avec, bien entendu, une escorte appropriée. Les principaux barons faisaient de même apprêter leurs demeures. Dans les comptes royaux, on voit la reine prendre à sa charge celle de la comtesse de Flandre à Sens, et faire édifier aussi des gîtes provisoires, dont beaucoup ont dû être de simples pavillons ou tentes hébergeant soit les chevaux, soit les sergents, valets et palefreniers.

Semblables préparatifs ne diffèrent du reste que par leur ampleur de ce qui est, ou à peu près, la vie quotidienne d'une cour en perpétuel déménagement. Car le roi et les hauts barons à son exemple passent leur vie à parcourir leurs domaines et à l'époque de Blanche encore le roi n'a littéralement pas de demeure fixe. Philippe-Auguste a, il est vrai, manifesté pour Paris un attrait prononcé, alors que ses prédécesseurs se plaisaient surtout à Orléans. Mais même le Palais parisien que Louis IX fera reconstruire en partie et agrandir n'est qu'une résidence parmi beaucoup d'autres et c'est pour toute la maison royale une occupation familière que d'entreprendre le déménagement des meubles, lits, coffres, bancs et tréteaux — ce qu'on appelle la chambre — pour aller s'installer à quelques lieues de là : à Saint-Germain-en-Laye, qui avait été la résidence favorite de Louis VIII et de Blanche, à Senlis, à Pontoise, à Compiègne, à Étampes, etc. Tous ces châteaux sont des demeures vides qui ne se remplissent qu'à l'arrivée des fourriers, lesquels les garnissent hâtivement, déchargeant « ronçins », « sommiers »* et charrois de leur « harnois » pour tendre les tapisseries, dresser lits, couvertures et matelas et, l'heure venue, « mettre la table » sur les tréteaux. Dans la famille royale on devait longtemps après raconter l'aventure arrivée à la princesse Isabelle qui avait l'habitude, le matin, de faire ses prières au lit, pelotonnée dans ses draps ; à l'aube, un valet mal réveillé, venu pour enlever son lit, n'avait pas discerné la petite forme mince, et d'un geste machinal avait roulé draps et couvertures sans s'apercevoir que la princesse se trouvait littéralement emballée à l'intérieur ; il resta ébahi, sentant son ballot s'agiter et crier, et l'on rit beaucoup de sa méprise.

Les livres de comptes qui nous sont parvenus témoignent sans doute de transports plus importants que de coutume : il faut acheter deux ronçins supplémentaires, l'un pour le matériel de cuisine, l'autre pour les équipements, meubles et tentures. Un « sommier » — bête de somme — apporte la « chambre de la reine », un autre est chargé des fruits qui seront servis sur les tables du banquet. L'officier chargé de la paneterie, celui qui s'occupe du maraîchage ont chacun ronçin et palefroi à leur disposition, tandis que, sous l'œil du cuisinier de la reine nommé Guillaume,

* Le « ronçin » est le cheval à tous usages, le « sommier » la bête de somme, cheval ou mulet.

deux ronçins sont chargés, l'un des ustensiles et l'autre des deniers nécessaires à son office. D'autres « sommiers » (ce sont les plus forts chevaux de trait ; ils coûtent de quatorze à seize livres, plus cher que les palefrois, qui sont les chevaux d'apparat) transportent l'un la « chambre » de la jeune reine, un autre le lit du roi.

Blanche a fait faire à neuf un matelas garni d'une courtepointe de soie brodée et d'autres courtepointes destinées à la reine ; des coffres drapés d'écarlate contiennent les draps de toile de lin, les fourrures destinées à garnir les lits et aussi tout un assortiment de chemises et de linge de corps ; elle a également fait préparer les joyaux pour le couronnement, dont quelques-uns ont été achetés à l'orfèvre du comte de Flandre, et a fait remettre à neuf la couronne, puisque la cérémonie du couronnement aura lieu à l'occasion du mariage, pour que la reine soit couronnée comme le roi. On emporte aussi, bien entendu, le linge nécessaire pour draper de nappes blanches les tables qui seront dressées lors des banquets — ceux des convives et aussi ceux du petit peuple appelé à prendre sa part du festin : quatre-vingt-six nappes, deux cent quarante pièces de toile, cent serviettes. La maison royale a à son service une lavandière nommée Rosette qui elle-même est assistée d'une servante, Laurence, et qui, probablement, engage sur place lors des déplacements la petite escouade de laveuses armées de leur battoir.

Blanche, à la veille du voyage, se fait saigner par son médecin Geoffroy Miniaz, — un Espagnol sans doute ; précaution usuelle avant la fatigue de la chevauchée ou peut-être soin d'hygiène à l'époque du printemps ; elle n'emmène pas avec elle toute sa suite ; l'une de ses demoiselles, nommée Eudeline, viendra la rejoindre à Sens par bateau ;

une autre de ses suivantes, celle qu'on appelle la Dame d'Amboise, et Mincia l'Espagnole, si souvent nommée dans les comptes, l'escortent probablement ; cette dernière, aussitôt après le mariage, partira pour l'Espagne et recevra pour son voyage deux ronçins, de l'argent et des voitures qui l'accompagneront jusqu'à La Rochelle. Autour d'elle plusieurs des grands officiers de la maison de France, entre autres le chambrier Barthélemy de Roye, qu'on appelle le « gras chevalier », le chambellan Jean de Beaumont, Ferry Pâté qui plus tard sera maréchal, la comtesse Jeanne de Flandre et aussi le comte Raymond de Toulouse qui a prolongé son séjour à la cour pour assister au mariage. L'escorte comprend vingt-quatre arbalétriers et vingt sergents qui reçoivent leur salaire de quinzaine en quinzaine et sont en sus défrayés de leurs chevaux. Une forge se déplace en même temps que les arbalétriers pour réparer leurs armes : lances, traits d'arbalètes, etc., sans parler de la ferrure des chevaux. Les gens d'armes sont d'ailleurs renouvelés de temps à autre et l'on voit détacher des arbalétriers pour accompagner tel ou tel seigneur auquel on tient à faire honneur ; ainsi André de Vitré en reçoit cinq lorsqu'il retourne chez lui après les fêtes du couronnement.

Les comptes de cette année 1234, où eut lieu le grand événement, nous ont été conservés et se présentent dans un désordre pour nous heureux, car ils nous font assister pêle-mêle aux détails d'équipement : les trois « aumucelles » — probablement couvertures de cheval, que paie Robin de Poissy — et aux incidents du voyage : les étaux et foyers dressés pour les cuisines en camp volant dans la forêt ; les loups chassés à Pont-sur-Yonne et dans la forêt d'Othe ; les six valets de chambre, les neuf écuyers en service, plus sept en garnison, qui entourent le roi ; les petits artisans dont les services sont incessamment requis, comme Simon du Louvre et le nommé Stéphane qui fait les pièces d'arbalètes, les deux valets qui ont en garde les chiens du roi et Simon de Moret qui s'occupe de ses faucons, sans parler des veneurs et de leurs garçons. Des aumônes sont faites le long du chemin ; ainsi aux maisons religieuses comme les moniales du Pré ou celles de la Cour-Notre-Dame ; le clerc aumônier est du reste chargé des petites aumônes en cours de route ; on lui remet soixante sous pour celles qu'il distribuera sur le chemin de Fontainebleau. Aux étapes ces aumônes sont plus importantes. A Fontaine-bleau toujours, cent pauvres touchent chacun un sou le 24 mai. De même indemnisera-t-on un pauvre homme dont le cheval a été tué à Sens. Tout déplacement de la cour se traduit ainsi par des aumônes parfois assez touchantes comme les quarante livres remises par les soins d'un écuyer nommé Hugues à une jeune fille qui, devant bientôt se marier, s'était placée sur le Grand-Pont à Paris pour solliciter au passage la générosité du roi. Blanche dote souvent des jeunes filles de rencontre, tantôt la fille d'une dame pauvre des environs d'Anet qui reçoit cent sous parisis ; tantôt une fillette de la châtellenie de Nogent à qui elle donne quinze livres, etc. Ou encore ce sont les lépreux ; lors du mariage à Sens, Louis leur fait distribuer vingt livres treize sous ; ses largesses vont en augmentant et durant le carême de cette année, celle de ses vingt ans, il a fait distribuer quarante-cinq mille harengs aux pauvres. Tous les jours, ne l'oublions pas, on distribue à la cour du pain pour les pauvres ; il en coûte une livre parisis par jour, ce qui représente bon nombre de miches.

A Sens les préparatifs ont été poussés très loin

pour recevoir dignement la Jeune Reine. Les abords de la cathédrale ont été aménagés ; il a même fallu démolir un mur, peut-être pour construire échafaudages et tribunes ou faire une place suffisante aux tables du banquet. L'intérieur de la cathédrale Saint-Étienne a été drapé et paré comme il est d'usage pour les circonstances solennelles, avec tapis et tentures, et de plus, au dehors, on a construit à l'intention du roi et de la reine une « feuillée », — une tribune couverte de branchages et feuillages destinée à les abriter pendant le spectacle, jeux de chevalerie et jeux de jongleurs ; elle est garnie de sièges drapés de soie.

L'afflux est grand dans la ville avec tous les invités dont chacun amène sa suite et ses chevaux. On mesure volontiers le faste déployé en de telles occasions aux cadeaux offerts par le roi à son entourage. Il y a les dix-neuf selles remises aux nouveaux chevaliers, plus celles que le roi a fait faire pour ses frères et pour celui qu'on nomme Alphonse le Neveu, fils d'une sœur de Blanche, Urraca, reine du Portugal ; il était élevé à la cour de France, où l'on distinguait les deux Alphonse en disant : Alphonse le fils et Alphonse le neveu. Louis avait lui-même reçu de sa mère pour la circonstance tout un équipement de chevalier : cinq selles, six hoquetons pour lui et pour son frère Robert, des éperons, des aumusses, des couvertures de cendal (taffetas de soie), des chevêtres ou brides enfin, avec rênes, mors et étriers assortis aux éperons d'or, et de plus, pour sa jeune épouse, deux selles, cottes, chevêtres, couvertures et ornements.

Mais surtout on distribue des « robes » ; les cadeaux de vêtements sont tout à fait habituels : rois et seigneurs en donnent à leur entourage lors des fêtes à Noël, à Pâques ou encore pour leurs anniversaires ; le mariage du roi, le couronnement de la reine sont aussi l'occasion de présents de ce genre.

Trop succints pour notre goût, les rôles de comptes n'en déploient pas moins devant nous une profusion de couleurs que les exquises miniatures du temps attestent aussi ; les membres de la maison royale, comme Ferry Pâté, Jean de Beaumont, Henri le Fauconnier reçoivent des robes de pourpre et de même sont vêtus de pourpre les deux Alphonse, le fils et le neveu. Les dames d'honneur de la reine portent des vêtements de perse (couleur bleue) et d'écarlate, doublés de vermillon. Le comte de Toulouse est noblement vêtu de brunette violette et de deux autres robes vertes par la munificence royale ; il a d'ailleurs droit à des égards particuliers pendant ce séjour, et reçoit un palefroi et un sommier ; on paie les gages de son fauconnier et l'on n'oublie pas les menus cadeaux à ses domestiques. Robert, celui que plus tard on appellera Robert d'Artois, est vêtu de brunette noire, verte et violette avec de l'écarlate rouge fourrée d'hermine et de vair gros et menu. Les enfants, c'est-à-dire les plus jeunes de la famille, sont restés à Paris ; la reine les a expressément confiés à la garde des bourgeois parisiens. Ces enfants sont Isabelle, âgée alors de neuf ans, et Charles qui n'a que sept ans ; pour les consoler sans doute on leur a fait faire de jolis vêtements de brunette rose et noire avec lesquels ils accueilleront leur frère aîné et leur jeune belle-sœur. Deux deuils successifs sont venus en effet assombrir Blanche ; elle a perdu deux de ses fils : Jean et Philippe-Dagobert, l'un et l'autre en l'année 1232 ; aucun détail ne nous est demeuré sur ce qui causa leur mort, maladie ou accident.

Pour en revenir au mariage du roi, les comptes nous apprennent que sa robe au jour du couronnement est faite de tissu perse, c'est-à-dire bleu, de brunette noire, d'écarlate rouge, d'écarlate violette ; la jeune reine reçoit un manteau et un camail fourré de gros et de menu vair, d'hermine et de zibeline. Toute une foule vêtue de couleurs chatoyantes se presse dans la cité de Sens, dans sa cathédrale et sur le champ de foire où ont lieu les fêtes. Les fournisseurs de Blanche, Yvon le gantier et Jean Godriche le chapelier, ont eu fort à faire chacun dans sa spécialité ; les jeunes gens portent des chapeaux de feutre garnis de plumes de paon avec attaches d'or et ornements de soie. Bijoutiers et joailliers ont reçu aussi force commandes : deux anneaux d'or pour le roi ; pour Robert et Alphonse, ceintures d'or et fermail d'or, et pour ce dernier un étui à bassin ; mais surtout ils ont travaillé aux bijoux offerts à la jeune reine. Blanche n'a rien ménagé pour qu'elle soit accueillie fastueusement. La couronne d'or que le roi lui offre doit être splendide puisqu'elle ne coûte pas moins de cinquante-huit livres. Il lui remet aussi un chapel d'or, sans doute une sorte de diadème, et deux cuillers d'or, et lui fait présent de somptueuses fourrures, hermine et zibeline. Une coupe d'or a été faite aussi pour le roi et la reine ; ils y auront bu l'un et l'autre pendant le festin. Cette coupe est ensuite donnée en cadeau au grand bouteiller de France, selon la tradition. Les coupes sont d'ailleurs, comme les vêtements, des cadeaux usuels, et cette même année 1234, Blanche a fait don à son fils d'un « hanap de madre » : hanap de bois dur monté sur pied d'orfèvrerie dont on peut se faire quelque idée puisqu'un autre hanap de madre offert plus tard par Blanche à l'abbaye de Maubuisson est toujours conservé à Versailles (musée Lambinet).

Et de même peut-on, en dehors de miniatures, imaginer assez bien ce qu'étaient les costumes du temps : de surprenants échantillons en ont été laissés, et figurent dans un musée qui ne ressemble à aucun autre, celui du monastère de Las Huelgas à Burgos. Ce monastère — le Saint-Dènis des rois de Castille — abrite les tombes des parents de Blanche et de leurs successeurs ; or, dans ces tombes de pierre, grâce au climat exceptionnellement sain et sec, on a pu retrouver à peu près intacts les vêtements dans lesquels avaient été inhumés certains princes, comme Don Ferdinand de la Cerda.

C'est avec éblouissement qu'on peut contempler aujourd'hui la merveilleuse « robe » dont on le revêtit pour ses funérailles et qui devait être son vêtement de cérémonie : tissu damassé de dessins verts sur fond clair, doublé d'une soie de couleur amarante, baudrier brodé et rehaussé de boucles d'orfèvrerie, éperons d'or, et sur la tête une sorte de calotte brodée de perles sur laquelle se détachent, alternés, les médaillons au lion et les médaillons au castel, évoquant les blasons de Castille et León. A côté de ces pièces entières, maints fragments de soie brodée, ou encore de fine laine tricotée avec une incroyable adresse donnent une haute idée de la richesse, de la variété des tissus médiévaux ; quelques-uns sont de fabrication orientale puisque la soie n'était pas tissée en Europe à l'époque ; certains brocarts au reste portent des caractères coufiques, ici traités en ornement. Mais les pièces tricotées de laine, qui, elles, sont indubitablement de facture occidentale, ne le cèdent guère en dextérité : tricots à l'aiguille qui insèrent des dessins parfois très recherchés, en laines de plusieurs couleurs : des verts, des rouges, des crème, représentant ici un cygne, là un griffon, ailleurs des fleurettes, des feuillages stylisés, etc., le tout sur un fond losangé, de teintes claires et plus foncées, alternativement. Ce musée des tissus de Burgos, sans égal en Europe, — car en général pour cette époque lointaine seuls d'infimes fragments ont été extraits des tombeaux et conservés — donne un sens, une couleur à ces couvertures, ces courte-pointes, ces tissus de cendal, de soie, d'écarlate qu'énumèrent les rôles de comptes ; on peut imaginer le jeune roi Louis dans une robe longue et chatoyante semblable à celle de Ferdinand de la Cerda. On peut le voir sur un siège drapé de soie semblable à ces damas éclatants lorsqu'il prit place avec son épouse, pour assister aux spectacles qui animèrent ces trois jours de fêtes.

C'est Robert, le frère puîné de Louis — il a alors dix-huit ans et c'est avec lui qu'il s'entend le mieux, encore qu'ils soient très différents — qui a réglé les détails de la fête avec les ménestrels. Et comme il fait bien les choses, il lui en a coûté cent douze livres trente-deux deniers, sans parler du don de dix livres qu'il a remis au ménestrel envoyé par le comte de Provence. Malheureusement, ces spectacles auxquels le jeune couple assiste sous la « feuillée » drapée de soie dont parlent les comptes, personne ne nous en a laissé le récit. Seules quelques brèves mentions, comme celle du chroniqueur Aubry de Trois-Fontaines à propos d'une fête semblable, évoquent les ménestrels et leurs spectacles « de vanité » : « ainsi celui qui, à cheval sur une corde, chevaucha en l'air, ou encore ceux qui chevauchaient deux bœufs drapés d'écarlate et sonnaient de la trompe à chaque mets qui était apporté sur la table[3] ». Qui dit : ménestrels, dit : musique, chansons et rires ; tantôt poèmes, qui à l'époque sont autant de chansons, et tantôt ébats plus proches du cirque et des tréteaux de foire ; et de même qui dit : fête, à l'époque, dit inévitablement : danses ; il n'y a aucune raison de penser que Louis et sa jeune épouse ne prirent pas part à ces danses en toute gaîté. Louis IX nous a été connu d'abord par des récits d'hagiographes désireux de mettre en valeur sa sainteté ; ceux-ci ont surtout retenu les trois nuits que le roi passa en prière avant de s'unir à sa jeune épouse, et comment il obtint d'elle qu'elle se joignît d'abord à ses prières. Les comptes sont là pour attester que la ferveur, en ce qui le concerne, n'entraînait pas en tout temps l'austérité, et qu'une cour économe de réputation a su être prodigue en la circonstance : 118 livres pour le pain, 307 pour le vin, 667 pour les mets et la cuisine, et pour l'éclairage, 50 livres. Les frais, en comptant les vêtements portés par la famille royale ou donnés par elle, le traitement des serviteurs et écuyers, l'avoine pour les chevaux, les chambres pour l'escorte et les gages divers, se montaient à la somme, très forte pour l'époque, de 2 526 livres 15 sous 7 deniers. Il est toujours tentant de traduire les sommes d'alors en monnaie moderne, mais le résultat est invariablement décourageant. Disons qu'au siècle dernier, on évaluait la livre parisis à 22,474 francs ; les dépenses se seraient donc montées approximativement à 5 700 francs-or, dont nous laisserons l'évaluation aux économistes[4].

Ce qui est en tout cas certain, c'est que dès leur première rencontre Louis et Marguerite sont tombés instantanément amoureux l'un de l'autre et que cet amour ne se démentira jamais. Marguerite n'a encore que treize ans ; tous les témoins sont d'accord pour la dire fort belle et très « bien apprise », selon l'expression du temps ; ce qui signifiait qu'elle était parfaitement préparée à son rôle de reine et qu'aucun point de son éducation n'ayant été négligé elle était aussi lettrée. On a conservé d'elle des lettres personnelles en latin et en français, tournées d'aimable façon, et il ne serait pas impossible que la jeune reine au nom de fleur ait inspiré ce *Roman de la Rose* que compose dans les années qui suivent l'arrivée de Marguerite à la cour de France un clerc originaire de Lorris, où le jeune couple royal réside souvent, nommé Guillaume[5].

On peut se demander dans quel langage s'entretenaient les deux amoureux. Celui de Marguerite est évidemment le provençal ; Louis a-t-il appris la langue d'oc ? c'est peu probable. Il est plus vraisemblable que Marguerite ait appris le dialecte d'Ile-de-France ; son usage fait partie dès cette époque des bonnes manières que comporte toute éducation soignée. Un poème qui est une sorte de traité de savoir-vivre dit :

Soyez débonnaire et courtois ;
Sachez aussi parler françois (français)
Car moult est langage louée
De gentilshommes et moult aimée[6].

Ce genre de conseil s'adresse dans le poème aux gentilshommes, mais le temps ne tardera plus où l'étude du français fera partie de l'éducation normale même des non-lettrés (ceux qui n'ont pas étudié le latin), puisque Brunetto Latini, italien de naissance, qui écrit à leur intention, compose son *Trésor* en langue française, qu'il déclare à la fois « la plus délitable » et aussi « la plus commune à toutes gens » (langue de la plus grande diffusion). Au reste, le langage à l'époque ne joue pas tout à fait le même rôle qu'en notre temps : ou plutôt on saisit sur le vif les facilités de langage qu'offre une époque de civilisation orale par rapport aux époques de civilisation écrite comme la nôtre. A parcourir les textes du temps on a nettement l'impression que chacun, au XIIIe siècle comme au XIIe, est plus ou moins bilingue, voire trilingue ; il n'est personne dans le menu peuple qui ne marmonne au moins quelques mots de latin ; les communications sont d'une facilité surprenante entre groupes d'origine différente en dépit de la foule de dialectes existants. Lorsqu'on voit, par exemple, un Jacques de Vitry, prédicateur champenois comme son nom l'indique, débarquer en Italie et là prêcher dans les églises avec une telle fougue que les femmes prennent la croix à son appel, on peut se demander si cette éloquence entraînante s'exprimait en italien ou en français ; tout aussi convaincants sont les multiples poèmes du temps dans lesquels on voit employer tour à tour langue d'oc et langue d'oïl, sans que les auditeurs en paraissent gênés.

Toujours est-il que Louis et Marguerite ont su se comprendre et que leur union, si elle n'est pas sans histoire, est sans nuage.

Du moins sans nuage entre eux deux, car, pour quelqu'un d'autre, la présence de Marguerite est un nuage.

Blanche a voulu cette union ; elle l'a préparée et elle s'en est réjouie, même si elle n'a pas mesuré comme nous pouvons le faire avec le recul du temps l'importance que pouvait présenter un mariage grâce auquel la dynastie royale de France prenait pied au-delà du Rhône, côté « empire », en un temps où elle venait de s'enrichir, côté « royaume », des deux sénéchaussées de Beaucaire et de Carcassonne, passées dans le domaine direct de la couronne. Mais le fait s'est soudain imposé à elle : à la cour de France, il y a désormais deux reines ; et — nul doute que ce ne lui soit une blessure secrète — celle qui vient d'arriver est pour tous : « la Jeune Reine ». Blanche a alors quarante-six ans ; comme toute femme aux approches de la cinquantaine elle se trouve aux prises avec ce monde d'inquiétudes et de regrets semi-inconscients qu'éveille un passage difficile dans toute existence — et plus encore dans une existence de femme. A ses appréhensions intimes s'ajoute pour elle la conscience de plus en plus aiguë de ce qu'exige l'exercice du pouvoir. Ce pouvoir qu'elle n'a pas voulu, qui s'est imposé à elle comme une charge et un deuil, elle a pris goût aujourd'hui à l'exercer et elle entend qu'autour d'elle à la cour chacun considère cet exercice comme le premier des devoirs, celui qui ne souffre ni médiocrité, ni retard, ni amusement, ni excuse.

Le château de Pontoise n'existe plus aujourd'hui ; on imagine que, eût-il survécu aux destructions, il aurait pu être un lieu de pèlerinage pour tous les amoureux du monde. Dans ce château de Pontoise, il y avait un escalier tournant : la chambre du roi était au-dessus et la chambre de la reine au-dessous ; « Louis et Marguerite avaient ainsi accordé leur affaire qu'ils tenaient leur parlement (qu'ils parlaient entre eux) dans un escalier tournant qui descendait d'une chambre dans l'autre ; et leur affaire était si bien arrangée que quand les huissiers voyaient venir la reine dans la chambre du roi son fils, ils frappaient la porte de leur verge, et le roi s'en allait courant dans sa chambre pour que sa mère l'y trouvât ; ainsi faisaient à leur tour les huissiers de la reine Marguerite quand la reine Blanche y venait, pour qu'elle y trouvât la reine Marguerite. »

Pontoise devient la résidence favorite du jeune couple...

Blanche, épouse et mère parfaite, est de toute évidence une belle-mère difficile. L'explication qui vient tout naturellement à la pensée, en notre époque formée par la psychanalyse : la jalousie, se trouve écartée le plus simplement du monde par la remarque de Joinville qui a le génie des vérités abruptes : « la reine Blanche ne voulait pas souffrir autant qu'elle le pouvait que son fils fût en compagnie de sa femme, si ce n'est le soir quand il allait coucher avec elle. » Blanche n'en veut nullement à Marguerite d'être la femme de Louis ; elle lui en veut du temps que son fils dérobe pour elle — simple fillette sans compétence — à ses devoirs de roi. Mais il est rassurant pour nous de voir en Louis un amoureux comme les autres, capable d'inventer de ces ruses qu'ont inventées, pour témoigner de leur amour, les amoureux de tous les temps.

Plus pénible est l'autre anecdote que raconte aussi Joinville : « Une fois le roi était auprès de la reine sa femme, et elle était en grand péril de mort, pour ce qu'elle était blessée d'un enfant qu'elle avait eu. La reine Blanche vint là, et prit son fils par la main, et lui dit : « Venez-vous-en ; « vous ne faites rien ici. » Quand la reine Marguerite vit que sa mère emmenait le roi, elle s'écria : « Hélas ! vous ne me laisserez voir mon seigneur « ni morte ni vive. » Et alors elle se pâma, et l'on pensa qu'elle était morte ; et le roi, qui pensa qu'elle se mourait, revint ; et à grand-peine on la remit en état. » En ce cas encore, et si déplaisante que soit son attitude, il s'agit pour Blanche d'amener le roi à faire passer son devoir de roi avant ses sentiments personnels.

Disons d'ailleurs que, si Blanche tient à contenir son fils dans l'accomplissement de l'« austère devoir », la cour elle-même n'offre rien d'austère, et qu'une jeune femme comme Marguerite a pu y trouver son plein épanouissement. Fini le temps des deuils ; les fêtes s'y succèdent. Et les ménestrels paraissent souvent dans les comptes de la cour, désignés par des sobriquets amusants : Malapareillé, Pelé ou celui qu'on appelle « Quatre-œufs » et qui est ménestrel du sire de Courtenay.

Trois ans après son mariage, Louis fera célébrer la chevalerie de son frère Robert avec le même éclat ou presque que ses propres épousailles. Les fêtes, cette fois-là, se passaient à Coinpiègne, pour la Pentecôte, en juin 1237 ; ils étaient 140 jeunes seigneurs à recevoir en même temps que Robert leurs éperons de chevaliers. Tous se virent offrir des robes de soie en ce jour faste, et force cadeaux furent remis aux principaux invités : des émeraudes pour les dames, comme l'épouse du duc de Châtillon et celle d'Enguerrand de Coucy ; pour d'autres des hanaps d'argent ; pour le roi une ceinture d'or et une autre pour Robert lui-même ; celui-ci devait être superbe dans sa robe de soie et d'écarlate violette avec un manteau d'écarlate vermeille fourré de menu vair et d'hermine ; un fermail d'or retenait ce manteau sur l'épaule ; sur la tête il portait un chapel d'or. Le roi de son côté avait revêtu ce jour-là un manteau de samit (satin) vermeil sur sa robe d'écarlate violette ; la jeune reine, elle, était vêtue d'estanfort fourré d'hermine et de zibeline sous une pelisse de menu vair ; peut-être le roi montait-il à cette occasion le très beau palefroi liard — gris pommelé — qu'il avait acheté quelque temps auparavant pour la forte somme de vingt et une livres, le prix d'un destrier, cheval de guerre. Quant au cheval de Robert, on ne possède pas de détail, mais on pouvait faire confiance au choix du jeune chevalier, car il était grand amateur de beaux chevaux ; lors du mariage de son frère, l'évêque de Chartres Gauthier n'avait cru pouvoir lui faire plus beau cadeau qu'un cheval. A ces fêtes les « enfants », Isabelle et Charles, commencent à être traités en jeunes gens ; les deux demoiselles de la cour, Isabelle et sa future belle-sœur Jeanne, fille du comte de Toulouse, portent des estanforts de teinte rouge et « monseigneur Charles » qui n'a encore que dix ans, une belle robe d'écarlate rayée ; c'est aussi d'écarlate rayée qu'est la robe donnée à cette occasion au comte de Toulouse Raymond VII invité à la cérémonie.

En armant chevalier son frère Robert, Louis ne se doutait pas qu'il consacrait celui en qui allait s'incarner, pour la première fois dans l'histoire de la dynastie royale, les défauts qui marqueront précisément la dégénérescence de cette chevalerie alors dans son plein éclat. Une bravoure insouciante, une témérité un peu folle mèneront à une mort prématurée ce splendide chevalier, et l'armée du roi à la catastrophe. Robert est follement prodigue ; aux fêtes de Compiègne il verse deux cent vingt livres aux ménestrels, sans compter une somme de cent sous remise aux joueurs de trompettes et une autre somme semblable à un joueur de stive, sorte de cornemuse qu'il appréciait sans doute particulièrement. Mais il est aussi plein d'affection pour les siens, en particulier pour son frère aîné et pour sa mère Blanche, à qui il ne manquera pas d'envoyer des lettres remplies de détails lorsqu'il se trouvera séparé d'elle au moment de la croisade.

En même temps que sa chevalerie, on fêtait, à Compiègne, le mariage de Robert qui épousait Mahaut, fille du duc de Brabant. Le moment était venu pour le roi de France de remettre à son jeune frère l'héritage que le testament de son père lui destinait. Cette prise de possession de ses domaines personnels avait été l'occasion de toute une redistribution de fiefs, selon un accord de famille auquel Blanche avait présidé. Elle avait autrefois reçu en douaire — la dotation faite par son époux lors de ses noces — les trois châtellenies de Hesdin, Bapaume et Lens, et plus tard elle avait elle-même acquis une autre terre dans ces régions, la terre de Vilaines qui complétait cet ensemble de fiefs. Mais s'ils offraient pour elle l'intérêt d'être proches des biens personnels de son époux au temps de leur mariage, il n'en était plus de même à présent ; l'Artois devenait le fief de Robert et elle-même préférait vivre en Ile-de-France, plus près du roi et des biens de la couronne. Un échange allait avoir lieu qui peu à peu allait faire passer entre les mains de Blanche plusieurs châtellenies pour compenser son douaire qu'elle abandonnait à Robert : dans les années qui suivent on la voit recevoir Meulan, Pontoise, Étampes, Dourdan, Corbeil et Melun. Le roi y ajoute Crépy-en-Valois, La Ferté-Milon et Pierrefonds, tandis que Blanche renonce à sa dot jadis constituée par le roi d'Angleterre, Issoudun et Graçay. Elle s'était toujours occupée activement de l'administration de ses domaines personnels ; à plusieurs reprises on l'avait vue intervenir, pour faire bâtir, par exemple, les halles d'Issoudun, dédommager les possesseurs des maisons abattues pour leur construction, recevoir les hommages des vassaux sur ses terres, etc. Ses nouveaux biens, plus proches de ce qui était le centre même de ses occupations, seraient plus facilement administrés. Son douaire était pour une reine une source de revenus personnels qu'elle aurait eu garde de négliger. Marguerite elle-même, lors de son mariage, a reçu en douaire la ville du Mans avec ses dépendances, ainsi que Mortagne et Mauves-sur-Huisnes.

Toutes les années qui s'écoulent après le mariage de son fils voient Blanche occupée à conclure des unions et à en empêcher d'autres. Elle facilite celles qui lui paraissent ménager de fructueux rapprochements de fiefs et prévient celles qui semblent dangereuses pour l'avenir de la couronne, le tout avec une imperturbable énergie. Robert lui-même était d'abord promis à Marie, fille de Jeanne de Flandre et son héritière, mais celle-ci était morte. L'héritage qui aurait permis de réunir la Flandre à l'Artois allait donc échoir à sa sœur puînée, Marguerite — celle que plus tard les Flamands surnommeront la Noire Dame. En épousant Mathilde ou Mahaut, fille aînée du comte de Brabant, Robert s'assurait, faute de l'héritage flamand, du moins une influence dans des régions proches de son fief personnel.

Trois autres projets matrimoniaux allaient être sources de soucis ces années-là : celui de la même Jeanne de Flandre, veuve de Ferrand, et ceux des deux Alphonse, le fils et le neveu.

La Flandre a donné jadis trop de tracas à la royauté pour que Blanche ait cessé d'y porter une attention vigilante. Veuve de Ferrand de Portugal, Jeanne est l'objet de sollicitations qui ne sauraient être désintéressées. Or, Blanche apprend non sans dépit que sa main est demandée par un personnage dont elle a toutes les raisons de se méfier : Simon de Montfort. Le frère cadet d'Amaury a hérité du nom de leur père et aussi de son ambition. Accueilli avec empressement par le roi d'Angleterre qui l'a confirmé dans la possession héréditaire du comté de Leicester, il n'en est pas moins revenu sur le continent où visiblement il cherche un beau mariage. Jeanne est notablement plus âgée que lui ; le détail ne l'embarrasse guère, mais Blanche veille. Sans délai elle se transporte à Péronne et oblige Jeanne à signer une convention par laquelle elle renonce à tout projet d'union avec le comte de Leicester : la menace eût été trop grave pour le royaume. Avec l'un de ses plus proches vassaux installé en Flandre, le roi d'Angleterre, toujours en état de guerre latent, se trouvait à pied d'œuvre pour ses projets

d'invasion sans cesse remis. Après quoi, sagement, Blanche, pour plus de sûreté, proposait à
Jeanne un époux de son choix, le comte Thomas
de Savoie, oncle de Marguerite, que Jeanne, sans
doute résignée à vouloir ce que voulait sa suze-
raine, accepta. La maison de Savoie commençait
à entrer dans l'Histoire et allait s'y manifester
avec quelque turbulence, notamment sur le versant italien, auprès du Saint-Siège. Pour l'instant,
ce qui importait à Blanche, c'était une union qui
renforçât encore les liens noués au-delà du
Rhône. Thomas, devenu comte de Flandre, s'empressa d'inviter sa sœur Béatrice de Provence et
ce fut l'occasion de grandes fêtes à la cour de
France :

> Le comte Thomas de Savoie
> En Flandre dont il était comte
> Sa se(r)eur fit venir en France
> Pour v(e)oir la reïne franche
> Sa fille, qui moult était belle...
> Je ne sais com(me) plus richement
> Pourrait-on dame recevoir
> Ni pour beauté ni pour avoir
> Ni pour nulle autre seigneurie[7].

Béatrice du reste prolongea son voyage jusqu'en Angleterre, car sa seconde fille Aliénor
venait de devenir l'épouse de Henri III et la troisième, Sancie, n'allait pas tarder à épouser le
frère du roi, Richard de Cornouailles ; le tout
allait introduire un nouveau jeu d'alliances com-
pliquant ceux qui existaient déjà. Mais l'époque
abonde en alliances compliquées qui constituent
au vrai le tissu même de la vie féodale.

Simon de Montfort, dépité mais non découragé,
tourne alors les yeux vers une autre héritière,
dame mûre elle aussi, mais munie d'un douaire

appréciable : Mahaut de Boulogne, veuve de Philippe Hurepel ; voilà Blanche de nouveau alertée. Comme précédemment, elle agit sans délai pour couper les ponts devant le comte de Leicester. Mahaut est promptement fiancée avec Alphonse le neveu, fils du roi du Portugal et compagnon d'enfance d'Alphonse de Poitiers ; la disproportion d'âge était forte mais Alphonse eut le bon goût de ne pas protester ; il avait été pratiquement élevé à la cour de France et ne devait la quitter que lorsque, par un jeu de circonstances imprévues, il devint roi du Portugal. Les possessions de Mahaut ne présentaient dès lors plus grand intérêt pour lui, pas plus que sa personne, et il la répudia.

Entre-temps, la rage au cœur, Simon de Montfort avait repassé la mer et c'est sans doute pour le consoler de ses deux mécomptes successifs que le roi Henri III lui offrit la main de sa propre sœur, Aliénor, veuve à seize ans de Guillaume le Maréchal le jeune qu'elle avait épousé à neuf ans.

Il convenait aussi de célébrer le mariage entre Alphonse le fils et Jeanne de Toulouse : autre union qui allait être exemplaire, comme celle de Louis et de Marguerite. Alphonse, troisième fils vivant de Blanche, était de santé plus fragile que ses frères. Avec Robert il formait un parfait contraste, car si ce dernier est un chevalier ne rêvant qu'exploits et fêtes éblouissantes, Alphonse, lui, est un administrateur consciencieux, exact, voire tatillon. Ses registres de comptes sont admirablement tenus. C'est au reste un homme de progrès autant que d'économie, car il est le premier seigneur à employer, pour tenir de tels registres, le papier au lieu du parchemin : denrée moins coûteuse qui faisait un peu, à l'époque, le même effet que les matières plastiques à la nôtre. Le papier n'était jugé bon que pour

l'usage courant, les comptes, les notes journaliè-
res. Toujours est-il qu'en un temps où Jean Sarrasin, à la cour de France, note encore les dépenses
quotidiennes sur des tablettes de cire, Alphonse,
à la cour de Poitiers, utilise pour ce faire le
papier.

Son mariage a lieu en 1238, celui de son cousin
Alphonse le neveu en 1239. La cour de France en
ces années retentit ainsi constamment du bruit
des fêtes. Elle se peuple de toute une jeunesse
joyeuse ; le roi, les princes, leurs épouses, les
barons et les dames, les ménestrels et les jongleurs y entretiennent une vie brillante, colorée.
C'est probablement la cour la plus animée d'Europe.

En dehors des fêtes profanes, il y a les fêtes
religieuses, non moins colorées que les précédentes. L'une d'elles va marquer les annales du
règne : celle qui célèbre l'arrivée en France de la
Sainte Couronne d'épines, l'an 1239. Blanche a
tenu à accompagner son fils et se trouve présente,
non loin de Villeneuve-l'Archevêque, à la solennelle reconnaissance d'une relique chère entre
toutes au monde chrétien. Le roi fait ouvrir une
caisse qu'ont transportée avec grand soin deux
frères prêcheurs, Frère Jacques et Frère André.
Dans cette caisse, une boîte en argent sur laquelle
sont apposés les sceaux du doge de Venise et des
principaux barons de l'Empire de Constantinople.
On vérifie ces sceaux en les comparant avec ceux
qui pendent aux lettres patentes qu'ils ont
envoyées par ailleurs garantir l'authenticité
de la relique remise aux deux dominicains ; puis
on les brise. Dans la boîte d'argent apparaît une
boîte d'or et celle-ci contient la Sainte Couronne :
plus exactement, un léger faisceau de paille en
forme de diadème à laquelle restent attachés
quelques fragments de ce qu'on vénère depuis

toujours à Constantinople comme ayant été la Couronne d'épines du Christ lors de sa Passion.

Cet instant d'intense émotion a été précédé de toute une série de négociations et tractations entre le roi et le jeune Baudouin II qui préside aux destinées, de plus en plus problématiques, de cet Empire latin d'Orient que les croisés ont fondé au début du siècle. L'empereur, littéralement aux abois, a dû pour se procurer quelques subsides mettre en gage la relique entre les mains d'un marchand vénitien, Nicolo Quirino. De passage à la cour de France lors d'un voyage qu'il a entrepris en Occident pour implorer des secours, il a avoué au roi quelle sorte de gage a été par lui échangé l'année précédente, et Louis IX s'est empressé de dédommager son créancier et d'avancer à l'empereur les sommes dont il avait le plus urgent besoin. La relique a ensuite été transférée de Venise en France. Le 11 août, un cortège fait son entrée dans la petite cité de Villeneuve-l'Archevêque ; le reliquaire de la Sainte Couronne a été déposé sur un brancard que portent deux hommes en chemise, pieds nus, comme des pénitents : à l'arrière c'est Robert d'Artois, à l'avant son frère aîné, le roi de France. Tout le long de la route le cortège va attirer les populations qui escorteront à pied le précieux fardeau, et, trois jours après la fête de l'Assomption, le jeudi 18 août, il fera son entrée dans Paris. Un échafaudage a été dressé au lieu dénommé la Guette, hors des portes, près de l'abbaye Saint-Antoine. C'est là que les Parisiens à leur tour pourront voir et vénérer la Sainte Couronne. On dit que jamais foule plus énorme ne sortit de Paris. Après avoir été ainsi exposée, la Couronne, remise sur son brancard, de nouveau portée par le roi et le comte d'Artois, entre dans Paris au chant des hymnes, précédée de toute une multitude, clercs, religieux, prélats et chevaliers qui en grande cérémonie la conduisent dans la cathédrale parisienne, l'église Notre-Dame. Là on célèbre l'office. Puis de nouveau la procession se reforme pour gagner le palais de la Cité où la sainte relique sera déposée dans la chapelle Saint-Nicolas.

Cette procession de la Sainte Couronne aura des prolongements de tous ordres : d'autres cérémonies suivront, car Louis ne négligera aucune occasion d'enrichir son trésor de reliques. L'année suivante il acquiert des Templiers de Terre sainte une relique de la Vraie Croix que l'empereur Baudouin, qui décidément s'entend à faire argent de tout, a déposée une fois encore en gage. Processions et cortèges solennels seront renouvelés, faisant confluer vers Paris toute une foule fervente, en tête de laquelle marchent les trois reines : Blanche, la jeune reine Marguerite, et la reine d'Orléans Isambour. Un poète, plus habile à vrai dire à retracer l'histoire qu'à manier la rime, les décrit à cette occasion. Il nomme d'abord « Madame la reine » — c'est Marguerite — qui est « loyale et fine » ; puis la reine Blanche qui est « sage et franche » ; enfin « celle de Danemarce » (Danemark) qui est « courtoise et sage ». Trois reines, trois visages évoqués en termes de roman de chevalerie, au moment où elles suivent un cortège qu'on pourrait croire issu de la « quête du Saint-Graal ».

Et l'on peut s'interroger sur ce que représentent pour Blanche les reliques de la Passion. Quelques années auparavant s'est passé à Paris un petit fait qui nous la montre prudente, pour ne pas dire méfiante : l'histoire du Saint Clou. L'abbaye de Saint-Denis s'est trouvée bouleversée tout à coup par une désolante nouvelle : la relique du Saint Clou qu'elle possède a été perdue. Perdue dans la foule qui périodiquement assiège Saint-Denis comme elle assiège tant d'autres abbayes ou églises de pèlerinage. Cette foule envahissante pour laquelle les sanctuaires ne sont jamais assez grands, jamais assez vastes, qui circule sans cesse sur des routes jamais assez larges, c'est un trait du temps. Déjà, l'abbé Suger, lorsqu'il commençait la reconstruction de son abbaye fameuse, a eu des pages pleines de vivacité pour décrire cette foule si dense parfois que les moines qui offrent les reliques à vénérer se trouvent débordés, renversés, que des gens sont piétinés, poussent des cris comme des femmes en mal d'enfant et que l'on n'a d'autres ressources pour faire vider le sanctuaire que d'emporter les précieuses reliques en les faisant passer par les fenêtres. C'est au cours d'une cérémonie et par suite d'une affluence semblables que le Saint Clou a disparu, la relique piétinée dans la foule. Le fait divers a accaparé l'attention au point que le chancelier de l'église de Paris, Philippe de Grève, en a fait un récit circonstancié. A en croire sa relation et celle que n'ont pas manqué d'en faire les moines de Saint-Denis, tout le monde pleurait à Paris ; le roi et sa mère en ont été aussi très affectés. Louis aurait même déclaré — il a dix-neuf ans alors — qu'il eût préféré voir s'engloutir la meilleure ville de son royaume ; il a aussitôt promis une récompense de cent livres à qui le retrouverait. On le retrouve. L'abbé en informe la reine, et Blanche lui écrit pour lui recommander la prudence : est-il bien certain que le clou retrouvé soit celui qui a été perdu ? Lorsque les moines de Saint-Denis organisent une cérémonie pour célébrer le Saint Clou retrouvé, Blanche a une excuse courtoise pour ne pas figurer à la cérémonie, non plus que son fils ; celui-ci viendra simplement quelques jours plus tard à l'abbaye révérer la relique.

Cependant, en ce qui concerne les reliques de la Passion envoyées de Constantinople, elle ne manifeste pas la même méfiance. Louis a pris toutes les précautions pour n'être pas trompé, matériellement parlant ; l'épine et le morceau de bois qu'on a transportés dans la chapelle du Palais sont bien ceux qui figuraient au Palais des empereurs de Byzance. Là s'arrêtent, il est vrai, les investigations ; l'authenticité de la relique n'est pas mise en doute ; elle a pour elle la tradition et cette tradition remonte aux temps qui sont ceux de la libération de l'Église, le temps de Constantin et de sa mère sainte Hélène.

Quant à la dévotion envers les reliques elles-mêmes, aucun doute que Blanche n'ait partagé celle de son temps. Il appartenait au nôtre de manifester quelque réserve touchant un culte qui, plus que tout autre sans doute, fait dévier le sens religieux vers l'idolâtrie, voire la magie. Encore ne peut-on se contenter d'un haussement d'épaules devant un sentiment qui a des racines profondes au cœur de l'homme, — et plus encore en une époque où toute décision, toute résolution se traduisent par un geste concret, où la remise symbolique d'un bâton, d'une motte de terre, continue à signifier la vente d'un terrain. La relique, dans laquelle une simple parcelle d'os symbolise le « corps saint », ne dégénère que trop facilement en superstition ; mais, abusive ou non, la vénération qu'on lui porte s'accorde avec un temps où l'on éprouve, plus que le besoin d'exactitude scientifique, celui de réalités incarnées, qu'on puisse « voir et toucher ».

L'arrivée en France des reliques de la Sainte Épine et de la Vraie Croix aura eu en tout cas des conséquences infiniment précieuses pour notre architecture et notre art. Peu de temps après les cérémonies de leur transfert, le roi Louis décidait en effet de construire à leur intention, pour les abriter dans le Palais lui-même, un reliquaire digne d'elles. Ce fut la Sainte-Chapelle, conçue comme une châsse dans laquelle la pierre remplace les armatures de métal et le vitrail les émaux ; elle est demeurée pour nous, triomphant des destructions qui n'ont pu l'atteindre qu'en partie, l'incomparable témoin de ces temps où la robustesse se pare d'élégance, où le mur-lumière éclipse l'ossature monumentale, où la grâce magnifie la pesanteur. Que cette Sainte-Chapelle ait répondu aux goûts les plus intimes de Louis, on en a la preuve en ce que son architecture se trouve reproduite sur l'ouvrage qu'il fit plus tard exécuter : son psautier, son livre de chevet. Qu'elle ait étonné et séduit les contemporains, et après eux les générations, on en a également la preuve, car elle fut imitée non seulement en France, la France du Nord avec la Sainte-Chapelle de Vincennes et celle de *langue d'oc* avec la Sainte-Chapelle de Riom, mais aussi en des pays lointains comme la Bohême ou la Norvège.

Les cinq années qui allaient la voir édifier en un temps record, de 1243 à 1248, sont d'ailleurs celles d'un intense épanouissement architectural. Paris est un véritable chantier ; sans parler de la Sainte-Chapelle, on travaille à Notre-Dame, où désormais se dresse, comme un doigt levé, la tour Sud, celle qui recevra les cloches et deviendra la voix de la Cité, — chef-d'œuvre de robustesse et d'élégance, avec la double arcature qui allège sa masse puissante. On reconstruit en partie Saint-Germain-des-Prés, on édifie des couvents, entre autres ceux des Jacobins et des Cordeliers, de multiples hôpitaux et hospices, comme plus tard celui des Quinze-Vingts ; et dans cette effervescence monumentale les historiens d'art les plus récents distinguent nettement l'influence de la cour royale, le « style de cour » qui peu à peu va s'épanouissant et se répercute, pourrait-on dire, dans toutes les constructions d'un temps amoureux de la pierre.

A cette activité de la cour royale imitée partout désormais, préside la reine Blanche, et il ne s'agit pas là d'une présidence d'honneur ou d'apparat. Joinville en retraçant les réalisations de l'époque met le doigt sur le ressort secret de cette activité qui ne s'est aucunement traduite par un surcroît d'impôts pour le peuple. Lui-même s'étonne de ce que les dépenses du règne, qu'il s'agisse de cette ardeur dans le bâtiment ou des expéditions faites par le roi, n'aient pas été marquées, comme cela se voyait en Angleterre par exemple, ou comme il devait en être au temps de Philippe le Bel quand le chroniqueur écrivit l'*Histoire de Saint Louis,* par des impôts nouveaux : « Le roi ne prit jamais d'aide (imposition) dont on se plaignît, ni de ses barons, ni de ses chevaliers, ni de ses hommes, ni de ses baillis », et, ajoute-t-il, « ce n'était pas merveille, car il faisait cela par le conseil de la bonne mère qui était avec lui, par le conseil de qui il agissait. » Le secret de ces largesses royales, c'est Blanche ; il y a en elle un aspect « bonne ménagère » ; elle sait lorsqu'il le faut dépenser largement, mais elle sait aussi contenir la cour dans un train de vie simple, accordé à ses moyens, et tenir un compte rigoureux des recettes et des dépenses. On a conservé un jeton à son nom — de ces jetons qui servaient à compter quand baillis et trésoriers venaient faire à la cour le compte rendu de leur administration ; ce jeton peut être pour nous le symbole de la reine magnifique qui sut être aussi une mère de famille économe.

« Le roi tint une grande cour à Saumur en Anjou et je fus là et je vous témoigne que ce fut la mieux parée que j'aie jamais vue. » Ces fêtes de Saumur qui se déroulèrent sous les yeux du jeune garçon émerveillé — il avait alors dix-sept ans — qu'était Joinville, ne devaient pas laisser un moindre souvenir aux contemporains : elles étaient données à l'occasion de la chevalerie d'Alphonse de Poitiers. La cérémonie entière fut si belle qu'on devait la surnommer la Sans Pareille. Elle réunissait les plus grands seigneurs du royaume. Joinville affirme que derrière les trois grands barons, Humbert de Beaujeu, Enguerrand de Coucy et Archambaud de Bourbon, il y avait bien trente chevaliers en cottes de drap de soie. Alphonse de Poitiers avait fait vêtir ses sergents de tuniques de cendal (taffetas) aux armes du comté dont il venait d'être investi. Lui-même avait revêtu une robe de pourpre d'Espagne doublée de cendal que sa mère lui avait offerte à l'occasion. Robes de samit (satin), tissus de drap d'or, fourrures de vair, de zibeline, peaux de genettes et d'écureuils sont offerts à profusion aux nouveaux chevaliers adoubés en même temps qu'Alphonse, parmi lesquels on remarque deux méridionaux, Pons d'Olargues et Sicard de Villemur. La Jeune Reine porte une robe courte de pourpre d'Espagne et reçoit des fourrures d'hermine. Le cadeau du roi au comte de Poitiers son frère est un magnifique destrier et deux palefrois.

Les vins du Blanc, de Saumur et de Saint-Pourçain coulèrent à flots au cours du festin donné dans les halles fameuses, le palais construit jadis par le roi d'Angleterre Henri II Plantagenêt. Et la description de Joinville nous permet de saisir l'ordonnance de ces tables qui sont alignées le long du mur tandis que les jeunes écuyers, dont Joinville était, s'affairent à trancher les viandes posées sur des crédences pour leur maître. Lui-même n'a d'yeux que pour Thibaud de Champagne, désormais roi de Navarre, qui trône à l'une des tables en manteau de satin orné d'un fermail d'or, avec un chaperon de drap d'or aussi. A une autre table siège le roi, et le jeune garçon, qui déjà savait voir, a remarqué que, note un peu discordante, le roi, magnifiquement vêtu de samit bleu avec un manteau de samit vermeil fourré d'hermine, se contente sur la tête d'un chapel de coton — indice d'un goût de la pauvreté qui ira grandissant en lui au milieu des splendeurs qui l'entourent.

Blanche est naturellement présente à ce festin ; elle a pris soin d'envoyer son cuisinier Adam acheter tout exprès de la vaisselle supplémentaire à la foire du Lendit ; elle a prélevé quatre rôtisseurs dans sa propre cuisine et veillé à l'ordonnance du repas « où mangeaient, déclare Joinville, si grand foison de chevaliers que je ne pus pas les compter ». La table où siège Blanche fait face à la table royale ; trois jeunes seigneurs la servent : Alphonse le neveu, le comte de Saint-Pol et un jeune baron allemand, le fils de sainte Élisabeth, — cette Élisabeth, fille du roi de Hongrie et épouse d'un seigneur de Thuringe, qui était morte toute jeune encore dix ans auparavant et avait été canonisée quatre ans après sa mort. Blanche avait coutume, raconte Joinville, de baiser « ce jeune homme au front par dévotion, pensant que sa mère l'avait ainsi maintes fois baisé ».

Fêtes éblouissantes que ces fêtes du 24 juin 1241 à Saumur.

On y dépensa presque trois fois la somme qui avait été consacrée, sept ans auparavant, à fêter le mariage royal : plus de huit mille sept cents livres. De quoi satisfaire les goûts de magnificence de l'époque. Mais précisément cette profusion même ne pouvait être sans cause. Si Joinville gardait de la Sans Pareille un souvenir ébloui, plusieurs d'entre les convives ont dû se dire qu'un pareil déploiement de faste de la part d'une cour généralement simple, un tel assaut de prodigalités visiblement voulues par une reine mère que l'on sait économe, devaient avoir quelque raison : raison obscure à la plupart d'entre eux, mais puissante.

Ils n'avaient pas tort : si, au-delà de la Loire, le roi, les deux reines, le nouveau comte de Poitiers et leur entourage se faisaient voir avec un tel luxe, dans un pareil tourbillon de festins, de draps d'or et de soie, de fourrures précieuses et de nobles équipages, ce n'était pas sans motif — un motif dont la reine Blanche, disons-le, était probablement seule à connaître les détails, seule à pouvoir discerner dans un écheveau passablement embrouillé de discordes d'intérêts contradictoires, d'alliances équivoques, le ou plutôt les fils conducteurs ; elle savait qu'en ce 24 juin 1241 on était à la veille d'événements graves. Certes, elle n'en pouvait prévoir l'issue, mais elle en connaissait du moins, dans tous leurs replis, les précédents. Et, une fois de plus, elle se préparait à faire face.

Mais on ne peut comprendre et apprécier pleinement son attitude en ces journées de fête sans jeter un coup d'œil en arrière et faire, comme Blanche elle-même le pouvait faire, l'inventaire des partenaires auxquels il lui fallait se mesurer.

« ... Sache Votre Excellence par les présentes lettres, ô Dame, que la cité de Carcassonne a été assiégée par celui qui se proclame le Vicomte, avec ses complices, le lundi après l'octave de la Nativité de Notre-Dame », — ainsi débutait une lettre adressée à Blanche au mois d'octobre 1240 par le sénéchal du roi de France à Carcassonne, Guillaume des Ormes[8].

Que se passait-il à Carcassonne ? Qui étaient le Vicomte et ses « complices » ?

Il s'agissait de Raymond Trencavel, vicomte de Béziers : deux noms qui évoquaient tout un passé antérieur à la naissance du jeune Louis IX, mais qui éveillaient chez Blanche des souvenirs plus qu'inquiétants. Et c'est pourquoi sans doute le sénéchal du roi rendait compte des événements, non au roi lui-même, mais bien à la reine sa mère, certain d'être par elle mieux compris.

Ces souvenirs remontaient très précisément à l'année 1209, lorsqu'avait commencé la croisade prêchée sur l'ordre du pape Innocent III. Les croisés répondant à l'appel du pape avaient alors vu, non sans quelque surprise, le comte de Toulouse Raymond VI se joindre à eux après s'être hâtivement réconcilié avec l'Église lors d'une spectaculaire pénitence devant le portail de l'église Saint-Gilles-du-Gard. Et la première cible de l'expédition avait été, à son instigation, la cité de Béziers dont le vicomte Raymond-Roger était depuis toujours son ennemi. Béziers avait été le théâtre d'une affreuse tuerie. Sa volte-face n'avait guère profité au comte de Toulouse, qui ne s'en était pas moins vu dépouiller de ses États par Simon de Montfort, lequel, ayant pris la tête de l'expédition, s'était fait décerner le titre de vicomte de Carcassonne et de Béziers.

Mais au moment où le sénéchal Guillaume des Ormes écrivait à Blanche, une page avait été tournée. Les principaux protagonistes de ces sinistres événements avaient disparu. Une autre génération leur avait succédé et ç'avait été le premier traité de paix conclu par Blanche que celui qui, l'an 1229, avait marqué, pour le Midi albigeois, la fin de vingt années de guerres.

Or, le fils de Raymond-Roger, Trencavel, lui, n'avait pas désarmé. Il n'avait que deux ans quand son père était mort prisonnier de Simon de Montfort. Il avait été quelque temps confié à la garde du comte de Foix, puis avait trouvé refuge à la cour d'Aragon. N'ayant pas souscrit à la paix jurée par Raymond VII en 1229, il était considéré comme un proscrit, un *faidit,* mais cette situation du moins lui laissait les mains libres : il pouvait sans se parjurer entreprendre la reconquête des biens paternels. On l'avait vu subitement reparaître l'été 1240 et, soutenu par une petite troupe de chevaliers aragonais et catalans, allumer sur son passage des foyers de révolte. De petites villes comme Montolieu ou Saissac, des places plus importantes comme Limoux ou Montréal secouaient l'autorité du sénéchal et leurs hommes venaient rejoindre les troupes de Trencavel. C'est ainsi que, le 7 septembre 1240, celui-ci s'était présenté soudain devant Carcassonne avec des forces subitement accrues.

Le sénéchal du roi s'était retranché dans la Cité. L'évêque de Toulouse, l'archevêque de Narbonne étaient venus l'y rejoindre et avec eux un certain nombre de nobles et surtout de clercs de la région : ils se sentaient plus en sécurité derrière les murailles de la ville que dans les bourgs ou la campagne environnante. Ils n'avaient pas tort, comme allait le prouver la suite des événements. Le 8 septembre en effet, une partie des habitants du bourg de Carcassonne — la ville proprement dite située hors des remparts — prêtait serment de demeurer fidèle au roi de France, sur l'autel de la Vierge de l'église Sainte-Marie. Le lendemain même, Trencavel pénétrait dans le bourg et une trentaine de clercs réfugiés dans cette même église y étaient massacrés.

La raison profonde de ce sursaut d'anticléricalisme ? Ce n'était certes pas que l'ensemble des populations méridionales fussent gagnées à l'hérésie. Les horreurs de la guerre, les pillages et les massacres, suites fatales de cette décision plus fatale encore d'expulser l'hérétique par les armes, avaient déposé en elles un vieux fond de rancœurs et de rancunes bien compréhensibles, — pâte amère qui n'attendait pour lever qu'un ferment de révolte. Or, depuis quelques années, la lutte contre l'hérésie avait pris un tour nouveau, moins violent sans doute que la croisade, mais plus insupportable aux populations par l'appareil de légalité et l'atmosphère de soupçons et de dénonciations qui l'accompagnaient. Un tribunal permanent fonctionnait désormais, qui avait mission de détecter l'hérésie et d'en poursuivre les auteurs. Cette décision avait été prise par le pape Grégoire IX, l'an 1231[9]. Deux ans plus tard, elle était passée dans les faits ; le pape avait confié aux Frères prêcheurs le soin de prendre en main la poursuite de l'hérésie dans le royaume de France : l'Inquisition, tribunal permanent pour la recherche de l'hérésie, était née. Évêques et archevêques de France étaient déchargés du soin d'enquêter eux-mêmes et devaient apporter leur concours aux inquisiteurs désignés pour ce faire parmi les Prêcheurs. Des tribunaux fonctionnaient désormais un peu partout : à Avignon, à Montpellier, à Toulouse. En 1237, des juges s'étaient installés de même à Carcassonne. Le frère qui y présidait, un Catalan, Frère Ferrier, devait exercer ses redoutables fonctions avec une particulière énergie qui lui valut le surnom de « marteau des hérétiques ».

Au reste les régions méridionales n'avaient pas le peu enviable monopole du fonctionnement de ces tribunaux. A La Charité-sur-Loire, le pape avait confié cette mission du tribunal d'Inquisition à un frère prêcheur nommé Robert le Petit, que l'on surnommait Robert le Bougre, car il s'agissait d'un ancien cathare converti. Or il avait mis une telle ardeur dans la répression que, moins d'un an après qu'il ait pris ses fonctions, en février 1234, le pape suspendait ses pouvoirs. Il devait pourtant les lui rendre au bout de dix-huit mois et le terrible inquisiteur, au cours d'une tournée qu'il allait faire dans la France du Nord, à Châlons-sur-Marne, à Péronne, Cambrai, Douai et Lille, allait allumer partout des bûchers, faisant au total une cinquantaine de victimes. Plaintes et protestations affluèrent au pape et, à la suite d'une effrayante condamnation qui, l'an 1239, fit à Provins 183 victimes, Robert le Bougre fut définitivement destitué.

Il reste que dans le Midi l'Inquisition désormais établie ne faisait qu'ajouter à la rancœur des populations. Les événements de Carcassonne montraient assez que ces rancœurs n'attendaient qu'une occasion pour se manifester. « Sachez, Dame, que depuis qu'ils ont commencé le siège, ils n'ont cessé de faire contre nous leurs assauts, écrivait Guillaume des Ormes, mais, ajoutait-il, nous avions tant bonnes balistes, de gens animés d'une bonne volonté de se défendre, qu'eux-mêmes, en leurs assauts, ont beaucoup perdu. » Sa lettre se terminait sur une nouvelle rassurante : les gens de Trencavel, en effet, apprenant qu'un renfort allait parvenir au sénéchal, avaient quitté furtivement le siège dans la nuit du 11 au 12 octobre après avoir brûlé les maisons du bourg de Carcassonne et détruit le couvent des Frères mineurs et le monastère Sainte-Marie. Le siège avait donc été levé à la veille même de ce 13 octobre 1240, date de la lettre du sénéchal, — et levé dans des circonstances favorables puisque celui-ci écrivait : « Des nôtres en vérité, aucun, par la grâce de Dieu, n'est mort ni même blessé à mort. » Toutefois la dernière phrase de sa lettre ne laissait pas de contenir quelques sous-entendus, car il écrivait : « Quant aux autres affaires de la terre, Dame, nous vous en dirons la vérité lorsque nous serons en votre présence. »

L'épopée de Trencavel avait pris fin peu de temps après le siège manqué de Carcassonne. Blanche, qui s'était occupée activement d'envoyer au sénéchal un renfort militaire aux ordres du chambellan Jean de Beaumont, n'avait pas montré moins d'empressement à manifester aux habitants de la ville de Béziers, demeurés fidèles en la circonstance, sa reconnaissance : « Nous vous rendons grâce de votre fidélité... vous priant et requérant que vous persévériez de telle sorte en cette constance envers notre fils le roi que par là vous méritiez d'en avoir aide et faveur de sa part et de la nôtre », leur écrivait-elle en ce même mois d'octobre 1240[10]. Retranché à Montréal, Trencavel n'avait pas tardé à capituler. Il avait obtenu la vie sauve et s'était rendu en Aragon.

Mais Blanche était trop avertie des affaires du Midi pour penser que l'événement demeurerait isolé et sans conséquences. Et d'abord, que pouvait-on attendre du comte de Toulouse ? Il se trouvait à Penautier au moment du siège de Carcassonne. Le sénéchal lui avait dépêché un message pour demander son aide, mais il n'avait fourni qu'une réponse évasive : il lui fallait d'abord, disait-il, revenir à Toulouse et réunir son conseil. Certes, il était venu depuis à la cour royale à Montargis, quelque temps avant les fêtes de Saumur, rendant ses devoirs à son suzerain comme pouvait le faire un vassal fidèle. Mais Blanche connaissait trop bien son cousin pour ne pas deviner, à travers des gestes et des attitudes en apparence inchangés, les arrière-pensées possibles. Elle n'était pas sans éprouver une affection personnelle pour Raymond VII de Toulouse (ses contemporains, on l'a vu, le lui reprochaient), mais cette affection ne la rendait que plus perspicace à son égard. Raymond VII à vrai dire lui avait causé beaucoup de soucis au cours des dernières années. Il s'était mis en tête de trouver une compensation à ses précédents déboires en s'emparant du comté de Provence, négociait avec l'empereur Frédéric II, et était parvenu à se faire attribuer par les Marseillais le titre de vicomte de leur ville. Le comte de Provence, Raymond-Bérenger, avait invoqué, entre lui et le comte de Toulouse, l'arbitrage de Blanche elle-même et du roi de France, son gendre. Raymond les avait acceptés pour arbitres, mais n'en avait pas moins entrepris le siège d'Arles et ravagé la Camargue. Finalement le pape en personne, Grégoire IX, était intervenu : « Nous qui, à la demande du roi de France et de notre très chère fille en Jésus-Christ Blanche, reine de France, avons consenti à te donner un délai pour prendre la mer... ne l'avons pas fait pour que tu ailles occuper injustement les biens des fidèles et les attaquer contre toute justice... » Raymond en effet, en rentrant dans le sein de l'Église, s'était engagé à prendre la croix, mais trouvait sans cesse de nouveaux prétextes pour retarder sa croisade[11].

Enfin et surtout, plus proche et plus menaçant encore que le danger toulousain, il y a le danger poitevin. De ce côté, Blanche est sans illusion comme sans affection ; elle se méfie du comte de la Marche, Hugues de Lusignan ; elle se méfie surtout de sa femme Isabelle, l'ex-reine d'Angleterre, qu'elle connaît pour l'avoir vue agir pendant quarante ans. Elle s'en méfie si bien qu'elle a placé un homme sûr, un bourgeois de La Rochelle, bien introduit parmi les familiers du comte et de la comtesse de la Marche, avec mission de tout voir, de tout entendre et de tout lui rapporter. Espionnage en règle : le nom de l'espion ne nous est pas connu, mais l'un au moins de ses rapports nous est parvenu sous forme d'une petite lettre close, feuille de parchemin qui, une fois pliée, ne mesure pas plus de cinq centimètres de côté et pouvait être facilement dissimulée, mais qui, couverte d'une écriture serrée avec de multiples abréviations, contient un rapport extrêmement détaillé sur les faits et gestes du comte et de la comtesse dans les mois qui suivent les fêtes de Saumur[12].

Au cours de ces fêtes en effet, Alphonse, frère du roi, s'est vu reconnaître solennellement le titre de comte de Poitiers et mettre en possession du Poitou et de l'Auvergne. Titre qui n'est pas à l'abri de toute contestation si l'on songe que cinquante ans auparavant il était porté par Richard Cœur de Lion, roi d'Angleterre, et qu'il a été repris, de façon toute platonique il est vrai, par un autre Richard, Richard de Cornouailles, frère du roi d'Angleterre alors régnant, Henri III. C'est assez dire que toute la vigilance du roi et de sa mère se porte sur cette région poitevine et sur son entourage ; depuis plusieurs années déjà la reconstruction et la fortification du château d'Angers ont été entreprises à grands frais[13] et les dépenses faites à Saumur trouvent là leur explication dernière.

Du reste tout semble bien s'annoncer. Cette démonstration de faste et de puissance paraît avoir influencé le comte de la Marche qui, d'abord réticent, prête finalement, au mois de juillet suivant, l'hommage lige à Alphonse de Poitiers en présence de Louis IX, et les reçoit l'un et l'autre en son château de Lusignan. Après quoi le roi prit congé et regagna Orléans, Pontoise et Paris, tandis qu'Alphonse s'installait à Poitiers, au Palais ducal.

Or, cette soumission ne faisait pas l'affaire d'Isabelle. A peine Louis et Alphonse étaient-ils partis qu'elle venait elle-même à Lusignan, furieuse, et faisait déménager tous les objets des chambres dans lesquelles ils avaient couché : tentures, couvertures, coffres, trépieds, jusqu'aux chaudrons et ustensiles de cuisine, jusqu'à la chapelle dans laquelle ils avaient assisté aux offices, tissus d'autel, ornements et même la statue de la Vierge qui dominait l'autel, — cela sous les yeux de son époux, stupéfait et désolé. Il lui fit timidement remarquer que si c'était pour en enrichir celui d'Angoulême qu'elle dépouillait ainsi le château de Lusignan, elle prenait une peine inutile : il en aurait acheté autant ou davantage pour elle, dont elle aurait eu tout loisir de meubler le château de son père. La remarque, faite sur le ton le plus doux, eut le don d'exaspérer Isabelle : « Allez-vous-en ! Partez loin de mes yeux, être vil entre tous ! Vous êtes un abject personnage, l'opprobre de tout le peuple, vous qui venez de recevoir avec honneur ceux qui vous ont déshérité ! Je ne veux plus vous voir, jamais ! » Et laissant là son époux interdit, elle fit donner l'ordre au chariot de s'ébranler et se rendit elle-même à Angoulême où elle s'enferma dans le château.

Hugues mit deux jours à retrouver ses esprits, puis se rendit à son tour à Angoulême ; mais, entré dans la cité, il se vit refuser l'accès au château. Pendant trois jours Isabelle le laissa dehors, refusant de le recevoir ; le malheureux homme demeura dans la maison du Temple, la mort dans l'âme. Sans se lasser, il envoyait force messagers à sa femme, chargés de cadeaux, la suppliant de l'admettre en sa présence : Isabelle finit par se rendre à ses supplications, mais l'entrevue allait être pénible pour Hugues. A son entrée dans sa chambre, Isabelle éclata en larmes ; aux reproches qui suivirent, le comte put comprendre que le silence et la solitude n'avaient en rien atténué la fureur de son épouse : « Minable que vous êtes ! n'avez-vous pas vu à Poitiers qu'on m'a fait attendre trois jours, à la grande satisfaction du roi et de la reine ; que quand je suis venue devant eux, dans la chambre où le roi était assis, il ne m'a pas fait appeler et ne m'a pas fait asseoir auprès de lui ! et cela par malignité, pour m'humilier devant les gens ! J'étais là, debout, comme une vulgaire servante ; ni à mon arrivée ni à mon départ ils ne se sont levés pour moi ; n'avez-vous pas vu le mépris qu'ils m'ont témoigné ? je n'en dirai pas plus, la douleur et la honte m'en empêchent, plus encore que cette façon perverse dont ils m'ont déshéritée de ma terre ; cette douleur et cette colère me tueront, si Dieu ne permet qu'ils ne se repentent et n'aient à en souffrir. Ils perdront leurs biens, ou alors c'est moi qui perdrai tout ce que j'ai et qui mourrai à la peine ! » Hugues, bouleversé, ne sut que murmurer : « Dame, commandez ; je ferai tout ce qui sera en mon pouvoir ; vous le savez bien. — Si vous ne le faites, jamais plus vous ne coucherez à mes côtés ; jamais plus je ne vous verrai ! » Il jura d'obéir, de se conformer exactement à ce qu'elle voudrait, et peu à peu la paix se rétablit entre les deux époux.

Cette scène tragi-comique fut relatée à Blanche point par point. Elle savait désormais qu'Hugues de la Marche trahirait son serment et qu'Isabelle n'aurait de cesse qu'elle n'ait récupéré ce Poitou dont elle avait eu la suzeraineté en tant que reine d'Angleterre. Pour la contenter, Hugues allait se muer en conspirateur. Il y eut des réunions secrètes dont l'une, tenue à Parthenay, rassembla plusieurs barons poitevins. Isabelle, pour plus de sûreté, les fit venir à Angoulême (« elle leur fit grand honneur, plus qu'à l'accoutumée, car elle ne les aimait pas », note l'espion de La Rochelle). Sous ses yeux ils renouvelèrent le pacte précédemment fait à l'instigation d'Hugues de la Marche, promettant de se rebeller contre le roi de France à la première occasion. Une autre réunion eut lieu à Pons en Saintonge ; l'espion de La Rochelle n'y participait pas, mais il y avait envoyé un homme à lui ; cette fois le complot prenait corps, des projets précis étaient faits notamment pour investir le port de La Rochelle et fermer la route de Niort de façon à y empêcher l'entrée des blés et vivres. L'espion à ce sujet mettait en garde la reine Blanche. « Il serait bon, Dame, que vous ordonniez... au maire de La Rochelle et des autres villes de bien garder les portes pour que personne n'y entre qui ne soit connu ; je sais en effet, dans le plus grand secret, que quelques hommes doivent mettre le feu dans la ville et qu'ils ont été payés pour cela... S'il vous plaît, faites mander au maire et aux prévôts de faire chasser de jeunes garçons désœuvrés qui ouvertement tiennent un mauvais lieu à La Rochelle. De là sont parties beaucoup d'émeutes dans notre ville et dans ce mauvais lieu lui-même deux hommes ont été tués. J'aurais dit moi-même cela au maire de la ville, mais je ne veux pas qu'il puisse me soupçonner de vous avoir écrit ou d'avoir dit quoi que ce soit concernant le comte de la Marche... »

Par ailleurs, Blanche savait que parmi les conjurés qui s'étaient réunis à Pons en Saintonge se trouvait le sénéchal de Gascogne, représentant le roi d'Angleterre. Le complot s'élaborait donc au vu et su de ce dernier, et au mépris des trêves qu'il avait signées précédemment avec le roi de France.

Ainsi, de la Manche aux Pyrénées, tout était prêt pour le vaste incendie qu'une étincelle suffirait à allumer.

Alphonse de Poitiers tint à Noël sa première cour ; Hugues et Isabelle s'y rendirent, mais bien loin de rendre hommage, ce fut un défi en règle qu'ils lancèrent à leur jeune suzerain. Isabelle en termes violents déclara qu'elle retirait son hommage et tenait Alphonse pour un usurpateur ; puis précipitamment le comte de la Marche et sa femme quittèrent la ville, après avoir mis le feu à la maison dans laquelle ils avaient été logés.

Désormais la situation était au moins claire et la guerre inévitable. Louis convoqua sans tarder pour Pâques suivante l'armée des barons. De son côté, Hugues de la Marche passa en Angleterre : « Il se mit en mer et passa outre et fit entendre au roi Henri que le roi de France le voulait déshériter et prendre sa terre à tort et sans raison[14]. » Le 28 janvier 1242, Henri réunissait à Londres l'assemblée des barons et décidait avec eux d'exploiter l'occasion qui s'offrait de recouvrer les provinces jadis perdues : Normandie, Poitou, Anjou, et de reconstituer jusqu'à l'Atlantique le royaume des Plantagenêts ; il fit, cette fois, des préparatifs d'envergure. Hugues de la Marche lui avait assuré qu'une fois sur le sol de France il trouverait de l'aide autant qu'il voudrait, les Poitevins ne souhaitant rien d'autre que de se retrouver sous sa suzeraineté. Il engagea néanmoins des mercenaires qu'il fit venir d'Allemage, de Danemark et de Norvège, puis il manda ses barons comme à l'accoutumée et, sa flotte ayant eu bon vent, débarqua dans ses domaines de Guyenne, à Royan, le 20 mai 1242.

Sur le rivage, sa mère l'attendait : « Beau fils, lui dit-elle en le baisant moult doucement, vous êtes de bonne nature, vous qui venez secourir votre mère que les fils de Blanche d'Espagne veulent malement défouler et tenir sous leurs pieds. Mais, s'il plaît à Dieu, il n'en ira pas comme ils pensent ! »

On ne peut s'y tromper : les revendications de la vassale se doublaient d'une rivalité de femmes ; c'est « Blanche d'Espagne » qu'Isabelle entend combattre.

Louis, de son côté, n'était pas demeuré inactif ; il avait assigné rendez-vous à ses barons le 28 avril à Chinon. L'organisation de son armée manifestait ses goûts personnels, car il avait une curiosité d'ingénieur pour tout ce qui était « engin », la machine, autrement dit la technique ; on ne sait si dès cette époque son maître artilleur Jocelyn de Cournault lui était déjà attaché, mais les contemporains ont noté que ses préparatifs ont consisté surtout à « faire engins pour jeter pierres » et « mander charpentiers pour faire châteaux et barbacanes afin de tirer de plus près à ceux qui seraient dans les forteresses de défense ». Au reste, cette curiosité d'ingénieur va de pair avec l'intérêt pour l'architecture que les contemporains ont aussi noté chez le roi Louis IX, l'architecte étant alors avant tout un ingénieur attentif aux problèmes de pesées et de contrebutement, de résistance de matériaux et d'appareils de levage.

Toujours est-il qu'au moment du débarquement du roi d'Angleterre, le roi de France s'était déjà emparé de quelques petits châteaux forts sur son passage : Montreuil-Bonnin, la tour de Béruges dès le mois de mai, puis au début de juin Fontenay-le-Comte et le château de Vouvant.

C'est alors que se place un étrange épisode : deux hommes furent surpris circulant dans les cuisines du campement royal, et, s'il faut en croire les chroniques, leurs allées et venues ayant éveillé les soupçons parmi les valets de cuisine, ils furent pris en flagrant délit au moment où ils venaient de « jeter du venin dans la viande du roi ». Ce « venin », ce poison leur aurait été remis par Isabelle elle-même, avec mission de le mettre dans le plat ou la coupe du roi de France. Les deux hommes furent pendus haut et court et, à en croire toujours l'unique chronique qui mentionne le fait, Isabelle en fut malade de fureur. « Nouvelle vint à la comtesse que ses deux serfs avaient été pendus et pris sur le fait de leur mauvaiseté ; elle en fut fort courroucée, tant qu'elle prit un couteau et s'en voulut frapper parmi le corps ; quand ses gens le lui ôtèrent et qu'elle vit qu'elle ne pouvait faire sa volonté, elle déchira son guimple et ses cheveux, et mena tel deuil qu'elle en fut longuement malade au lit sans se réconforter[15]. »

Quoi qu'il en soit de cet épisode, la marche des opérations n'en fut pas retardée, non plus que les négociations qui étaient de règle à l'époque : envois d'ambassade et lettres de défi de part et d'autre, etc. Le roi de France consolidait ses conquêtes en Poitou ; il possédait une alliance solide en Saintonge en la personne de Geoffroy de Rancon, sire de Taillebourg ; celui-ci haïssait le comte de la Marche « pour un grand outrage que le comte de la Marche lui avait fait ainsi qu'on le disait, il avait juré sur les saints (les reliques) que jamais il ne se ferait tondre à la guise des chevaliers, mais qu'il porterait des bandeaux ainsi que faisaient les femmes, jusqu'à ce qu'il se soit vengé du comte de la Marche, ou par lui ou par autrui[16]. »

Sans laisser par ailleurs aux barons poitevins, toujours vacillants dans leurs alliances, le temps d'hésiter, Louis s'emparait successivement du château de Frontenay qui devait s'appeler par la suite Frontenay-l'Abattu ; puis de Villiers, Prahecq, Saint-Gelais, Tonnay-Boutonne, Matha, Thors que la garnison évacua, rendant les armes sans combattre. Les armées royales avaient ainsi atteint la Charente avant même que le roi de France eût mené la moindre action militaire. Geoffroy de Rancon, tout à sa vengeance, avait amusé Henri III par des pourparlers sans objet jusqu'au jour où, le 20 juillet 1242, il fit entrer les Français dans la place :

> Les Poitevins, les Gascons, les Anglais
> Gardèrent mal le pont de Taillebourg
> Que malgré eux passèrent les Français
> Et les chassèrent, les mirent en retour,
> Jusques à Saintes, ne firent onc estour
> [(jamais combat)

dit une chanson contemporaine.

Le roi d'Angleterre était acculé à la lutte, mais la rapidité de l'avance française l'avait privé d'une partie des moyens sur lesquels il comptait : « Apprenant que le roi de France approchait de Taillebourg, nous y arrivâmes de notre côté mais, n'ayant pu le faire parce que nous avions peu de nos Anglais avec nous, à cause de l'évidente supériorité numérique des Français, nous battîmes en retraite jusqu'à Saintes » ; c'est ainsi que Henri III devait raconter les événements dans une lettre adressée plus tard à l'empereur Frédéric II. A ce moment-là il avait député auprès du roi de France son frère Richard de Cornouailles.

L'ambassadeur était bien choisi : Richard revenait de croisade et, lors d'un désastre subi par les chevaliers occidentaux à Gaza, il avait lui-même racheté nombre de chevaliers français des mains des Sarrasins. Le roi de France le reçut courtoisement, mais ne consentit à lui accorder qu'une trêve de quelques heures. Revenu auprès de Henri III, son frère lui dit à l'oreille : « Sauvons-nous vite, vite, ou nous serons pris » ; tous deux dînèrent à la hâte — « car les Français passaient alors le pont » — et, suivis de l'armée en débandade, ne s'arrêtèrent qu'une fois parvenus dans la cité de Saintes. L'armée anglaise risquait d'être prise de deux côtés car, en dehors du pont de pierre jeté sur la Charente à la hauteur de Taillebourg, le roi Louis avait fait faire un pont de bois sur lequel avaient déjà passé, disait-on, cinq cents sergents et arbalétriers.

Le lendemain 22 juillet, Louis IX devait lui-même passer la Charente et s'engager sur la route de Saintes. Aussitôt prévenu, le comte de la Marche qui se trouvait dans la ville s'arme et engage le combat. Le premier choc allait être reçu par Alphonse le neveu, comte de Boulogne ; mais très vite la bataille devint générale. Deux rois étaient en présence ; leur rencontre était dès longtemps attendue ; leurs armées se renvoyaient les cris de guerre : « Royaux ! Royaux ! » du côté anglais, et côté français : « Montjoie ! Montjoie ! » Bientôt le roi Louis force son partenaire à la fuite. Henri se replie sur Saintes. Il y est poursuivi avec tant d'ardeur que l'un des Français, Jean des Barrès, ayant pénétré dans la ville avec quelques-uns des siens, se trouva prisonnier une fois les portes refermées.

Ces prisonniers devaient plus tard raconter comment il y eut « grand descort », grandes disputes, après cette affaire manquée, entre Henri III et le comte de la Marche.

« Qu'as-tu fait de ta promesse ? Tu nous avais promis de nous trouver tant de soldats qu'ils pourraient s'opposer allégrement au roi de France... ? — Jamais je n'ai fait cela — Comment ! j'ai encore ici, à l'armée, ta charte à ce sujet ! Ce n'est pas moi qui l'ai faite ni signée. — Qu'est-ce que j'entends là ? N'as-tu pas souvent envoyé vers moi messagers et lettres, jusqu'à m'importuner, pour que je revienne ici, en me reprochant sans cesse de tarder ? Où sont ces forces que tu m'avais promises ? — Jamais je n'ai fait cela. Prenez-vous-en à votre mère mon épouse ! par la gorge-dieu, c'est elle qui a machiné tout cela sans que je le sache ![17] »

Le lendemain de la bataille, Henri III battait en retraite vers Pons puis, ne se jugeant pas en sûreté, il se repliait à nouveau vers Barbezieux, puis à Blaye : assez judicieusement, car aussitôt le seigneur de Pons, Renaud, alla faire sa soumission à Louis, qui se trouvait à Colombiers. Hugues de la Marche de son côté envoyait au roi de France son fils aîné en otage, puis, le 26 juillet, se présentait lui-même, avec sa femme et ses enfants : « Ils lui crièrent merci avec tant de soupirs et larmes et commencèrent à dire : « Très « doux roi débonnaire, pardonne-nous et aie pitié « de nous, car nous sommes allés mauvaisement « et par orgueil contre vous. Sire, selon la grande « franchise et la grande miséricorde qui est en « vous, pardonne-nous notre méfait. » Le roi qui vit le comte de la Marche si humblement crier merci ne put le tenir en félonie, mais tantôt il fut changé en pitié ; il fit lever le comte et lui pardonna tout ce qu'il avait méfait[18]. »

Et la dramatique entrevue comporte un épilogue coloré : « Quand le sire Geoffroy de Rancon vit le comte de la Marche, sa femme et ses enfants, agenouillés devant le roi, qui lui criaient merci, il fit apporter un tréteau et fit ôter ses bandeaux, et se fit tondre tout d'un coup en présence du roi, du comte de la Marche et de ceux qui étaient là. » Il s'en jugeait vengé.

L'événement suscita maintes chansons et récits ironiques :

> *Ils n'y contèrent pas Ogier* (Ils n'eurent pas
>   [le temps d'en faire des contes),
> *Les Anglais, en buvant cervoise* (bière) ;
> *Mais toute France s'en revoise* (s'en réjouit) :
> *Cervoise ne passera vin*[19].

Et l'on imagine assez la satisfaction de Blanche, à entendre ces chansons circuler de bouche en bouche :

> *Moult fit le roi que preux et que vaillant,*
> *Comte d'Artois et comte de Poitiers,*
> *Qui là montèrent au secours de leurs gens,*
> *Armés de fer sur leurs vaillants destriers.*
> *Dieu, gardez nous le seigneur des Français,*
> *Charles et Alphonse et le comte d'Artois !*

Un couplet était consacré au malheureux comte de la Marche :

> *Moult fit le comt(e) de la Marche que fou*
> *Qui mit son corps et sa terre à bandon*
> *Contre le roi : ce fit pour que le loue*
> *Sa femme, qui jamais ne cherche si mal*
>   [non[20].

Le caractère d'Isabelle avait une réputation aussi bien établie que le manque de caractère de son époux.

L'un et l'autre devaient avoir d'ailleurs une fin édifiante. L'année qui suivit la bataille de Taillebourg, ils répartissaient leurs terres entre leurs enfants ; après quoi Isabelle entrait à Fontevrault. Matthieu Paris, il est vrai, donne une version assez terre à terre de cette retraite parmi les moniales d'une femme aussi violente et passionnée qu'Isabelle d'Angoulême ; il raconte qu'à cause d'elle Hugues de la Marche s'était battu en duel contre un chevalier qui l'avait provoqué en lui tendant son gant (« à la manière des Français », dit-il). C'est alors qu'Isabelle, « prenant conscience de tant de maux, s'en fut à l'abbaye de moniales qu'on appelle Fontevrault et là, dans une cellule très secrète, sous l'habit religieux, elle se cacha, se sentant d'ailleurs à peine en sûreté[21] ». Mais Matthieu Paris est un chroniqueur trop fielleux pour qu'on puisse adopter sans plus ses allégations. Quoi qu'il en soit de la raison qui l'ait fait entrer au couvent, Isabelle devait finir ses jours à Fontevrault où tant d'autres avant elles, femmes fatales ou amoureuses passionnées, avaient trouvé un asile de paix. Elle y termina en 1246 sa vie étonnamment agitée, et son gisant s'y trouve toujours : belle statue tombale en bois qui voisine avec l'admirable tombe d'Aliénor d'Aquitaine.

Quant à son époux, Hugues de la Marche, il devait, devenu veuf, partir pour la croisade et mourir en héros devant Damiette.

*
**

Dans l'immédiat, la soumission du comte de la Marche écartait celui qui avait été l'âme et l'instigateur du complot, mais on ne pouvait pour autant considérer les hostilités comme terminées. La victoire de Louis avait dispersé les forces anglaises. Restaient celles du comte de Toulouse, sans parler des rois d'Aragon et de Navarre qui avaient promis leur appui mais que la marche rapide du roi de France avait devancés. Bien plus, une circonstance fortuite faillit tout remettre en question durant l'été : une épidémie de dysenterie se déclarait dans l'armée ; le roi lui-même en fut atteint. Vive alarme, on l'imagine, dans le camp des Français. Matthieu Paris dit qu'un vrai désespoir — le mot ne lui paraît pas trop fort — s'empara de l'armée. Le souvenir de la mort de Louis VIII était encore assez récent pour peser sur les compagnons du roi. Le Midi portait-il malheur à la couronne ? On imagine les angoisses par lesquelles dut passer Blanche, demeurée au-delà de la Loire, et s'attendant à chaque instant à voir se renouveler la scène qui s'était passée treize ans auparavant, dont elle n'avait pu oublier aucun détail.

Enfin parvint un messager qui, lui, était porteur de bonnes nouvelles : le roi se rétablissait, il se préparait à retourner en Ile-de-France. A la fin de septembre effectivement Blanche retrouvait son fils en bonne santé ; il ne restait plus qu'à fêter sa victoire. Un à un, les barons de l'Ouest faisaient leur soumission. Le premier fut Guillaume l'Archevêque, sire de Parthenay, dans la forteresse duquel la conspiration s'était d'abord ébauchée ; puis Hertold, le châtelain de Mirambeau, impuissant à défendre son château, alla en vassal dévoué demander au roi Henri III la permission de porter sans plus tarder son hommage au roi de France. Bientôt Henri, qui s'éternisait à Bordeaux, dut convenir qu'il était quelque peu isolé. On daubait beaucoup sur la seule alliée qui lui restât : la comtesse de Béarn, une femme surprenante que Matthieu Paris décrit comme « singulièrement monstrueuse et d'une effarante grosseur » ; une sorte de « force de la nature », qu'on accusait de grever les finances royales par son appétit à table. Irrésolu, ne se résignant pas à reconnaître sa défaite, Henri s'attardait sans espoir sur les rives de la Garonne. Au reste les nouvelles qui lui parvenaient d'Angleterre n'étaient pas faites pour l'inciter à revenir : l'automne avait été mauvais, les pluies si abondantes que la Tamise avait débordé ; dans son palais de Westminster les gens circulaient à cheval : il était à demi envahi par les eaux. Il finit par se résigner à conclure une trêve avec le roi de France, le 23 avril 1243, après avoir tenté inutilement d'obtenir des secours ici et là sous quelque forme que ce soit. Matthieu Paris raconte plaisamment qu'au chapitre général des Cisterciens tenu cette année-là le roi de France fit demander des prières et le roi d'Angleterre de la laine (c'est sous cette forme que les moines envoyaient généralement leurs subsides).

Lorsque enfin, au mois d'octobre suivant, il se rembarqua, il devait pousser l'inconséquence jusqu'à ordonner une réception triomphale : tous les nobles de son royaume devaient être présents à son arrivée avec quatre bourgeois de chacune des grandes villes, le clergé en procession, cierges allumés, etc. On en parla beaucoup à Londres et à Winchester où eut lieu semblable cérémonie, — mais pas dans le sens que le roi eût souhaité... Les barons d'Angleterre avaient dès longtemps précédé le roi ; l'un après l'autre ils avaient, peu de temps après Taillebourg, sollicité du roi de France un sauf-conduit pour traverser ses terres en toute liberté. Louis IX accorda libéralement les sauf-conduits. On lui en fit reproche. Non sans humour le roi répondit : « Qu'ils partent libre-

ment mais qu'ils s'en aillent ! Que puis-je demander de mieux que de voir les ennemis de mon
royaume le quitter sans esprit de retour ! »

C'était mieux qu'une simple boutade. L'ennemi
véritable se trouvait à l'intérieur.

Le comte de Toulouse Raymond VII, en effet,
s'était hâté de joindre la coalition, vivement
pressé de le faire non seulement par Trencavel,
mais par un autre baron méridional, Roger,
comte de Foix. Il s'était depuis peu réconcilié avec le comte de Provence et avait donc les
mains libres. L'affaire montée à Carcassonne
deux ans plus tôt pouvait se renouveler ; les
hérétiques nombreux dans le proche entourage
du comte de Toulouse reprenaient espoir et
trouvaient le moment favorable pour tenter un
coup de force.

Peu de temps après le débarquement de Henri III à Royan, les 25 et 26 mai 1242, une tournée
du tribunal d'Inquisition avait eu lieu en Languedoc. Les inquisiteurs étaient un frère prêcheur,
Guillaume Arnaud, et un frère mineur, Étienne de
Saint-Thibéry (les frères mineurs ou Franciscains
avaient été adjoints dès la date de 1235 aux Dominicains dans la lutte contre l'hérésie). Ils avaient
avec eux deux autres prêcheurs, un frère mineur
nommé Raymond Carbonnier, un notaire, deux
appariteurs, deux autres clercs, en tout une douzaine de personnes qui s'installèrent à Avignonet
dans le château du comte de Toulouse et commencèrent à recueillir les dépositions des habitants comme ils l'avaient fait précédemment dans
plusieurs autres villes de la région, à Laurac, à
Castelnaudary, à Farjeaux et Sorèze.

Or, les inquisiteurs et leur entourage étaient
tombés dans un guet-apens. Le sénéchal de Raymond VII, Raymond d'Alfar, qui était aussi son
frère naturel (fils d'une maîtresse de Ray-

mond VI), s'étant vu confier la garde pour le comte du château d'Avignonet, avait résolu leur perte. Dès l'arrivée des inquisiteurs le sénéchal avait prévenu le seigneur de Montségur, Pierre-Roger de Mirepoix (entièrement dévoué à la cause de l'hérésie, il donnait asile à l'évêque cathare Bertrand Marty et à de nombreux « parfaits ») qu'il tenait ses ennemis à merci. Aussitôt Pierre-Roger, prenant personnellement la tête de l'opération, s'ébranlait avec une quarantaine de cavaliers, recrutait en chemin une trentaine d'amis qui furent armés de haches, et mettait en place sa petite troupe. L'ordre d'agir fut donné pour le soir du 28 mai, veille de l'Ascension. Pierre-Roger lui-même demeurerait embusqué avec quelques hommes dans le bois de la Selve proche d'Avignonet, où les conjurés devaient venir les rejoindre une fois leur mission accomplie.

Ce fut rapide et dramatique. La bande pénétra sans difficulté dans le château ; les frères se trouvaient dans un appartement dont la porte fut brisée à coups de hache. Surpris dans leur sommeil, ils ne purent même pas esquisser un geste de défense et entonnèrent le *Te Deum*. Tous furent massacrés.

« Pourquoi ne m'as-tu pas rapporté la coupe ? » demanda Pierre-Roger au chef de la bande quand il le vit revenir vers lui, chargé des dépouilles de leurs victimes. Il voulait parler du crâne de l'inquisiteur Guillaume Arnaud. Son meurtrier s'en excusa : « Elle était brisée[22]. »

Comme on le pense, le massacre eut un immense retentissement ; chacun, entre haut et bas, en tenait plus ou moins le comte de Toulouse pour responsable. Que fût-il advenu si le roi d'Angleterre son allié avait été vainqueur ?

Ce qui est certain, c'est qu'après Taillebourg la situation de Raymond VII devenait quelque peu épineuse : il était excommunié ; militairement parlant, l'aide qu'il pouvait espérer était anéantie ; en revanche le clergé de France s'était empressé de voter un impôt d'un vingtième pour permettre au roi d'aller combattre contre Raymond VII « qui avait fait tuer des frères prêcheurs[23] ». Mieux, le comte de Foix qui l'avait incité à la révolte s'empressait dès le mois d'octobre 1242 de traiter avec Louis IX et s'engageait à le servir contre le comte de Toulouse. Sans perdre un instant une armée était envoyée contre ce dernier sous la direction du connétable Humbert de Beaujeu. Raymond se sentit perdu.

« Après Dieu, c'est en la clémence de votre sérénité que j'ai le plus confiance, vous qui manifestement nous avez longtemps aimé en la très haute ingénuité de votre âme — et nous aimez, et ne pouvez pas ne pas nous aimer, puisque vous gardez dans votre esprit l'amour de votre mère, d'insigne mémoire, par laquelle nous tenons à vous en lien de parenté. » C'est en ces termes que, le 20 octobre de cette année 1242, le comte de Toulouse Raymond VII s'adressait « à la sérénissime dame Blanche, par la grâce de Dieu illustre reine des Français », s'intitulant « son dévoué et fidèle cousin prêt à lui rendre hommage[24] ».

Blanche était sa parente. En toute occasion elle avait intercédé pour lui ; elle n'avait même pas craint de braver pour cela l'opinion, et Raymond faisait allusion dans sa lettre à « ceux qui parlent contre vous à notre propos » ; le ton était pressant, suppliant même : « au cœur nous reviennent bien des marques d'affection tant à cause de notre parenté que par égard pour notre fille qui fait partie de votre cour » ; il conjurait donc Blanche d'être sa médiatrice auprès de son fils, jurant que désormais il se conduirait en vassal fidèle. Puis il attendit dans l'angoisse. Blanche allait-elle se laisser fléchir une fois de plus ? La conduite de Raymond s'alliant au roi d'Angleterre et prenant les armes en dépit de la paix jurée précédemment n'était pas meilleure que celle de Ferrand de Flandre ou de Renaud de Boulogne ; comment allait-on le traiter ? « Quelques-uns ont reproché à la Dame Reine Blanche, mère du roi, de paraître trop favorable à son parent de Toulouse, écrit un chroniqueur du temps, Guillaume de Puylaurens, en racontant les événements ; il n'était pourtant ni vrai ni vraisemblable qu'elle l'aimât mieux que ses enfants et allât contre leur intérêt, mais elle agissait en femme prudente et discrète, faisant en sorte d'acquérir de ce côté et d'assurer la paix au royaume[25]. »

Raymond VII se rendit donc de Penne d'Agenais où il résidait à Alzonne où il trouva les envoyés du roi, Humbert de Beaujeu et Ferry Pâté, le maréchal, souvent envoyé en ambassade. Une trêve fut conclue. Le comte de Toulouse fut convoqué à Lorris en Gâtinais pour renouveler devant le roi de France la paix de Meaux-Paris. Il devait, cette fois, y demeurer fidèle.

« A partir de cette époque, écrit un chroniqueur, les barons de France cessèrent de rien entreprendre contre le roi, voyant manifestement que la main du Seigneur était avec lui[26]. » Louis allait se faire prêter serment de fidélité par les principales villes du Midi et donna l'ordre de démolir le bourg de Carcassonne pour le punir de sa rébellion ; la ville fut reconstruite sur le plan des villes neuves. Quant au château de Montségur qui demeurait un foyer de rébellion, il le fit investir par le sénéchal de Carcassonne[27] ; l'histoire des quelques îlots de résistance qui subsistaient ne devait trouver son épilogue que beaucoup plus tard, lorsque le dernier château servant d'asile à des *faidits* et des hérétiques, le château de Quéribus, en 1255, fut réduit par les troupes royales. Entre-temps, Raymond Trencavel avait lui aussi fait sa soumission et s'était conduit glorieusement en Terre sainte aux côtés du roi de France.

6

LA REINE MÈRE

Aller me faut là où porterai peine
En cette Terre où Dieu fut torturé...

C'EST à Rocamadour, le 1er mai 1244, que nous
retrouvons Blanche. Elle arrive en grand équipage ; ses quatre fils, leurs épouses et son neveu
Alphonse de Boulogne lui font cortège. Le sanctuaire de Notre-Dame « qui en la roche siet » — le
plus ancien peut-être qui ait été en France voué à
la Vierge — voit pour la première fois la cour
royale venir en pèlerinage. Grand événement :
l'abbé de Tulle, Pierre de Malemort, dont dépend
Rocamadour, est venu accueillir Louis IX et son
entourage. Son nom est familier à la reine : Pierre
n'est-il pas le neveu de cet évêque de Bordeaux,
Élie de Malemort, qui l'escorta, petite fille, de
Palencia jusqu'à Port-Mort où elle devait être
unie au prince Louis ? Signe des temps, un autre
de ses neveux, portant le même nom, est à présent sénéchal du roi de France à Limoges, « le
premier sénéchal du roi de France depuis un
temps dont on n'avait plus mémoire en ce pays[1] ».
C'est assez dire le transfert d'influence qui s'est
fait au-delà de la Loire, puisque Limoges faisait
partie du domaine des Plantagenêts ; et de même

Rocamadour. Mais la personne de Blanche réunit la double ascendance : elle a conscience en s'y rendant de marcher sur les traces de sa grand-mère Aliénor, de son grand-père le roi d'Angleterre HenriII, qui l'un et l'autre avaient accompli le pèlerinage fameux. Cette fresque sur les murs, qui représente l'un des plus grands pèlerins devant l'Éternel, saint Christophe, ils l'ont vue, et aussi cette autre peinture si émouvante sous les arcades à la mode d'autrefois, arrondies en plein cintre : elle évoque les deux scènes du salut de l'ange à Notre Dame et de la rencontre d'Élisabeth avec Marie.

Si toute la cour s'est ainsi déplacée, c'est qu'il s'agit d'un pèlerinage d'action de grâces : un joyeux événement a eu lieu en effet trois mois plus tôt, le 25 février ; Marguerite, la jeune reine, a donné naissance à un petit Louis, futur héritier du trône de France. C'est le troisième enfant du couple royal ; ses deux aînés ont été deux filles, dont la première a été nommée Blanche en l'honneur de celle qui reste : la Reine. Quand Isabelle, la seconde, est née Marguerite, pensant que son époux allait être déçu, n'osait lui en faire part elle-même ; elle avait prié l'évêque de Paris, Guillaume d'Auvergne, de lui annoncer la nouvelle ; et l'on raconte que celui-ci s'y était pris tout rondement, disant : « Réjouissez-vous, Sire, car aujourd'hui la couronne de France a gagné un roi : vous avez une fille, par le mariage de laquelle vous aurez un royaume de plus[2] ! » Cette année 1244, la naissance d'un fils assurait l'avenir de la dynastie et venait aussi compenser un deuil, car la petite Blanche était morte peu de temps auparavant, à l'âge de trois ans. Au reste, dès l'année suivante, le couple royal allait avoir un second fils, Philippe.

Peut-être le pèlerinage manifestait-il une arrière-pensée politique : il n'était pas mauvais que la cour royale circulât pacifiquement en ces régions méridionales où la paix n'était revenue que depuis peu. C'était démontrer que les fils de France pouvaient se passer de toute escorte guerrière en ces provinces qui avaient encore été le théâtre de convulsions sanglantes deux ans plus tôt.

Mais peut-être aussi le simple goût du pèlerinage suffit-il à expliquer ce déplacement en un temps où tout chrétien souhaite plus ou moins se rendre vers la Haute Roche où trône Notre Dame.

Blanche a l'âme pèlerine, comme chacun en son temps, et il y a chez elle un désir de pèlerinage refoulé : elle a souhaité aller à Compostelle où depuis plus de deux cents ans les chrétiens d'Occident se rendent en foule à travers les chemins montagneux du nord de l'Espagne ; et déjà les Français ont accompli le voyage en si grand nombre qu'on appelle *camino francès* l'itinéraire marqué de leurs étapes. Après son propre couronnement, elle avait vu partir, muni du bâton de pèlerin, le roi de Jérusalem Jean de Brienne ; celui-ci d'ailleurs, à son retour de Santiago, séjournant en Castille, était devenu son parent par alliance en épousant sa nièce Bérengère, l'une des filles de Bérenguela. Que ne pouvait-elle, à son tour, visiter le sanctuaire et vénérer les reliques de saint Jacques, puis, sur le chemin du retour, s'arrêter dans sa Castille natale ! Mais ce que peut accomplir n'importe quel serf de son royaume lui a été refusé, à elle. Trop d'événements se sont succédé pour qu'elle ait jamais pu mettre le magnifique projet à exécution.

Un jour pourtant elle est allée tout heureuse trouver à Paris l'évêque Guillaume, qui est son confesseur. Le pèlerinage tant médité, elle peut l'accomplir ; tout est prêt et elle n'a pas ménagé les dépenses à prévoir pour ses séjours et ses étapes sur le long chemin. Or, l'accueil de l'évêque n'a pas été celui qu'elle espérait :

« Dame, vous avez déjà dépensé inutilement pour la gloire de ce monde et pour montrer votre magnificence en la terre dont vous êtes originaire beaucoup de richesses qui pourraient être bien mieux utilisées. — Je suis prête à me rendre à votre conseil », répond Blanche, interdite. Et lui : « Je vais donc vous donner un bon conseil : les frères prêcheurs, ceux qu'on appelle ici frères de Saint-Jacques, sont endettés pour quinze cents livres environ ; prenez la gourde et le bâton de pèlerin et allez-vous-en à Saint-Jacques, je veux dire à leur couvent ; réglez leur dette ; quant au vœu que vous avez fait, je m'en charge devant le Seigneur, et j'y répondrai pour vous au Jugement ; ce sera mieux que de faire un tel excès de dépenses et de déployer un luxe superflu. » Blanche s'était conformée à son conseil, mais il lui en avait coûté[3]. Le royaume d'ailleurs ne nécessitait-il pas sa sollicitude constante ? Avant tout il lui fallait songer aux barons récalcitrants, à l'Université sans cesse en contestation, aux bonnes villes où les troubles étaient de plus en plus fréquents, aux Anglais, aux Poitevins...

Cependant, en ces jours de mai, la paix régnait enfin ; une nouvelle page semblait s'ouvrir. Elle-même, Blanche, songe à se retirer des affaires du royaume que Louis peut largement assurer seul. Parvenue à cinquante-six ans, Blanche entrevoit enfin une ère de sérénité et de repos. Pourquoi ne pas envisager bientôt la retraite dans cette abbaye de Maubuisson qu'elle a fondée et dont la consécration est prévue pour le mois qui vient, en juin 1244, deux jours après la Saint-Jean ?

Un royaume en paix... Pour Blanche qui a vécu Bouvines et La Roche-aux-Moines avant de vivre

Taillebourg, qui a dû faire face à tant d'hostilités sournoises ou déclarées, qui a su éviter tant d'embûches et affronter tant de menaces, cette ère de repos et de détente ardemment souhaitée s'annonce enfin. Seuls parmi ses enfants restent à établir Isabelle et le jeune Charles. Mais la première semble avoir fait son choix. Quant à Charles, il n'aura sans doute pas besoin de sa mère pour faire le sien. Le garçon, à dix-huit ans, semble considérer qu'il est fait pour conquérir le monde. Un peu plus de modération, un peu moins d'emportement lui vaudraient sans doute mieux ; avec cela il est probablement le plus doué de la famille comme musicien et comme poète. N'était cette dureté qu'on surprend parfois dans son regard, il ferait un être exquis. Dommage qu'il ait tant de mal à s'entendre avec la Jeune Reine. Marguerite a tendance à le traiter en benjamin, ce qui agace Charles considérablement. Mais c'est là un souci mineur : Louis est assez juste et montre assez de volonté et de patience pour venir à bout de ces mésententes qui le font souffrir.

Un royaume en paix... Si seulement la paix pouvait régner autour du royaume comme elle règne au-dedans ! Mais il semble que les nuages dissipés ici n'en soient que plus menaçants là-bas. De quelque côté que l'on tourne le regard, ce ne sont que sujets d'inquiétude, pour ne pas dire d'angoisse. Il ne s'agit plus tellement de l'Angleterre ; elle reste hostile, mais étant donné le caractère du roi Henri on peut escompter que les trêves dureront quelque temps : les collections qu'il amasse, les beaux bijoux dont il est amateur l'occupent plus que le souci de réunir une armée ; et la leçon qu'il a reçue voici deux ans n'est pas près d'être oubliée. Les inquiétudes véritables viennent d'ailleurs. Il y a le pape et l'empereur germanique dont le conflit permanent s'exaspère et qui l'un et l'autre aimeraient bien attirer de leur côté le roi de France — et son armée ! Voici quatre ans, le pape a offert la couronne de roi des Romains, c'est-à-dire la succession à l'Empire, au second fils de France, Robert d'Artois. Nul doute que le jeune homme, si épris de gloire et ne cherchant qu'à jouer de l'épée, ne s'y fût laissé prendre ! Mais Blanche s'y est opposée, net.

La couronne impériale, autant dire l'aventure, — et l'aventure sans autre fruit réel que discordes et combats dont le royaume de France eût pâti. Assez d'un Empire bâtard : il suffit de voir quelle plaie aura été ouverte au sein de la chrétienté par l'Empire latin d'Orient. Une conquête sanglante, des lendemains plus sanglants encore. On espérait faire de Constantinople une base d'opérations pour reconquérir Jérusalem, et bien au contraire c'est à Constantinople qu'on se trouve obligé d'envoyer des secours, des hommes, des subsides avec lesquels Jérusalem eût probablement été libérée. Blanche est sans cesse sollicitée par le malheureux empereur Baudouin : un incapable, un être infantile. Les lettres qu'il dépêche à Blanche sont toujours majestueusement paraphées de grands traits tracés au cinabre comme l'eût fait l'empereur Justinien en personne, — mais c'est pour la supplier de payer ses dettes : des demandes d'argent comme en adresse à son père ou à sa famille n'importe quel étudiant de l'université de Paris ! Le malheur veut qu'en ces temps où l'Empire d'Orient exigerait pour sa défense un combattant imperturbable, un gouverneur à la sagesse éprouvée, il soit tombé entre les mains d'un petit baron sans envergure. Follement prodigue avec cela : à peine couronné, il s'est empressé de mettre le trésor au pillage, puis est venu pleurer dans le giron des princes occidentaux. Il a bien fallu le secourir, sur la prière du pape. Blanche a maintes fois remboursé ses créanciers ; son trésorier de Pontoise, Étienne de Montfort, en sait quelque chose. Des centaines de livres ont ainsi désintéressé les prêteurs, — des Toscans surtout, installés dans la Ville impériale, et qui savent faire payer leurs services[4]. Elle a fait plus encore, puisqu'elle a recueilli à la cour ceux qu'on appelle les « enfants d'Acre », — les beaux-frères de Baudouin qui sont ses petits-neveux, frères de l'impératrice Marie : les liens de famille sont liens sacrés.

Mais le malheureux Baudouin ne cesse de la harceler de demandes de secours. Tout récemment n'est-il pas allé imaginer une solution bien à lui aux problèmes des Lieux saints : dans une longue lettre il a exposé à Blanche, très gravement, que le sultan d'Iconium (« un sultan très puissant, le plus riche d'entre les païens à ce que je crois ») lui avait proposé son alliance et avait demandé pour consacrer cette alliance d'épouser une princesse chrétienne, « une de nos parentes » : elle pourrait garder sa religion et aurait avec elle chapelain et clercs de son choix. D'ailleurs, qui sait ? Le sultan est lui-même de mère chrétienne ; son père avait épousé une Grecque ; et peut-être avec le temps accepterait-il d'embrasser la religion du Christ ; il ferait bâtir des églises ; il aiderait Baudouin contre ses ennemis de Grèce et d'ailleurs. Blanche ne pourrait-elle pas envoyer l'une des filles d'Elisabeth de Montaigu (sœur de Baudouin) pour devenir l'épouse du sultan ? le plus tôt serait le mieux, etc.

La reine n'avait pas donné suite à une missive aussi criante de naïveté. Baudouin lui ayant promis, dans une lettre précédente, de suivre désormais docilement ses conseils, elle lui conseilla un peu moins d'enthousiasme pour les projets chimériques et un peu plus d'exactitude à payer ses créanciers, — pour autant que les trésors de Constantinople y suffiraient !

Quel contraste entre ces illusions enfantines et les dures réalités des entreprises orientales ! Quelques années auparavant, une aventure étrange était venue glacer d'épouvante le cœur de Blanche et jeter une lueur sinistre sur ces mondes mal connus des royaumes d'outre-mer.

Ce fut d'abord une simple rumeur à laquelle on attacha peu d'importance : le roi de France était en danger ; on en voulait à sa vie. Des émissaires avaient été envoyés par un mystérieux Sheik des montagnes de Syrie pour le tuer. Or, un jour, ce qu'on avait pris pour des racontars sans importance devint fait avéré. Des Syriens parvenus jusqu'à la cour demandèrent avec insistance une entrevue au roi : ils venaient le prévenir d'être sur ses gardes ; leur maître, celui qu'on appelait le Vieux de la Montagne, avait donné ordre à des émissaires secrets de le tuer ; puis, revenant sur cet ordre, il les avait eux-mêmes dépêchés pour prévenir l'arrivée des premiers, mettre le roi au courant du complot, et faire annuler l'arrêt de mort qu'il avait tout d'abord lancé contre lui. Cela se passait en 1236. Un an auparavant, le pape avait ordonné de prêcher une nouvelle croisade pour secourir la Terre sainte ; peut-être le Sheik songeait-il à prévenir, par le meurtre du jeune roi qui était aussi le souverain le plus puissant d'Occident, toute nouvelle prise d'armes.

Quels que soient les motifs de sa décision et de son revirement subit, il n'y avait pas à se méprendre sur leur portée. Les menaces du Vieux de la Montagne n'étaient jamais vaines. Un roi de Jérusalem en avait fait l'expérience, un soir, quelque temps après la reconquête de la cité d'Acre ; ce roi, Conrad de Montferrat, dans les ruelles étroites de la ville de Tyr, avait été abordé par deux

Syriens qu'il connaissait, car ils s'étaient fait le
jour même administrer le baptême. L'un d'eux lui
avait tendu une requête écrite que Conrad avait
prise sans méfiance ; tandis qu'il la lisait, l'autre
lui plongea un poignard dans le cœur. Il expira
aussitôt. Toute la survie de la Terre sainte avait
été remise en question par cet assassinat qui portait la marque de son auteur, le Vieux de la Montagne, retranché dans les retraites inaccessibles
de Qadmous, dans les monts Alaouites.

Qui donc était le mystérieux personnage ? Joinville plus tard devait le décrire sur le rapport d'un
frère mendiant, frère Yves, « qui savait le sarrasi-
nois » et qui avait eu des entretiens personnels
avec le terrible Sheik : « Quand le Vieux chevauchait, il avait un crieur devant lui qui portait une
hache danoise à long manche tout couvert d'argent avec tout plein de couteaux fichés dans le
manche, et il criait : « Détournez-vous de devant
« Celui qui porte la mort des rois entre ses
mains. » En fait c'était le chef d'une secte shî'ite
dont les adeptes étaient d'ailleurs considérés par
les autres musulmans comme de redoutables
hérétiques. Leur fondateur, Hassan-Sabbah,
retranché dans la forteresse d'Alamoût — un véritable nid d'aigle suspendu au-dessus des précipi-
ces — entretenait autour de lui des jeunes gens
pour la plupart enlevés tout enfants aux populations d'alentour et initiés à une doctrine secrète ;
il en faisait de véritables « hommes-poignards »
qu'il dirigeait à sa volonté. Il les nommait les
« dévoués », les *fidawis,* et pouvait compter sur
leur totale obéissance. Le successeur du roi
Conrad, Henri de Champagne, devenu roi de Jérusalem, persuadé qu'il valait mieux avoir le redoutable Sheik comme ami que comme adversaire,
n'avait pas craint d'entrer en rapport avec lui et
l'on raconte que ce dernier, pour honorer son

visiteur, lui avait offert un spectacle inédit : sur son ordre, deux des sectaires qui montaient la garde sur les créneaux de la plus haute tour s'étaient jetés dans le vide. Le Vieux de la Montagne, complaisant, avait offert à Henri de renouveler son geste, mais celui-ci, terrifié, avait décliné l'invitation. Sur quoi le maître, en reconduisant son visiteur comblé de cadeaux, lui avait aimablement glissé à l'oreille qu'il ne tenait qu'à lui de faire assassiner tel de ses ennemis ; ses *fidawis* se feraient un plaisir de lui rendre ce service[5]. De temps à autre, un sultan, un émir, coupables d'avoir déplu au Sheik-el-Djebel, tombaient sous leurs coups. Les meurtriers, dont l'air doux et un peu hébété étonnait les populations, se laissaient prendre, questionner, torturer avec un vague sourire : ils étaient les *fidawis* du Sheik, heureux de mourir sur son ordre ; à la lettre, des aliénés.

Des bruits étranges circulaient sur le mystérieux pouvoir qui lui permettait de manœuvrer ces jeunes hommes. Le Sheik-el-Djebel, disait-on, ne se contentait pas de leur promettre un paradis après leur mort : il leur ménageait dès cette vie des paradis artificiels ; on parlait de jardins merveilleux dans lesquels il admettait ses initiés et les rassasiait de plaisirs, au milieu de bosquets enchantés, de palais remplis de parfums où glissaient les houris à demi voilées, prêtes à satisfaire leurs désirs. « Il y avait, raconte Marco Polo, dames et demoiselles, les plus belles du monde, lesquelles savaient jouer de tous instruments, et le Vieux faisait entendre à ses hommes que ce jardin était le paradis ; et il faisait donner breuvage par lequel ils s'endormaient au matin et puis les faisait prendre et amener en le jardin et les faisait réveiller et quand les hommes étaient réveillés ils croyaient être en paradis ; les dames et demoiselles demeuraient tout le jour avec eux, jouant et causant et en faisaient à leurs volontés. » En réalité il ne s'agissait que d'assez pauvres délices, magnifiées par les illusions de la drogue ; les hommes-poignards étaient des drogués.

« Quand le Vieux voulait faire mourir un homme, il faisait à ses jouvenceaux donner à boire un breuvage qui les faisait dormir et tout en dormant les faisait porter hors du paradis ; et quand ils étaient éveillés il les appelait devant lui et leur disait que jamais en paradis n'entreraient s'ils ne mettaient pas à mort tel homme, tel seigneur ; et s'ils le tuaient il les remettrait en paradis et les ferait demeurer là où ils auraient plus de délectations encore que dans le premier », raconte de son côté Oderic de Pordenone[6]. C'était l'usage du haschich qui mettait ces jeunes gens littéralement à la merci de leur pourvoyeur ; la drogue peu à peu leur devenait indispensable, et cependant émoussait leur sensibilité ; ils cessaient de redouter la mort, — celle des autres, mais la leur même. Ils étaient les mangeurs de haschich, les *haschichins*, et ce terme, déformé par la prononciation occidentale, a donné dans notre langue celui *d'assassin.* Ainsi sont restés associés pour les siècles la drogue et le meurtre.

C'était donc des Assassins qui étaient venus en toute docilité accomplir les ordres de leur maître, les premiers pour tuer, les seconds pour empêcher de tuer le roi de France. A cette époque d'ailleurs le pouvoir du Maître des Assassins s'affaiblissait ; la terreur qu'il avait fait régner au temps du fondateur de la secte, quelque cent cinquante ans auparavant, allait diminuant ; mais nul ne pouvait prévoir que la chute de ses forteresses d'Alamoût et de Masyâf ne tarderait plus beaucoup ; entre-temps toutefois Louis aurait eu à nouveau l'occasion de s'affronter aux Assassins.

En attendant, il devait renvoyer ceux-ci à leur maître après les avoir comblés de présents : cinq vêtements somptueux destinés au Vieux de la Montagne et deux pour les messagers eux-mêmes.

Or, la cause réelle du revirement subit auquel le roi devait d'avoir la vie sauve n'allait pas tarder à être connue : un peuple monstrueux venu de l'Asie du Nord dévastait les terres musulmanes ; l'épouvante qu'il semait devant lui n'allait pas tarder à gagner l'Europe.

Un jour, raconte Matthieu Paris, la reine Blanche reçut la visite de Guillaume d'Auvergne, l'évêque de Paris, porteur d'une lettre qui la fit sursauter : « Où es-tu mon fils, roi Louis ? — Qu'y a-t-il, Mère ? — Que faire, mon fils bien-aimé, devant ce sinistre événement dont la rumeur terrifiante a volé par-dessus nos frontières ? Cet assaut impétueux des Tartares nous menace tous d'extermination, nous-mêmes et aussi la Sainte Eglise en notre temps ! » Et le chroniqueur de montrer Blanche secouée de sanglots et répétant à son fils la teneur de la lettre que l'évêque venait de lui communiquer. Le roi cependant, tout en calmant sa mère, aurait répondu : « Puisons notre force dans les consolations du Ciel ; qu'ils surviennent, ceux que nous appelons Tartares, nous les repousserons vers les demeures tartaréennes dont ils sont sortis ; ou alors ce sont eux qui nous enverront au Ciel ; et nous irons vers Dieu, confesseurs et martyrs du Christ[7]. »

Les exploits de Gengis Khan et de ses successeurs, commencés vers le début du siècle par la conquête de la Chine, avaient amené les Mongols au cœur de l'Asie, puis aux confins de l'Europe. Après la « terreur sarrasine », la terreur mongole submergeait le monde, à commencer par les Turcs eux-mêmes.

Les Occidentaux s'étaient d'abord fait à ce sujet

quelques illusions. On connaissait mal, et pour cause, ce qui se passait au-delà de l'immense monde musulman, celui des Arabes et plus encore des Turcs. Comprenant que ceux-ci étaient menacés par un peuple étrange, on avait vu d'abord en ce dernier celui du mystérieux Prêtre-Jean, le roi légendaire que l'on disait chrétien. La première victoire des Mongols sur les Khwâris-miens s'était ainsi transformée plus ou moins en une victoire d'un descendant du Prêtre-Jean sur l'Empire de Perse. Peu à peu cependant la vérité se faisait jour ; un frère prêcheur hongrois, nommé Julien, que son infatigable esprit mission-naire avait amené jusque dans le pays de la Volga, donna le premier l'alarme en décrivant ce peuple barbare qui prétendait se soumettre le monde entier[8]. Les premiers détails précis qui parvinrent à la cour de France étaient envoyés par Ponce d'Aubon, maître de la chevalerie du Temple, en 1241 : « Les Tartares, écrivait-il, ont détruit et ravagé la terre qui fut à Henri, duc de Pologne ; lui-même a été tué avec beaucoup de ses barons, six de nos frères et cinq cents de nos hommes, trois frères que nous connaissons bien échappèrent. » Hongrie et Bohême étaient dévas-tées ; trois armées mongoles se dirigeaient l'une au cœur de la Hongrie, l'autre vers la Pologne, l'autre sur l'Autriche. « Et sachez que tous les barons d'Allemagne, le roi lui-même, tout le clergé, toutes gens de religion, les moines, les convers ont pris la croix ; jacobins et frères mineurs, jusqu'en Hongrie, se sont croisés aussi pour aller contre les Tartarins : et si, comme nos frères nous l'ont dit, il advient que par la volonté de Dieu ceux-ci soient vaincus, les Tartarins ne trouveront nul qui leur puisse faire obstacle jus-qu'à votre terre. Et sachez qu'ils n'épargnent per-sonne ; ils ne font pas de prisonniers, mais tuent tous, pauvres et riches, petits et grands, hormis les belles femmes pour en faire leurs volontés... Ils n'assiègent ni châteaux ni villes fortes, mais ils détruisent tout[9]. »

L'empereur Frédéric II, de son côté, n'allait pas tarder à jeter un cri d'alarme ; il écrivit à tous les princes de la chrétienté en les conjurant de prendre la croix contre les Mongols ; à son tour le roi de Hongrie demandait au pape de prêcher la croisade contre les « Tartares ».

Des détails parvenaient sur ce peuple étrange. On parlait de leurs armures de cuir bouilli, de leur allure sauvage, de leur endurance extraordinaire, — « ils chevauchent tant en une journée comme il y a de (distance de) Paris à Chartres la cité », assurait Ponce d'Aubon.

Un Anglais mi-espion, mi-interprète, qui avait vécu chez eux (banni de son pays pour une raison inconnue, il avait fini par échouer à Acre, avait dissipé son argent au jeu dans les tripots de la ville et, après force aventures, s'était introduit chez les Mongols et avait appris leur langage) fit à l'un de ses amis, clerc de Narbonne, une description que celui-ci s'empressa de diffuser : « Ils ont la poitrine dure et robuste, la face large et pâle, les épaules élevées et droites, le nez épaté et court, le menton proéminent et aigu, la mâchoire supérieure basse et profonde, les dents longues et rares, les paupières étirées des cheveux jusqu'au nez, les yeux mobiles et noirs, le regard torve et oblique, les extrémités osseuses et nerveuses, les jambes fortes aussi mais les cuisses courtes ; cependant leur taille égale la nôtre : ce qui manque dans les jambes est compensé par le tronc[10]. »

Puis la vague de terreur retomba subitement : les Mongols étaient repartis « Dieu seul savait où ». Le pape Innocent IV, en 1245, désireux de se faire renseigner sur ce lointain Orient mystérieux, envoya quatre groupes de frères mendiants, prêcheurs et mineurs. L'un d'entre eux, qui avait à sa tête un frère mineur, Jean du Plan-Carpin, — il avait soixante ans et avait été jadis l'ami personnel et l'élève de François d'Assise — allait parvenir à travers les immenses plaines de Russie jusqu'au centre de l'Empire mongol où il eut la bonne fortune d'assister à l'accession au trône du troisième Grand Khan, Guyuk. A son retour il présentait au pape un rapport très complet que nous possédons : l'*Histoire des Mongols que nous appelons Tartares ;* aux légendes succédait l'information d'un témoin oculaire.

Mais entre-temps une autre nouvelle était venue plonger la chrétienté dans le deuil. Jérusalem, quelque temps réoccupée par les chrétiens, venait de tomber aux mains d'une peuplade turque, les terribles Khwârismiens. Cette fois, il ne faisait pas de doute que le pape à nouveau exhorterait le roi et les seigneurs à prendre la croix comme jadis. Nombre d'expéditions avaient été envoyées au secours de la Terre sainte depuis quelque cinquante ans. Aucune n'avait eu une action décisive. Et il ne faisait de doute pour personne que pour mener une entreprise d'envergure il eût fallu que s'apaisât d'abord le conflit sans cesse renaissant entre le pape et l'empereur.

Or, au moment même où Blanche et ses fils atteignaient à Rocamadour le but de leur pèlerinage, le drame était à son apogée. On pouvait se demander si la chrétienté n'allait pas y sombrer. Les canonistes et quelques théologiens s'étaient plu, depuis le début du siècle surtout, à donner un sens concret au dialogue de l'Évangile lors de l'arrestation du Christ dans le Jardin des Oliviers : « Seigneur, il y a ici deux glaives. — Cela suffit. » Ces deux glaives étaient l'un spirituel et l'autre temporel : glaive de Pierre — celui qui doit « demeurer dans le fourreau » —, glaive de l'empereur, auquel est confiée l'autorité temporelle. Par l'action des deux glaives, la justice et l'ordre régneraient dans le monde des âmes et celui des corps.

Mais il fallait reconnaître que ces deux glaives n'en finissaient plus de se croiser pour des duels infiniment préjudiciables à l'ordre comme à la justice. Réalisé quelque temps sous le règne de Charlemagne, l'équilibre n'avait plus été acquis par la suite qu'à de rares rencontres, par exemple au temps du saint empereur Henri II. Le duel n'avait cessé de s'aggraver au cours du siècle précédent. Plus les papes s'acharnaient à rechercher l'empereur idéal, celui qui jouerait à plein son rôle de justicier et défenseur de l'Église, plus le successeur de Charlemagne se montrait obstiné à tourner ses forces contre l'Église et à n'afficher que les ambitions les plus impudemment matérielles. Avec Frédéric II de Hohenstaufen la déception culminait. Jamais le patrimoine de Pierre n'avait été plus ouvertement menacé que par cet empereur qui prétendait restaurer à son profit le pouvoir des Césars et se faisait représenter drapé dans un manteau à l'antique, la tête ceinte des lauriers d'Auguste.

Blanche a certainement adopté une fois pour toutes — sa conduite le prouve — l'attitude qui a été celle des rois de France devant le pouvoir impérial depuis l'accession d'Hugues Capet : attitude de détachement courtois, mais ferme. Vainement, les empereurs avaient essayé d'imposer à la dynastie naissante un serment de vassalité. Une escarmouche avait suffi jadis à régler le débat. Dans les débuts de la dynastie capétienne, tout était prêt pour un conflit armé. Le 6 août 1023, l'empereur Henri II campait sur la rive droite de la Meuse, à Ivois, le roi de France Robert le Pieux sur la rive gauche, à Mouzon. Une dramatique attente s'était prolongée pendant quatre jours au bout desquels l'empereur s'était décidé à traverser le fleuve, non dans son appareil guerrier, mais en visiteur : « Plus tu es élevé, plus tu dois t'humilier en toutes choses » ; et c'était lui, l'empereur germanique, qui était venu trouver le roi de France. Il n'avait plus été question d'exiger de celui-ci qu'il fît acte de vassalité, mais simplement qu'une bonne entente régnât entre l'Empire et ce royaume des Francs qui échappait à sa domination.

L'empereur qui avait posé ainsi les règles de la coexistence pacifique était un saint. Ses successeurs s'étaient passablement éloignés des voies de sainteté, mais de toute façon leurs conflits perpétuels avec le pape les avaient trop absorbés pour qu'ils eussent le loisir d'entrer en conflit avec le roi de France. Ils l'avaient tenté une fois à Bouvines. Le petit royaume de l'ouest, le chétif roi d'Ile-de-France s'étaient alors révélés de taille à tenir tête, sinon à un Empire, du moins à un empereur. Et à présent c'était l'empereur qui venait solliciter son aide, comme le pape le faisait de son côté. En dehors des deux glaives, une troisième force était née.

Lorsque Blanche vint assister, le 26 juin 1244, à la consécration de Notre-Dame-la-Royale, l'abbaye de Maubuisson, un vent d'optimisme soufflait cependant parmi les prélats et abbés. Il semblait que l'on s'acheminât enfin vers une réconciliation entre le pape et Frédéric II. Le Génois Sinibaldo Fieschi, élu pape l'année précédente sous le nom d'Innocent IV, passait pour un homme modéré et de jugement sûr. Il était temps. Durant le pontificat précédent, celui de Grégoire IX, les conflits n'avaient cessé de s'exaspérer. A sa mort, la vacance du siège pontifical avait duré dix-huit mois ; le pape qui avait été élu, Célestin IV, était mort presque aussitôt, et le poids que faisait peser l'empereur sur l'assemblée des cardinaux était tel que, du 10 novembre 1241 à la mi-juin 1243, le conclave n'avait pu être réuni ; l'empereur retenait les cardinaux captifs pour les empêcher d'y prendre part.

Or, les négociations qui ont eu lieu ont amené enfin une détente entre les deux adversaires. Et l'on raconte partout avec émotion que le Jeudi saint de cette année 1244, sur la place Saint-Jean-de-Latran, devant une foule immense, le pape Innocent IV a publiquement reçu le serment des envoyés de l'empereur ; ils ont juré que celui-ci s'en remettait à sa volonté pour conclure la paix — une paix ardemment souhaitée après ces années de lutte qui ont ensanglanté tant de cités italiennes. Le pape, dans l'allocution qui a suivi, a appelé Frédéric II « son fils dévoué, vrai prince catholique ». Tout laisse prévoir qu'il va donc le relever des excommunications qui ont été portées contre lui.

Quelques-uns cependant hochent la tête et, loin de se laisser impressionner par ces débuts favorables, rappellent que, dans les premières années du pontificat de Grégoire IX, l'accord a de même paru se faire ; au point que pape et empereur s'étaient donné, à Anagni, le baiser de paix, — ce qui n'a pas empêché que de nouveaux conflits n'éclatent, suivis de nouvelles excommunications et de manifestes fracassants de part et d'autre. Grégoire IX avait alors quatre-vingt-douze ans ; peut-être son successeur se montrera-t-il plus ouvert que l'obstiné vieillard.

Hélas ! la suite des événements donnera raison aux plus pessimistes. Les échanges de messages, d'envoyés, de négociateurs se sont succédé. Le pape s'est rendu tour à tour à Cività-Castellana, puis à Sutri où il doit avoir personnellement un entretien avec Frédéric II. Or, on apprendra non sans stupeur que de nuit Innocent IV a quitté la ville sous un déguisement et s'est rendu à franc étrier jusqu'à Cività-Vecchia ; là une galère génoise l'attendait, qui l'a conduit vers sa ville natale de Gênes où il a été reçu triomphalement. Au bout de quelques jours, le pape, étant tombé malade, est allé recouvrer ses forces à Sestri, dans le monastère cistercien de Saint-André.

Cette année-là, Blanche avait été invitée avec sa famille à venir assister au chapitre général de l'ordre de Cîteaux. Une dispense spéciale du pape lui avait été accordée pour pénétrer dans le monastère avec une suite de douze dames dont sa fille Isabelle ; le roi et son entourage étaient même autorisés à se faire servir de la viande pendant leur séjour, — ce qui était interdit par la règle, sauf à l'infirmerie.

Pour Blanche, ce séjour dans l'admirable abbaye où avait résonné la voix de saint Bernard, où se transmettait son enseignement, où l'on vivait de son esprit, fut sans aucun doute une joie profonde, un temps de grâce pour son « âme cistercienne » ; ces voûtes d'une harmonie sans défaut, ces chants d'une beauté grave, ces cérémonies qui se déroulaient sans hâte, selon une ordonnance paisible, étaient accordés à la paix intérieure à laquelle elle aspirait de plus en plus avec l'âge. Une paix qui n'excluait pas la violence des sentiments, une force aimante qu'elle pouvait accueillir sans contraindre sa faiblesse de femme.

Elle était du reste comblée d'attentions par les religieux qui l'entouraient : son nom serait inscrit désormais au mémento des messes de l'Ordre ainsi que le nom de son fils le roi ; dans tout l'Ordre on célébrerait solennellement l'anniversaire de ses parents Alphonse et Aliénor de Castille ; des messes et services solennels étaient promis à la reine, à ses fils, à leurs épouses au moment de leur mort et lors de leurs anniversaires.

Mais l'instant de grande émotion fut celui où l'on vit le père abbé de Cîteaux et les membres du chapitre venir en procession s'agenouiller devant la reine Blanche (le roi Louis avait décidé de s'effacer devant elle et de lui laisser présider l'assemblée d'un ordre qui lui était cher) : on la suppliait ainsi que son fils de donner asile au pape pourchassé par l'empereur, de l'accueillir en France comme jadis Louis VII avait accueilli le pape Alexandre III fuyant la haine de Frédéric Barberousse.

Blanche, mieux que personne, connaît les épisodes d'une lutte qui lui est si l'on peut dire contemporaine. Dès sa jeunesse elle avait entendu parler de l'empereur Frédéric II. Ils avaient sensiblement le même âge : Frédéric, né en 1194, était de six ans plus jeune qu'elle, mais il avait de bonne heure commencé à faire parler de lui. Elle sait que celui-ci a obtenu la couronne impériale en prenant l'engagement de partir pour la Terre sainte l'année qui suivrait (en 1221), puis a sans cesse éludé ce départ ; elle connaît le dessein qui anime celui qui se proclame « César des Romains toujours Auguste », et qui déclare : « Dieu a établi notre empire au-dessus de tous les rois de la terre. » Elle a assisté à ses efforts pour propager partout le droit romain, instrument de centralisation, d'unification autoritaire ; l'Université qu'il a fondée à Naples est uniquement consacrée à former des étudiants à cette discipline contre laquelle se défend en revanche le royaume de France. Il ne fait de doute pour personne que Frédéric est par excellence un empereur

qui du monde et de là entour
voulait être par force Sire[11].

Par ailleurs Blanche a été maintes fois sollicitée par le précédent pape de prendre part au
conflit[12] et probablement juge-t-elle peu rassuran-
tes les déclarations du nouveau pontife qui
affirme : « Le Roi des rois nous a constitué sur
cette terre comme son mandataire universel. »
Autant dire que pape et empereur invoquent également la puissance divine en un conflit qui
témoigne, de part et d'autre, d'un appétit illimité
de puissance temporelle. Et jusqu'alors la ligne
de conduite à la cour royale a été de prudente
abstention ; simplement, au moment où l'empereur Frédéric II a emprisonné abbés et cardinaux
pour les empêcher de se rendre au conclave, le roi
a écrit une lettre fort sévère, menaçant l'empereur d'une intervention armée ; — et Frédéric II
s'est empressé de relâcher les prélats.

Dans la circonstance présente, la décision
dépendait de Louis. Il eut la réponse bienveillante
qu'on pouvait attendre de sa piété et de son attachement à l'Église. Il était prêt à soutenir le pape
et à le défendre en toute honnêteté contre les
attaques injustes qu'il subirait. Mais il ajouta la
restriction qu'on pouvait attendre aussi du roi
féodal : avant de s'engager à recevoir le pape, il
désirait consulter les conseillers et barons du
royaume.

Il était certes difficile de discerner où se trouvaient en semblable lutte la justice et le bon
droit. Pourquoi Innocent IV avait-il refusé de
poursuivre les négociations entamées avec l'empereur ? Crainte d'un guet-apens, disait-on. De
fait, Frédéric II avait largement montré qu'il était
peu scrupuleux sur le choix des moyens. Mais
pourquoi à présent le pape songeait-il à quitter

Gênes ? N'était-ce pas avant tout parce que l'empereur faisait garder les chemins venant de France vers les cités italiennes afin de couper les vivres à son ennemi ? En ce cas, dans quelle mesure les considérations les plus sordides se mêlaient-elles au souci de défendre l'Église ? Le pape, lorsqu'on lui avait proposé à nouveau une entrevue personnelle avec Frédéric II, avait répondu qu'il n'avait « aucune envie de souffrir le martyre ni de se retrouver au fond d'un cachot ». L'empereur, de son côté, blâmant non sans motif « les clercs d'aujourd'hui qui, adonnés au siècle, enivrés de délices, laissent de côté Dieu parce que l'abondance de leurs richesses étouffe leur religion », concluait de façon plus inquiétante que « enlever à de tels gens leurs coupables trésors, c'était faire œuvre de charité »... Un tel conflit avec de tels partenaires amenait probablement bien des consciences aux mêmes conclusions que ce curé d'une paroisse anglaise qui, s'il faut en croire Matthieu Paris, aurait déclaré à ses paroissiens que ne sachant lequel des deux, le pape ou l'empereur, devait être excommunié, il excommuniait le coupable et absolvait l'innocent.

Il reste que le roi de France ne se souciait pas de s'engager dans une lutte aussi douteuse autrement qu'en médiateur. Le pape avait fait divers sondages auprès des principaux souverains chrétiens : roi d'Angleterre, roi d'Aragon, comme auprès du roi de France. La décision qu'il prit en fin de compte dénote de sa part un sens politique fort avisé : « Mes enfants, déclara-t-il au podestat de Gênes et à quelques notables qui étaient venus lui rendre visite, je vais avec l'aide de Jésus-Christ aller à Lyon ; avant de mourir il faut que je montre à tous les chrétiens, aux princes, aux prélats, la détresse de l'Église de Dieu et l'injustice dont elle est victime ; si je ne peux aller à cheval, je m'y

ferai porter. » Ses compatriotes mirent leurs vaisseaux à sa disposition, mais le pape, dont la précédente traversée avait fortement ébranlé la
santé, préféra la voie de terre : tantôt à dos de
mulet, tantôt en litière, malade au point qu'à
Stella on le crut mourant, il ne finit pas moins
par franchir, depuis Suse, le mont Cenis, traversa
la Maurienne et s'embarqua à Hautecombe sur le
lac du Bourget pour gagner le Rhône et enfin la
ville de Lyon où il arriva le 2 décembre 1244 après
un voyage exténuant qui avait duré deux mois.
Lyon dépendait de l'Empire ; mais cette dépendance était devenue toute théorique, et comme
depuis 1239 le comté de Mâcon avait été rattaché
directement à la couronne de France, le pape ne
se trouvait pas loin du royaume dans lequel, il le
savait, sa personne serait en sûreté en cas de danger imminent.

Mais en ce même mois de décembre le souci du
conflit entre le pape et l'empereur allait brusquement s'effacer devant un autre, infiniment plus
proche et plus cruel.

Le roi se trouvait à Maubuisson quand une
nouvelle attaque de dysenterie le mit soudain aux
portes du tombeau. Le mal dont il avait été
atteint deux ans plus tôt reparaissait sous une
forme virulente, avec une forte fièvre, et les médecins jugeaient son cas désespéré.

Selon les chroniqueurs, Blanche avait fait
apporter auprès du roi les reliques de la Passion
et priait à voix haute : « Sauve, Seigneur, le
royaume de France. » Déjà son fils avait fait ses
adieux à son entourage : « Voici que moi, qui étais
très riche et très noble en ce monde, et puissant
plus que tous par mes richesses, ma force, mes
amis, je ne puis extorquer à la mort une trêve, ni
à la maladie, fût-ce d'une heure. Que valent donc
toutes ces choses[13] ? »

L'une des dames de la cour qui le veillaient le crut mort quelque temps après, et, malgré les protestations d'une autre, elle rabattit le drap sur le visage de Louis et fit ouvrir les portes. On commençait à défiler dans la chambre royale quand sous le drap on entendit un soupir. Le roi reprenait ses sens ; il gémit un peu. On alla en hâte chercher les médecins qui constatèrent avec surprise que le moribond revenait à la vie. A grand-peine, à travers les lèvres froides et contractées, ils réussirent à lui faire avaler quelques gouttes de bouillon chaud. Peu à peu la respiration redevenait normale, la vie reprenait possession de ce corps déjà raidi.

Blanche, éperdue, suffoquant de joie, voyait se réaliser ce qu'elle n'aurait plus osé espérer : son fils lui était rendu, il vivait.

Le 23 décembre suivant, à sa prière, il y eut dans l'abbatiale de Saint-Denis une solennelle ostension de reliques et le peuple de Paris s'y pressa en foule, venant prier pour le complet rétablissement du roi. Le jour de Noël celui-ci était guéri.

Mais cette épreuve en annonçait une autre : lorsque le roi eut recouvré la parole, ce fut pour annoncer qu'il prenait la croix.

Lui-même racontait plus tard à Joinville que sa mère en montra « aussi grand deuil que si elle l'eût vu mort[11] ».

Blanche réagissait en mère attentive : il était hautement déraisonnable, après un pareil choc, d'aller exposer sa santé aux hasards d'un voyage lointain, et plus encore dans une contrée dont le climat éprouvait tant de gens valides. Louis était, comme son père, de constitution fragile, vulnérable aux fortes chaleurs, aux fièvres, au paludisme ; il avait mal supporté le climat méridional : que serait-ce de celui de Syrie et de Palestine !

D'ailleurs, réagissant aussi en reine, elle jugeait avec un solide bon sens que les affaires du royaume, en un temps où la situation apparaissait menaçante à tous les points de l'horizon, réclamaient la présence du roi. Dans l'exercice du pouvoir elle avait acquis cet entendement pratique qui caractérisait aussi la lignée capétienne ; quelque chose de l'expérience de son beau-père Philippe-Auguste avait fini par passer dans ses veines et finalement la Castillane impulsive, la petite-fille d'Aliénor d'Aquitaine, adoptait la conduite résolument positive de son entourage français.

A moins qu'un autre sentiment encore ne se soit fait jour en elle. Toute jeune, Blanche a été témoin, par ouï-dire mais jour après jour informée par des messagers exacts, de la prise de Constantinople. Elle a vu ensuite comment cette déviation de l'entreprise a pesé d'un poids toujours plus lourd sur la chrétienté : au lieu de reconquérir Jérusalem on défend Constantinople. N'y aurait-il pas d'autre voie que celle des armes, d'autre recours que ces armées partant périodiquement, d'autres moyens que celui que l'on emploie depuis un siècle et demi ?

L'empereur Frédéric II s'était flatté de rendre Jérusalem aux chrétiens sans verser une goutte de sang. Il avait commencé par s'adjuger d'autorité la couronne des royaumes latins et, le labeur des autres ainsi escamoté à son profit personnel, il a entamé des négociations avec les sultans pour que les chrétiens aient librement accès dans la Ville sainte. Illusion : la conquête diplomatique n'a pas tenu dix ans. Plus habiles que leur partenaire, les sultans avaient mis comme condition à leur accord que les remparts de Jérusalem seraient détruits. Moyennant quoi il avait suffi d'une incursion de Khwârismiens pour que la ville, dépourvue de défense, littéralement ouverte aux agresseurs, fût de nouveau arrachée à la chrétienté.

Un seul homme a trouvé une solution neuve, un seul a su agir *autrement* : frère François. Tout attachée qu'elle soit aux traditions cisterciennes, Blanche n'a pas cessé de suivre avec émotion la carrière du riche bourgeois d'Assise qui a quitté le commerce et les affaires paternels pour épouser Dame Pauvreté. Lorsqu'en 1228, deux ans après sa mort, frère François a été canonisé, la joie a été grande dans tout le monde chrétien ; les moines du Mont-Saint-Michel qui, cette année-là, sur leur rocher battu par la mer, terminaient leur cloître en plein ciel, se sont empressés d'y placer en grand honneur son effigie.

Or, frère François est allé, comme tout chrétien souhaite le faire, en Terre sainte. Il a même fait plus. Il a joint le camp des croisés, alors en Egypte : chacun sait désormais que la clé de l'Islam, c'est l'Égypte qui la détient ; — que pour assurer la conquête de Jérusalem, c'est aux portes de la mer Rouge et aux bouches du Nil qu'il faut combattre. Depuis deux ans, en ces temps-là, les chrétiens assiégeaient Damiette ; la lutte s'exaspérait. De part et d'autre, on ne faisait plus de prisonniers. Le sultan d'Égypte avait promis un besant d'or pour chaque tête de chrétien qui lui serait apportée.

Un jour on avait aperçu, du haut des remparts de Damiette où veillaient les guetteurs en turban, deux êtres singuliers. Ils marchaient pieds nus, cheveux au vent, vêtus d'une longue robe d'étoffe grossière que retenait à la taille une corde de chanvre. Et ils chantaient.

Le spectacle était si bizarre, il y avait tant de candeur et d'effronterie chez ces deux hommes qui paraissaient tout ignorer des conditions présentes et qui lançaient au ciel leurs hymnes dans ce lieu où depuis deux mois on n'entendait plus que le sifflement des flèches, le grondement du feu grégeois et les hurlements des blessés, que, déconcertés, les archers en avaient laissé retomber leurs armes déjà tendues. Frère François, parvenu aux portes du rempart, avait crié : « Je suis chrétien, conduisez-moi à votre maître » ; et, subjugués, les gardiens l'avaient laissé entrer avec son compagnon. Et frère François, devant qui tombait toute colère, qui désarmait toute haine, avait été conduit devant le sultan. Ils s'étaient entretenus longuement, d'homme à homme l'un et l'autre à la recherche de Dieu. Frère François et son compagnon avaient été ainsi reçus plusieurs jours chez le sultan qui, avant de les renvoyer, avait voulu leur offrir « beaucoup de dons et de trésors » ; mais l'homme de Dieu les avait refusés : il méprisait les biens de la terre et affirmait que la divine Providence pourvoit au bien des pauvres, dit le chroniqueur qui raconte la scène. Les deux hommes s'étaient vu ensuite reconduire vers l'armée des chrétiens avec beaucoup d'égards et en toute sécurité, le sultan ayant dit à François en manière d'adieu : « Prie pour moi afin que Dieu daigne me révéler la loi et la foi qui lui plaisent le plus[15]. »

Cela s'était passé vingt-cinq ans plus tôt. A l'heure présente, les fils de frère François peuplaient l'Occident et même l'Orient. On les appelait : cordeliers, à cause de leur ceinture de chanvre. A l'exemple de leur fondateur on commençait à révérer un peu partout, au temps de Noël, le Santo Bambino dans sa crèche comme à Bethléem. Et parfois, dans l'Orient chrétien, quelque Sarrasin se convertissait à la voix des Mendiants qu'il avait lancés sur les routes du monde. En

Occident on ne comptait plus le nombre de ceux qui dans le peuple chrétien, parmi les laïcs, s'affiliaient aux frères de saint François et participaient à leurs prières, ce qu'on appelait le « Tiers Ordre ». Louis aimait les fils de saint François, et de même la reine Marguerite ; l'un et l'autre les aidaient de tout leur pouvoir et c'est à eux de préférence que se confessait la Jeune Reine.

N'était-il pas temps d'agir comme l'avait fait frère François[16] ?

Mais pour cela, c'était en Occident et d'abord dans le royaume qu'il fallait apaiser les querelles, faire taire les ambitions personnelles, mettre à la raison les usuriers, sangsues du peuple, assurer à tous meilleure justice. A commencer par les officiers royaux qui trop souvent abusaient de leur pouvoir ; combien de plaintes parvenaient au roi et à elle-même, Blanche, sur leurs exactions ! Combien d'entre eux, trop éloignés pour qu'on puisse les surveiller, profitaient de leur autorité pour rendre mauvaise justice et arrondir leur bourse aux dépens des petites gens ! Pour un bailli exact et consciencieux, combien de rapaces et d'injustes !

Une scène dramatique, encore que frisant la comédie, se serait déroulée, aux dires de Matthieu Paris, entre le roi et Blanche qui, pour mieux convaincre son fils, avait appelé à ses côtés l'évêque de Paris, Guillaume d'Auvergne ; celui-ci avait tenté de faire revenir Louis sur son vœu de croisé.

« Sire mon roi, souviens-toi que quand tu as pris la croix pour faire soudain un vœu si dur et inconsidéré, tu étais malade, et s'il faut tout dire, hors de ton sens. Ton cerveau était vide ; tu n'étais pas maître de toi ; aussi les paroles que tu as prononcées alors n'ont pas eu le poids de la vérité, ni d'une autorité quelconque. Le pape nous donnera volontiers une dispense, sachant en quelle nécessité se trouve le royaume et que tu es faible de santé. Vois donc ici la force redoutable de Frédéric le schismatique, les embûches coûteuses du roi d'Angleterre ; ici la ruse traîtresse des Poitevins quoique tu les aies récemment domptés, l'obstination menaçante des Albigeois. L'Allemagne est troublée, l'Italie sans repos ; c'est à peine si l'accès est libre pour la Terre sainte ; à peine si l'on t'y recevra. Derrière ton dos la haine inexorable que se portent le pape et Frédéric, ennemis implacables auxquels tu nous laisses désolés. » Et sa mère exagérant à dessein, pour plus d'efficacité, les pressentiments qu'elle avait : « Fils très cher, écoute et exauce les conseils des amis sûrs ; ne te fie pas à ta propre prudence, rappelle-toi que c'est une grande vertu, et qui plaît à Dieu, d'écouter sa mère et se ranger à ses avis. Reste ; la Terre sainte n'en souffrira nul dommage ; on enverra d'ici davantage d'expéditions militaires que si tu te mets en route en ta propre personne. Dieu n'est ni rancunier ni obstiné. Tu es suffisamment excusé, mon fils, par ce qui t'est arrivé durant ta maladie : privé de raison, n'ayant plus l'exercice de tes sens, touchant presque la mort, en tout cas l'aliénation de l'esprit... »

Le roi répondit : « Ainsi, à vous entendre, c'est à l'affaiblissement de mon esprit qu'a été due ma prise de croix ; fort bien, je cède à vos désirs et à vos conseils ; je dépose la croix ; je vous résigne ma croix. » Et portant la main à son épaule, il en arrache l'emblème : « Sire évêque, voici la croix que j'avais prise ; je vous la rends de mon plein gré. » Alors, comme tous les assistants, n'en croyant pas leurs yeux, témoignaient de leur joie par des félicitations, il reprit, changeant de visage et de ton : « Mes amis, vous conviendrez bien que maintenant je ne suis pas hors de sens, ni incapable de volonté libre, ni infirme. Or, je demande qu'on me rende ma croix ; Celui qui sait tout m'est témoin que je n'accepterai aucune nourriture tant que je ne l'aurai pas reprise[17]. »

*

Le « passage outre-mer » va être désormais à la cour royale la préoccupation dominante. Les préparatifs seront menés à bien, méthodiquement, sans se laisser distraire par les incidences politiques dont les années qui suivent sont fertiles, ni par les événements intimes : la naissance du petit Philippe, second fils des époux royaux, en 1245 ; celle d'un petit Jean trois ans plus tard, qui ne vit que quelques jours et est aussitôt enterré à Royaumont où sa tombe va voisiner désormais avec celle de la petite Blanche. Ces deux tombes, couvertes d'une plaque de cuivre dorée et émaillée, ont heureusement échappé à la fonte qui en fit disparaître des centaines du même type lors des guerres civiles et de la Révolution, si bien qu'on peut voir encore l'effigie de ces deux enfants, admirablement encadrée de médaillons d'émaux de couleurs en rinceaux délicats, et de blasons sur un fond discrètement ouvré, sur lesquels se détachent les deux silhouettes : Jean, le garçon, a les pieds posés sur un lion et Blanche, la fille, sur un lévrier ; avec cette double sépulture, Louis faisait de Royaumont, son abbaye préférée, une sorte de Saint-Denis réservé aux siens, témoin des deuils intimes.

Le point capital pour le grand projet qu'il portait désormais était le port d'embarquement. Plus question dorénavant d'emprunter la voie de terre comme l'avait fait, cent ans auparavant, son arrière-grand-père le roi Louis VII. La voie de mer, en dépit des risques de naufrage, s'est avérée de beaucoup la plus pratique, la moins coûteuse. D'autant plus que des améliorations considérables ont été apportées à la navigation. Les vaisseaux, obligés autrefois de suivre plus ou moins les côtes, se lancent en haute mer sans crainte de dévier, grâce à l'ingénieux dispositif qu'on nomme la boussole, utilisant les propriétés magnétiques de l'aimant ; l'aiguille aimantée, emprisonnée dans un fétu de paille, flotte dans un bol d'eau et sa position désigne le nord. Les marins utilisent aussi la double voilure ; le mât de beaupré permet une allure plus rapide et surtout les manœuvres sont plus aisées grâce au nouveau système de gouvernail qui permet de tourner un vaisseau aussi facilement qu'un cavalier fait tourner son cheval ; des cartes tracées sur parchemin aident à repérer les accidents de la côte et les ports où l'on peut aborder ; aussi bien les lourdes nefs qui quittent chaque année les ports de la Méditerranée, Montpellier, Barcelone, Gênes ou Marseille, transportent-elles couramment jusqu'à mille pèlerins en plus de leur cargaison.

Donc le passage se fera par mer. Mais Louis n'entend pas recourir aux bons offices de cités étrangères comme Marseille, située en terre d'Empire, Gênes ou Pise : les ports d'Italie sont tous plus ou moins entraînés dans la lutte entre le pape et l'empereur. S'adresser à elles reviendrait à se mettre à la merci de rivalités dont il entend précisément se garder. Quant à Venise... outre qu'elle est trop loin, chacun sait de quel prix elle fait payer ses services !

Le roi ne possède pas de port, donc il en créera un. Rien là de très extraordinaire en un temps où les villes neuves poussent et se multiplient sur le sol de France. La difficulté est de trouver l'emplacement convenable ; et ce n'est pas sans mal que l'on finira par s'accorder sur un tertre sablonneux au milieu des marécages dans le delta du Rhône : le seul point par lequel le domaine royal atteigne directement la Méditerranée, car ce lieu, que les pêcheurs nomment Aigues-Mortes, dépend de la sénéchaussée de Beaucaire. Seuls des moines y sont installés à demeure et font pousser leurs vignes sur ce territoire désertique. Bientôt des tractations menées avec l'abbé de Psalmodi permettront d'aménager un port muni d'un chenal pour gagner la mer ; et la tour de Constance commencera de s'élever au milieu des charrois de pierres, de poutres et de chaux, tandis que des experts traceront le quadrillage des rues dans la cité future, rues charretières, rues traversières, dont le double réseau enserrera la place publique sur laquelle on édifie l'église Notre-Dame-du-Sablon.

Et pour peupler cette ville, le roi, selon l'usage, édicte une charte de franchises : « Louis, par la grâce de Dieu roi des Français, faisons savoir à tous, présents et à venir, qu'aux habitants de notre ville d'Aigues-Mortes nous avons octroyé les libertés et privilèges ici énumérés :

— que tous les habitants de ce lieu soient libres et francs de tous impôts, tailles et droits...

— en aucun temps qu'ils ne soient tenus de donner une compensation pécuniaire au lieu de la chevauchée militaire et qu'en tout le cours de l'année ils ne soient tenus d'aller en chevauchée sinon quarante jours seulement...

— que de tout péage sur terre ou sur mer ils soient francs perpétuellement...

— qu'il soit permis à la communauté de la ville d'avoir quatre consuls au moins... et que les hommes de ce lieu aient liberté d'élire leurs consuls, même sans le consentement de notre cour..., etc.

« Fait à Paris, l'an 1246, au mois de mai. »

Blanche, résignée, assiste sans enthousiasme à cette activité. Elle ne suit plus que d'assez loin les affaires du royaume ; les livres de comptes distinguent de plus en plus ses dépenses personnelles de celles de la cour. Elle apprend comme chacun que Louis a décidé de faire de l'île de Chypre sa base d'approvisionnement et qu'à la saison il fait, une année après l'autre, acheter du blé et du vin. Le blé s'entasse en silos et les tonneaux de vin s'étagent ; les uns et les autres font l'effet, raconte-t-on, de petites montagnes qu'on aperçoit de loin en approchant des côtes. A Chypre règne un Lusignan, parent des comtes de la Marche, très bien disposé pour les croisés et qui probablement se joindra lui-même aux combattants. De même apprend-elle que Louis, selon son habitude, fait préparer nombre de machines de guerre par son maître artilleur Jocelyn de Cournault.

Elle est témoin aussi du subterfuge dont le roi aurait usé, s'il faut en croire Matthieu Paris, pour convaincre les barons de l'imiter lors de sa cour de Noël, l'an 1245.

Pour les assemblées de Noël, traditionnellement, rois et hauts seigneurs faisaient cadeaux de vêtements aux nobles de leur entourage. Louis cette année-là en aurait fait acheter plus qu'à l'ordinaire et sur les chapes de drap précieux fourrées de menu vair, il aurait fait coudre en secret, la nuit, des croix d'orfroi très fin ; les chapes furent remises pendant la nuit de Noël à leurs bénéficiaires et le roi leur demanda de les revêtir avant l'aube pour la messe du jour ; en assistant à la messe, chacun put apercevoir la croix sur l'épaule de son voisin ; croisés sans le savoir, ils auraient eu le bon goût de ne pas se révolter contre le pieux stratagème et de se ranger à la suite du roi qu'ils appelaient « chasseur de pèlerins et pêcheur d'hommes ».

**

Si elle ne prend part que de très loin aux préparatifs des croisades, Blanche en revanche assiste
son fils et l'accompagne en personne aux entretiens qu'il aura avec le pape Innocent IV à Cluny.

Le pape avait fait choix pour son installation à
Lyon du monastère de Saint-Just situé au nord de
la vieille ville, à quelque distance de la Saône, —
lieu qu'on décrit alors comme « fortifié, puissant
et très noble » ; sa situation naturelle, sur une
colline escarpée et facile à défendre, aussi bien
que ses fortifications, en faisaient une résidence
assez sûre même au cas où l'empereur se fût rap-
proché de Lyon. La ville ne devait d'ailleurs pas
avoir à se plaindre du séjour du pape puisque
celui-ci contribua puissamment à faire reconstruire la cathédrale Saint-Jean et lancer un nouveau pont sur le Rhône, le pont de la Guillotière.
Les commerçants de cette cité prospère ne pouvaient que se réjouir du trafic qu'amenait inévitablement la présence de la cour pontificale ; l'installation d'une école de théologie et de droit dès
1245 représentait aussi pour les habitants un
avantage appréciable.

Le premier soin du pape, une fois à Lyon, avait
été de convoquer le concile. Il l'inaugura par un
discours qui est un véritable cri d'angoisse, appelant l'attention du monde sur les « cinq plaies »
qui affectaient le peuple chrétien : réforme du
clergé, reprise de Jérusalem aux Sarrasins,
défense de l'Empire latin de Constantinople,
avance des Tartares en Hongrie, persécution de
l'Église par Frédéric II.

En fait, cette plaie-là semblait bien être, dans
l'esprit du pontife, la plus immédiate, et celle à
laquelle il entendait remédier d'abord. Le concile
ouvert le 28 juin se termina le 17 juillet suivant

par une nouvelle excommunication de l'empereur — la troisième de son existence. On devait voir devant la cour pontificale son représentant, le dévoué Thaddée de Suessa, légiste tout acquis aux idées et au service de Frédéric II, se frapper la poitrine, se répandre en lamentations et protester énergiquement contre la sentence qui frappait son maître en dépit de la défense fort habile et persuasive qu'il avait présentée.

Quelques mois plus tard, le roi de France prenait la route de Bourgogne. Frédéric II s'était adressé à tous les souverains chrétiens pour protester contre la décision du concile de Lyon et Louis s'était prêté à une tentative de conciliation ; l'entrevue devait avoir lieu pour la Saint-André, 30 novembre 1245, dans le cadre de l'abbaye de Cluny.

Le cortège royal réuni devant les hautes murailles dominées par les sept tours de l'abbatiale de Cluny a une allure résolument militaire. « En tête une centaine de sergents armés d'arbalètes, montant des chevaux aux riches caparaçons, puis cent autres chevaliers aux hauberts étincelants, portant des boucliers ronds et des targes, les chevaux comme les hommes couverts de mailles de fer ; après eux un troisième corps de cent hommes armés de toutes pièces, l'épée au poing ; le noble roi et la glorieuse chevalerie de son royaume, en nombre vraiment incroyable, formaient le quatrième groupe. » Le roi a tenu sans aucun doute à cet appareil guerrier qui peut inspirer à l'empereur de saines réflexions ; celui-ci est d'ailleurs fort occupé dans le même temps à mener contre les Lombards en révolte une guerre sauvage, multipliant pendaisons et mutilations.

Pour l'abbaye de Cluny, cette rencontre de la Saint-André est l'une des très grandes heures de son histoire. L'abbatiale est la plus vaste église de la chrétienté ; elle le demeurera jusqu'à la reconstruction de Saint-Pierre de Rome deux siècles plus tard. Les bâtiments monastiques sont à la mesure de l'admirable vaisseau. Les historiens du temps ont noté que les deux visiteurs : le pape et le roi de France, ont pu être reçus avec leur suite et que, malgré cette énorme affluence, leur logement et leur nourriture ont été assurés sans que la vie conventuelle, celle des moines habitant l'abbaye, en ait été troublée ; ces derniers conservèrent leur dortoir, leur réfectoire, et tinrent leur chapitre comme s'il ne s'était agi que de la foule coutumière des grands pèlerinages ; et cependant le pape était entouré de douze cardinaux, des patriarches d'Antioche et de Constantinople et de dix-huit évêques ou archevêques, sans parler des nombreux abbés d'autres abbayes qui s'étaient rendus à Cluny pour la circonstance. Quant au roi, il se trouvait là avec toute sa famille, Blanche la première, car elle allait jouer un rôle actif dans ces entretiens ; autour du roi, son frère Robert, sa sœur Isabelle, peut-être aussi ses deux autres frères, Alphonse et Charles, en tout cas certainement l'empereur Baudouin de Constantinople et plusieurs nobles de son entourage, comme le duc de Bourgogne, le comte de Dampierre, les sires de Bourbon et de Beaujeu, etc. Au total une extraordinaire assemblée qui se trouva réunie pour la messe de la Saint-André célébrée par le pape en personne. Dans les fastes du temps on note que pour la première fois y fut porté le « chapeau de cardinal » : les douze cardinaux étaient en effet coiffés du chapeau rouge, selon une décision prise au concile précédent. La couleur rouge signifiait qu'ils devaient être prêts à exposer leur tête et à verser leur sang au service de la foi et de l'Église. A vrai dire le traitement infligé quatre ans auparavant par Frédéric II à leurs confrères, emprisonnés et retenus captifs au moment où ils se rendaient au concile, justifiait le symbole. Du reste, plusieurs parmi les prélats avaient pris la croix avec le roi de France, entre autres l'un des cardinaux, Eudes de Châteauroux, légat pontifical pour la Terre sainte, et aussi les deux évêques de Clermont et de Langres, Hugues de la Tour et Hugues de Rochecorbon, qui devaient accompagner le roi outre-mer pour n'en pas revenir.

Durant toute la semaine qui suivit, les entrevues se déroulèrent entre trois personnes seulement : Blanche, son fils et Innocent IV. De ce qui fut dit et décidé entre eux, rien n'a transpiré.

Mais on peut sans risque d'erreur supposer, comme le fait Matthieu Paris, qu'il fut question de la concorde à rétablir entre l'Église et l'Empire « et par quelle voie on pourrait parvenir à une paix honorable, car le roi avait la ferme résolution de prendre route pour Jérusalem avec beaucoup d'autres nobles de France, déjà marqués de la croix tant par fidélité au roi qu'à Dieu. Or, ils ne pouvaient s'engager ni par mer ni par les terres de l'empereur tant que l'Église n'aurait été pleinement pacifiée et sans l'accord de la chrétienté entière. »

Un autre point de l'entretien ne fait aucun doute : la décision prise au sujet du mariage de Charles d'Anjou avec l'héritière de Provence Béatrice ; la plus jeune fille de Raymond-Bérenger se voyait en butte depuis la mort de son père à des prétendants fort empressés. Entre autres le roi d'Aragon, Jacques surnommé le Conquérant, qui avait trouvé bon d'appuyer sa demande par une troupe armée et tenait alors Aix-en-Provence assiégée. « Au moment de partir, Louis envoya une portion importante de son escorte libérer, glaive au poing, Béatrice, la plus jeune sœur de la reine de France Marguerite, que le roi d'Aragon avait assiégée avec son armée en guerre... et qu'il assiégeait impudemment pour la donner en épouse, disait-il, à son fils. »

L'expédition allait être rondement menée : elle avait à sa tête le plus jeune frère du roi, Charles. En chemin il rencontra l'envoyé du comte de Toulouse Raymond VII ; celui-ci, dès qu'il avait appris la mort du comte de Provence, son ancien ennemi, s'était empressé de répudier sa femme Marguerite de la Marche, fille de son allié de Lusignan, laquelle du reste n'avait pas montré moins d'empressement à accepter que leur union fût dissoute : elle n'avait pas été consommée. La nullité du mariage avait été confirmée par le pape le 25 septembre et Raymond avait sans nul doute cru toucher au but en obtenant par mariage cette Provence qu'il n'avait pu obtenir les armes à la main avec le secours de l'empereur. « L'envoyé qu'il dépêchait à la dame reine de France pour qu'il lui plaise que soit accompli ce qui avait été précédemment objet de négociations entre lui et le père de la jeune fille rencontra en chemin le sire Charles, se hâtant pour contracter mariage avec elle. » Mariage conclu à force d'éperons et qui fut célébré sans tarder à Paris le 31 janvier suivant. Charles était désormais comte de Provence.

Blanche semble d'ailleurs n'avoir pas été remerciée comme elle l'eût mérité par son plus jeune fils dont l'ambition se révélait déjà insatiable ; il se plaignit de ce que les fêtes célébrées en cette occasion n'eussent pas eu la même splendeur que celles de Sens pour le mariage de Louis IX : « Je suis fils de roi et de reine, et lui ne l'était pas. » Il est vrai que l'anecdote nous est racontée par Matthieu Paris dont la langue est toujours malveillante. Peut-être, en effet, n'avait-on pas pris le temps de donner à ces noces l'éclat accoutumé : Louis n'avait quitté qu'au milieu de décembre la vallée de la Saône ; le 8, jour de la Conception Notre-Dame, il assistait avec sa mère et ses frères à la dédicace de l'église Saint-Pierre de Mâcon que le pape en personne consacrait.

Il reste que, si Charles ne se montrait qu'à demi content, beaucoup d'autres princes, eux, manifestaient sans ambages leur mécontentement : sans parler de Jacques d'Aragon et de Raymond de Toulouse, Henri d'Angleterre et son frère Richard de Cornouailles, l'un et l'autre gendres de Raymond-Bérenger, trouvaient mauvais que ce dernier eût laissé à sa plus jeune fille l'héritage de Provence, qui passait ainsi à un fils de France. Plus que tout autre Marguerite en fut irritée ; elle n'avait jamais aimé son jeune beau-frère, mais allait dès lors le détester ; leur mésentente devait peser douloureusement sur l'atmosphère de la cour royale, jusqu'alors fort unie, et amener Marguerite à afficher ouvertement sa préférence pour sa famille anglaise.

Quant à Blanche, ce second mariage provençal, qui était son œuvre, comblait ses vœux ; la sécurité était désormais assurée dans les régions qui, au temps de son époux, avaient été le théâtre de tant d'événements sanglants ; son projet avait été facilité par le pape, qui y avait vu une occasion de faire pièce à l'empereur tout en s'attirant la protection du puissant roi de France.

A la Pentecôte de l'année 1246, cette fois avec tout le faste désirable, la chevalerie de Charles fut célébrée dans le cadre du château de Melun ; c'est à cette date qu'il commence à porter son nom de Charles d'Anjou, puisque les deux apanages du Maine et de l'Anjou que son père lui avaient réservés par testament lui sont alors conférés. Le jeune comte n'allait pas tarder à révéler ses talents d'administrateur — et aussi de justicier à la main lourde —, dans les domaines de son épouse. « Lorsque Charles s'en vint en Provence après en être devenu comte, il se mit à faire justice dans ses terres, châtiant les pillards, faisant périr les voleurs, rendant les chemins sûrs aux marchands, remarque un observateur étranger ; pour mieux y parvenir il s'arrangea de façon à tenir en sa main toutes les forteresses de sa terre, afin que les brigands n'eussent personne pour les favoriser ; jusqu'alors ceux qui tenaient les châteaux se faisaient les associés des larrons pour leur donner refuge dans leur forteresse, les y gardaient, les aidaient de tout leur pouvoir. »

Dans le domaine royal aussi des soucis d'administration se font jour. Et là il semble bien que Blanche s'en soit mêlée.

En janvier 1247, le roi expédie des lettres patentes. Il a confié à des enquêteurs la mission de « recevoir par écrit et examiner, suivant la forme que nous leur avons indiquée, les plaintes que l'on peut faire valoir contre nous ou nos ancêtres, ainsi que les dires relatifs aux injustices, exactions et toutes autres fautes dont nos baillis, prévôts, forestiers, sergents et leurs subordonnés se seraient rendus coupables depuis le commencement de notre règne ».

Mesure d'un caractère tout à fait exceptionnel, innovation dont on ne peut sous-estimer l'importance. Jusqu'alors, quand les rois envoyaient par le royaume des délégués, baillis ou sénéchaux chargés de les représenter dans la gestion des intérêts locaux, c'était essentiellement au profit de la royauté elle-même, pour surveiller les agents inférieurs. Avec les enquêtes ordonnées en

1247, il ne s'agit plus de surveiller les mécanismes de son administration — s'il est permis d'employer ce terme encore anachronique pour l'époque. Les « seigneurs enquêteurs » auront affaire directement au peuple ; ce ne sont ni de grands prélats ni de grands seigneurs, mais de ces frères mendiants qui par vocation sont mêlés au peuple : des franciscains, des dominicains ; on les nomme « les frères qui s'occupent des restitutions » ; leur mission consiste à faire rendre gorge aux agents du roi toutes les fois que ceux-ci ont abusé de leur pouvoir.

C'est assez dire que les enquêtes représentent une institution entièrement originale, par laquelle le fils de Blanche méritera son renom de roi justicier, ami des pauvres et des humbles ; son amitié ne s'est pas seulement manifestée par des aumônes, mais par des actes royaux, des mesures efficaces pour entendre la voix de ces pauvres, pour écouter ceux qui ne peuvent se faire écouter des puissants du jour. C'était, dans l'histoire de l'administration, une manière de chef-d'œuvre.

Les enquêteurs devaient rapporter, consignés sur leurs rouleaux de parchemin dont un certain nombre ont été conservés jusqu'à nos jours, une multitude de faits souvent infimes, reflets de vie quotidienne et de drames minuscules dont les acteurs s'appellent Guillaume Boit l'aive, Étienne Malemouche, Yves Ombre d'âne, Étienne Pot à feu, etc. — en ces temps où le nom n'est encore la plupart du temps qu'un surnom.

Reflets aussi des guerres et des troubles qui ont ensanglanté certaines parties du pays ; aussi bien les enquêtes ont-elles été menées très soigneusement dans les régions qui avaient eu à souffrir des événements de ces trente années, en Normandie notamment et dans les régions méridionales. Beaucoup de plaintes émanent de gens qui ont vu leurs terres saisies parce qu'ils étaient demeurés au service du roi d'Angleterre, ou parce qu'ils se trouvaient en Angleterre au moment du siège de Bellême. Ces confiscations ont souvent été opérées sans discernement : Guillaume Le Sénéchal, d'Authieux-sur-Calonne, en a été victime ; or il n'est allé en Angleterre que pour réclamer la dot de sa femme et avec la permission du roi ; on l'a néanmoins privé d'un héritage en Normandie qui lui valait un revenu de trente sous par an. En Artois, les préparatifs du débarquement en Angleterre trente ans plus tôt ont laissé d'amers souvenirs : des réquisitions ont été faites sans jamais être remboursées. Gautier Hanikaigne rappelle qu'on a pris à sa mère Marguerite des cuirs et une somme de quarante-sept livres, et rien n'a été payé ni rendu ; or Marguerite était de Tournai et tenait le parti du roi Philippe. Gautier Pavio, lui, se plaint qu'au temps où le sire Louis passa en Angleterre, il avait fait proclamer par tout le pays que si les marchands envoyaient du blé, du vin et d'autres victuailles par bateau en Angleterre pour approvisionner son armée, il le leur rendrait au double dans le cas où leurs marchandises seraient prises par l'ennemi ; or lui-même a envoyé une nef pleine de blé pour lui porter secours ; les Anglais, en pleine mer, s'en sont emparés avec beaucoup d'autres navires de Gravelines, les serviteurs de Gautier ont été par eux mis à mort, lui-même y a perdu cinq cents livres et les autres marchands trois mille : tout ce monde demande à être indemnisé. Dans le Languedoc, l'Albigeois, la sénéchaussée de Beaucaire et de Carcassonne, des exactions de ce genre sont nombreuses ; il y a ceux qui ont été dépossédés lors du siège de Carcassonne, comme Reine et sa sœur, filles d'Ermengaud de Cavenac, qui ont perdu leur héritage paternel lors de la destruction du bourg : tous les autres, disent-elles, ont récupéré leur héritage, mais elles n'ont pu se le faire rendre par le sénéchal du roi. Il y a les paysans de Tourbes qu'on a taxés au moment même où ils étaient requis d'aller se battre au pont de la Vidourle pour le service du roi.

A travers un véritable chapelet de récriminations souvent infimes — Maria La Saunière qui se plaint qu'on lui ait pris une couverture et un oreiller, et Simon, pauvre juif d'Arles, son manteau de drap brun fourré de lièvre —, on perçoit le contrecoup des principaux événements : Guillaume le Vieux et ses fils se sont vu réquisitionner à Arras leurs cinq chevaux bien harnachés, qui ont été emmenés pour la guerre en Albigeois ; ils n'en ont récupéré qu'un seul, sans harnais. Pierre Serda et ses onze compagnons, à Roullens, ont été requis par un officier du roi, Thibaud de Corbeil, d'aller une nuit au siège de Montségur pour « tirer le mangonneau » ; on leur avait promis à chacun douze deniers qu'ils n'ont jamais pu avoir. Pierre Bordas, de Villemagne, s'est vu accuser d'hérésie et mettre en prison parce qu'il avait — de force, malgré lui, assure-t-il, — donné accueil à un citoyen de Toulouse, un proscrit certainement, nommé Étienne Massa, et sa femme. Un juif de Béziers, David, a été spolié d'un mas qu'il possédait en deçà de Béziers par le sénéchal Guillaume des Ormes et en demande la restitution à ses enfants. Nombreux sont les petits seigneurs qui se plaignent d'avoir été dépossédés parce qu'ils avaient pris les armes contre le roi lors de la révolte de Trencavel. Pons, le châtelain de Villalbe, s'est vu confisquer, en plein marché, quatre bœufs qu'il venait d'acheter, sous prétexte qu'il les avait achetés à des *faidits,* des proscrits, et Isarn Guiffred, de Couffoulens, qui avait cru mettre son blé en sûreté lors de la guerre à Leuc, près de Carcassonne, s'est entendu répondre, quand il est venu le chercher une fois la paix revenue, que c'était « prise de guerre du roi ».

Tous les « faits divers » du temps sont inscrits sur ces rouleaux d'enquête ; ce sont les menus délits de bois coupé — sans parler de ceux qui, comme à Pézenas, ont été utilisés pour faire des machines de guerre —, animaux vaguant comme ces vaches confisquées à Isabelle Chaucebure parce qu'elles avaient pâturé sur des bois en défens ; rixes, coups et blessures, affaires de mœurs comme ce Martin Frottecouenne que deux villageois ont emmené prisonnier à Beaufort-en-Vallée parce qu'une fille l'accusait de l'avoir violée ; ou comme ces deux garçons qui ont administré une correction à la concubine de leur père dans un village de Normandie.

Ce qui frappe, dans ces relevés d'exactions, des plus flagrantes aux plus infimes, c'est de voir combien les très petites gens ont été écoutés : des serfs, des juifs, viennent se plaindre, et leur plainte est enregistrée ; ceux-là même qui n'avaient jamais osé se plaindre, ou dont les agents du roi n'avaient jamais voulu entendre les plaintes, ont trouvé audience ; ils ont conscience de la nouveauté du fait. Elle est bien significative, cette déposition d'un nommé Raymond Bernard, fustier-charpentier de Roullens, qui se plaint que le bailli du bourg lui ait extorqué les revenus de sa terre et de sa vigne. On lui demande pourquoi il ne s'est pas plaint. Il répond : « J'étais alors jeune, faible et pauvre et jamais le bailli fautif ni ses successeurs n'ont voulu m'écouter. » La justice, et c'était nouveau dans son histoire, se faisait proche des petites gens ; elle allait les trouver chez eux, elle les laissait s'exprimer.

On peut se demander dans quelle mesure Blanche a inspiré ces enquêtes ; ce n'est certes pas nuire à la renommée de justice de son fils que de constater à quel point cette institution correspond à un trait de caractère maternel ; cette attention portée aux petites gens, les contemporains l'ont relevée chez Blanche : « Elle veillait à ce que (le menu peuple) ne fût défoulé des riches (foulé au pied par les riches) et gardait bien justice. » On y retrouve cet on ne sait quoi de féminin, de maternel même, qui caractérise la reine : le même genre de réflexe que celui qui lui avait fait dire en arrivant à Bellême lors du siège du château : « Ces gens ont froid, il faut avant tout les réchauffer. »

D'ailleurs, il est à remarquer qu'en 1247 les enquêtes sont faites très soigneusement dans les États personnels de Blanche, ceux qui avaient constitué son douaire jusqu'en 1237 : à Hesdin, à Bapaume, à Lens. A maintes reprises aussi les enquêtes portent quelques traces de son action personnelle. C'est la reine qui a fait restituer, quand elle fut à Caen, les trente livres dues depuis longtemps à Robert de Champeaux ; elle a en certain cas fait alléger la peine des prisonniers ; elle est intervenue pour faire rendre à Pierre Potet de Loudun les cent six sous que lui devait un sergent du roi, Colin de Lorris. Et bien entendu elle est très souvent associée au roi par les plaignants, lesquels s'adressent « au roi qui est à présent et à sa très chère mère » ; il est visible que pour cette institution comme pour tous les autres actes de gouvernement on ne peut séparer, de l'action de Louis, celle de Blanche*.

Au reste, pour l'époque, c'était encore préparer

---

* Enfin, il est bien significatif de voir qu'un sénéchal grincheux, Pierre d'Athies, quand on le presse de rendre justice au nom du roi, répond avec colère : « Qu'est-ce que vous voulez ? Dites-le, et vite ! Je donnerais bien cent marcs d'argent pour ne plus entendre parler du roi, pas plus que de la reine ! »

la croisade que de restituer le bien mal acquis et de faire réparer toute injustice. Joinville, à la veille de son départ, agit sur son modeste terroir comme le roi dans l'ensemble du sien ; il convoque ses hommes et leur dit : « Seigneurs, je m'en vais outre-mer et ne sais si je reviendrai. Or avancez : si je vous ai fait tort de rien, je vous le réparerai, l'un après l'autre, ainsi que j'ai accoutumé, à tous ceux qui voudront demander quelque chose à mes gens..., et pour que je n'eusse point d'influence, ajoute-t-il lorsqu'il raconte la scène, je me levai du conseil et je maintins tout ce qu'ils décidèrent, sans débattre. »

Chaque jour qui passait rapprochait à présent ce départ pour le grand pèlerinage ; quelque temps on crut qu'il serait ajourné. L'empereur Frédéric II prétendait se rendre à Lyon et venait de convoquer ses vassaux, leur intimant l'ordre de se trouver en armes à Chambéry dans les quinze jours qui suivraient l'octave de Pentecôte. Grande émotion pour le pape et son entourage. Blanche, son fils et sa famille se trouvaient alors à Pontigny pour une cérémonie émouvante : saint Edmond, l'archevêque de Cantorbéry auquel la cour de France avait jadis donné asile, venait d'être canonisé et ses restes devaient être solennellement déposés dans l'église abbatiale ; le saint homme était mort sept ans auparavant au monastère de Soisy près de Provins.

Quelques jours plus tard, les messagers faisaient savoir à Frédéric II que, s'il franchissait les Alpes, le roi Louis de France, sa mère Blanche, ses trois frères marcheraient à sa rencontre, et que déjà les chevaliers étaient convoqués sur les bords de la Saône et du Rhône. Il n'insista pas. Le 17 juin, Innocent IV écrivait à Blanche, à Louis, à ses frères, des lettres pleines de gratitude : « Que les cieux se réjouissent et que la terre exulte ! »

*
**

« Quand le roi eut atourné sa voie, il prit son écharpe et son bourdon à Notre-Dame de Paris ; et l'évêque lui chanta messe. Et se mut de Notre-Dame, lui, la reine et ses frères et leurs femmes, déchaux et nu-pieds ; et toutes les congrégations et le peuple de Paris les convoyèrent jusqu'à Saint-Denis, en larmes et en pleurs. Là le roi prit congé d'eux et les renvoya à Paris, et pleura assez en se séparant d'eux.

« Mais la reine sa mère demeura avec lui, et le convoya trois journées malgré le roi. Alors lui dit : « Belle très douce mère, par cette foi que « vous me devez, retournez désormais. Je vous « laisse mes trois enfants à garder, Louis et Phi- « lippe et Isabelle ; et vous laisse à gouverner le « royaume de France ; et je sais bien qu'ils seront « bien gardés et le royaume bien gouverné. » Alors lui répondit la reine en pleurant :

« Beau très doux fils, comment sera-ce que mon « cœur pourra souffrir le départ de moi et de « vous ? Certes,il sera plus dur que pierre s'il ne « se fend en deux moitiés ; car vous m'avez été le « meilleur fils qui jamais fut à mère. » A ces mots tomba pâmée ; et le roi la redressa et baisa, et prit congé d'elle en pleurant ; et les frères du roi et leurs femmes prirent congé de la reine en pleurant. Et la reine se pâma de nouveau, et fut long-temps en pâmoison ; et quand elle en fut revenue, dit : « Beau tendre fils, je ne vous reverrai « jamais ; le cœur me le dit. » Et elle dit vrai ; car elle fut morte avant qu'il revînt. »

C'est ainsi que le Ménestrel de Reims décrit la

séparation entre Blanche et son fils ; il a su pour ce faire trouver des mots émouvants dans leur simplicité. On imagine Blanche jetant un dernier regard sur ses quatre fils si différents les uns des autres et pourtant reflétant chacun quelque trait de son époux et d'elle-même : « Deux d'entre les frères étaient très doux et simples, fragiles de corps et peu faits pour les armes, Louis et Alphonse ; les deux autres, Robert et Charles, étaient des hommes très ardents, forts et robustes de corps, habiles à manier les armes et très belliqueux. » Tous les quatre à vrai dire se révélaient d'excellents chevaliers lorsqu'il fallait combattre, mais le chroniqueur a bien su discerner les traits qui dominaient chez chacun : Robert et Charles plus impétueux ; Louis et Alphonse plus réservés et plus doux. Robert, si emporté fût-il, était un tendre et son frère aîné avait pour lui une secrète préférence ; du moins c'est ainsi que l'entendait Joinville, racontant plus tard les confidences du roi. Mais c'est ce dernier qui emporte les suffrages de la foule comme la préférence maternelle : « Le roi était grand et fragile, plutôt mince, d'une taille convenable ; il avait visage d'ange et gracieuse figure », dit le moine franciscain Salimbene, un Italien qui a vu le cortège royal dans la ville de Sens où il résidait alors. Il décrit ce cortège : « Le roi venait à l'église des Frères mineurs, non dans la pompe royale, mais en habit de pèlerin, avec la besace et le bourdon au cou... Il ne venait pas à cheval, mais à pied, et ses frères les trois comtes le suivaient dans la même humilité et une semblable attitude ; le roi ne s'embarrassait pas d'une escorte de nobles, mais faisait surtout attention aux prières et aux suffrages des pauvres ; à vrai dire on aurait plutôt dit un moine, à cause de la dévotion de son cœur, plutôt qu'un chevalier portant armes de guerre ; il entra dans l'église des Frères, fit très dévotement la génuflexion, pria devant l'autel et quand il sortit de l'église et se tint un instant devant la porte, j'étais tout à côté de lui... Quand nous fûmes réunis au chapitre, le roi commença à parler, et se recommandant lui-même, ses frères et la dame reine sa mère et tout son entourage, il réclama les prières et les suffrages des frères, et quelques-uns des frères français qui étaient près de moi, émus de piété et de dévotion, pleuraient sans retenue. » Le bon moine, assez difficile à contenter (il trouve que les femmes en France, en tout cas celles de Sens, ont toutes l'air de servantes), n'a que des termes d'admiration pour décrire le roi.

C'est à l'Hôpital, à l'entrée de Corbeil, qu'eut lieu la séparation, dans la double splendeur d'une belle journée de juin et d'une cité en pleine prospérité. Blanche, assistée de son fils Alphonse qui allait demeurer encore un an auprès d'elle avant de gagner à son tour la Terre sainte, a dû suivre des yeux le cortège descendant la côte vers la Seine et l'Essonne. Le martèlement des pas de chevaux s'ajoute au bruit assourdissant des roues de moulins sous les arches des ponts. Le soleil joue sur les flèches des édifices : la grande église Notre-Dame, Saint-Spire, Saint-Étienne et la jolie chapelle de la Commanderie de Saint-Jean-en-l'Ile. Tous pennons déployés, chevaliers et sergents remontent l'autre versant de la colline et lentement le cordon chatoyant s'étire sur la route.

Aux seigneurs du Nord, dont beaucoup accompagnent le roi, se joindront nombreux les seigneurs du Midi, et l'on verra ainsi cheminer côte à côte, marquant profondément la réconciliation et la paix du royaume, les fidèles de toujours et ceux dont, quelques années auparavant, on ne pouvait espérer la soumission : le comte de Bretagne Pierre Mauclerc, et des barons méridionaux tels que Trencavel de Béziers et Olivier de Termes.

Blanche a essuyé ses larmes. Une fois de plus elle se doit d'oublier son chagrin, de dominer sa peine. Elle est reine.

Un ordre, et son escorte à elle s'ébranle vers le Nord.

Aller me faut là où porterai peine.

7

« COMME UN LYS »

Dans la cité parisienne l'église Notre-Dame dresse à présent ses deux tours, — deux bras levés au ciel dans le geste de l'Orante. La tour Nord, un soupçon plus lourde, moins élégante que la première, peut-être d'avoir été copiée sur celle-ci : on ne devrait jamais faire deux fois œuvre semblable puisqu'à la seconde manquera toujours l'audace de l'invention.

N'importe, Notre-Dame est belle : belle de ses couleurs flamboyantes qui font comparer sa façade à une page de manuscrit enluminée, de sa structure sereine et bien assise, de sa masse puissante et de la légèreté de ses colonnettes. A ses deux tours répond la flèche unique de la Sainte-Chapelle du Palais, dominant comme elle les clochers des douze paroisses voisines.

Notre-Dame est belle, les Parisiens en sont fiers ; ils aiment contempler le triple portail d'entrée où les apôtres semblent défiler en éternelle procession, reconnaître les rois de Juda dans les vingt-quatre statues qui s'alignent sur la galerie haute et détailler, sur le tympan central, sous les légions d'anges dans les arcatures, les bienheureux au milieu desquels sourit un beau Noir au visage extasié.

Notre-Dame est belle, elle a cessé d'être un chantier ; la cathédrale est achevée. Finie l'œuvre qui depuis quatre-vingts ans donne tant de soucis aux évêques successeurs de Maurice de Sully et au chapitre. Ce n'est pas trop d'une vie d'homme pour bâtir l'immense vaisseau capable d'abriter, sinon toutes les ouailles du diocèse, du moins la plus grande partie d'entre elles.

Mais que se passe-t-il ? Voici qu'à nouveau, du côté Nord, vers le cloître, s'assemblent maçons et plombiers. A nouveau on édifie la loge des outils, la chambre aux traits où le maître de l'œuvre — c'est un homme du domaine, Jean de Chelles — va tracer plans et épures. A nouveau les longues tables que les maîtres verriers vont enduire de craie pour dessiner le lacis des vitraux. La cathédrale n'est pas terminée. On a décidé d'agrandir le transept et de l'éclairer d'une immense rose aux tons bleus, miroir de science dédié à Notre Dame.

Et la vie reprend, plus effervescente que jamais.

*
**

Blanche, elle, a repris sa tâche de reine. La vie n'est jamais terminée.

Le roi parti pour le lointain pèlerinage lui a confié le royaume. Rien d'étonnant à cela : Philippe-Auguste, en prenant la croix plus d'un demi-siècle auparavant, avait de même confié le royaume à sa mère, comme l'avait fait son rival le roi d'Angleterre bien qu'il eût un frère largement en âge de le remplacer. Blanche s'était peu à peu effacée devant son fils, mais n'avait jamais tout à fait cessé de l'assister. Et ce dernier trouvait bon que la reine fût celle « par qui se traitaient toutes les affaires du royaume[1] ». Simplement, au moment où elle s'apprêtait à chercher la retraite dans quelque monastère — comme l'avait fait, par exemple, la comtesse de Mâcon, qui venait de résigner la suzeraineté de son comté au roi pour se retirer à Maubuisson — il lui fallait opérer un retour à la vie active. Sans elle le roi n'aurait pas pu entreprendre le passage outre-mer. Il est parti confiant : le royaume ne manquera pas de défenseur.

Et Blanche se retrouve, à soixante ans, prête à faire face. Sans doute avec moins d'appréhension qu'elle ne l'avait fait voici quelque vingt-cinq ans. Elle connaît chaque rouage et peut déceler chaque point faible, dans le royaume et aussi chez ses ennemis. Tout ce qui faisait son bonheur est parti avec cette brillante armée qui s'est ébranlée contre son gré. Le fils bien-aimé, le beau chevalier aux yeux de colombe, elle ne le reverra plus : au fond du cœur elle le sait. Mais c'est encore l'aimer que de tenir ici sa place. Elle la tiendra. Ce n'est pas la première fois qu'elle aura pris « courage d'homme en cœur de femme ».

Son fils Alphonse est resté auprès d'elle, retardant son départ de quelques mois : les trêves avec l'Angleterre vont bientôt arriver à leur terme et quelle sera alors l'attitude du roi Henri III ? Quelque temps on a espéré qu'il prendrait la croix lui aussi ; il ne l'a pas fait, bien que quelques croisés aient quitté l'Angleterre pour grossir le passage outre-mer, et parmi eux le comte de Salisbury, Guillaume Longue-Épée. Faudra-t-il à nouveau prendre les armes ? En ce cas le comte de Poitiers sera là ; il a vingt-huit ans et peut mener en personne une action militaire. De plus, on lui a confié le soin d'escorter plus tard vers la Terre sainte l'épouse de Robert d'Artois qui, étant enceinte, est demeurée en France, mais entend bien participer à la croisade aux côtés de son mari comme l'ont fait ses belles-sœurs.

Blanche se retrouve mère pour les enfants de Louis et de Marguerite : Isabelle — celle qui plus tard sera reine de Navarre —, Louis, l'héritier du royaume, qui n'a que quatre ans et demi au départ de ses parents, et le petit Philippe, trois ans. La plupart du temps les enfants vivent au Louvre et c'est au châtelain du Louvre que revient leur surveillance. Blanche à nouveau doit diriger l'éducation d'un roi.

Elle a auprès d'elle, l'assistant dans ses diverses tâches, sa fille Isabelle, « la plus noble Dame qui fût sur terre : elle était fort gracieuse et de grande beauté. » Isabelle, à vingt-trois ans, est une figure exceptionnelle. Physiquement, elle ressemble à Louis ; elle est blonde, si blonde que ses suivantes comparent à des fils d'or les cheveux restés sur le peigne lorsqu'elles la coiffent, — ces cheveux qu'elles recueillent comme des reliques, car Isabelle inspire une véritable vénération à tout son entourage. Blanche n'a même pas eu l'occasion de déployer pour elle ses talents d'éducatrice et c'est avec un regard secrètement émerveillé qu'elle l'a vue grandir, comme Louis. Le seul défaut qu'elle ait dû combattre est une tendance à l'ascèse qu'elle juge excessive ; elle veille donc à ce qu'Isabelle soit vêtue selon son haut rang et use des parures et ornements convenables à une princesse. Celle-ci, dont la vie est tout intérieure, confiera plus tard aux religieuses ses sœurs qu'elle avait « aussi bon cœur et aussi dévot à Notre Seigneur quand elle avait ses riches ornements en son chef (tête) et en son corps que quand elle eut habits de religieuse[2] ». Blanche trouve aussi qu'Isabelle pratique trop souvent le jeûne ; dès sa petite enfance elle s'est imposé ainsi des privations, au point que sa mère lui promettait des aumônes pour les pauvres à condition qu'elle mangeât davantage. Précaution nécessaire, car Isabelle est, elle aussi, de santé fragile. Comme jadis son père, comme son frère aîné, elle a, aux environs de la vingtième année, donné de graves inquiétudes à son entourage. Blanche, appelée ailleurs par les affaires du royaume, l'avait laissée à Saint-Germain-en-Laye aux soins de sa belle-sœur Marguerite et celle-ci avait dû la rappeler en toute hâte ainsi que le roi : mais, comme ce dernier, Isabelle, après avoir frôlé la mort, s'était remise et ne devait mourir que l'année même où mourut son frère, en 1270, au monastère des Clarisses de Longchamp qu'elle avait fondé. Sa biographe, sœur Agnès d'Harcourt, la troisième abbesse de ce monastère, résume sa vie et sa personne en disant : « Elle fut miroir d'innocence, exemplaire de pénitence, rose de patience, lys de chasteté, fontaine de miséricorde. »

Étrange époque : les prêtres, les consacrés semblent trop souvent oublier que le Seigneur leur a demandé de « tout quitter » pour Le suivre ; et les laïcs par contre n'en cherchent qu'avec plus d'ardeur des voies de sainteté. Blanche, en son for intérieur, ne peut s'empêcher de comparer Isabelle à ces autres princesses — Élisabeth de Hongrie, Hedwige de Pologne, Agnès de Bohême — toutes ces femmes d'une beauté rayonnante et d'un rang éminent qui, aux honneurs du monde, ont préféré l'unique Époux, s'imposant souvent une ascèse héroïque, des privations que sa sagesse à elle juge déraisonnables, mais qui sans doute compensent les carences des autres, le luxe des prélats, le goût des jouissances terrestres qu'affichent sans vergogne une bonne partie de ceux qui sont chargés d'un sacerdoce sacré ; peut-être est-ce une condition du dépassement qu'exige toute sainteté, ces privations qu'elles s'infligent au milieu des richesses qui les entourent. Isabelle semble avoir voué sa vie aux études, ne prend part aux distractions de la cour royale que lorsqu'elle s'y trouve réellement forcée et se distrait en brodant des ornements d'église. Seule fille au milieu des garçons qui l'entourent, elle eût été promise à un grand destin ; l'empereur avait demandé sa main pour son fils Conrad, mais « elle avait élu le perdurable Époux en parfaite virginité », et Blanche respecta son vœu.

Dans l'immédiat, la préoccupation la plus pressante reste, encore et toujours, l'Angleterre. Henri III, peu de temps avant le départ de Louis, avait renouvelé ses revendications sur l'ancien domaine des Plantagenêts, exigeant la restitution de la Normandie et de l'ouest de la France ; il avait même fait appuyer sa réclamation par l'empereur Frédéric II qui avait épousé sa sœur Isabelle d'Angleterre. Les biens du roi de France étaient en principe inviolables pendant son expédition de croisé ; le pape était intervenu pour le rappeler. Mais Henri n'en convoquait pas moins ses chevaliers ; ordre leur avait été lancé de se réunir à Londres pour un embarquement fixé au 15 septembre à Portsmouth.

Blanche ne paraît pourtant pas avoir pris la démonstration très au sérieux : mieux que personne elle connaît le cousin d'Angleterre. C'est un velléitaire. Ses résolutions ne sont que feux de paille — et ses vassaux anglais les premiers commencent visiblement à s'en lasser. Elle ne s'étonne pas de recevoir le 20 septembre celui qui devient de plus en plus l'homme fort du royaume, — Simon de Montfort, beau-frère de Henri, qui vient la trouver à Lorris pour lui proposer de renouveler la trêve jusqu'au 27 décembre suivant. De terme en terme il s'agira de tenir ainsi jusqu'au retour de Louis. Les barons anglais qui se sont croisés se sont vu interdire par leur roi de prendre le départ avec le roi de France ; vont-ils longtemps encore différer leur vœu pour permettre à leur suzerain de vider les vieilles querelles ? Le souci de la Terre sainte n'exige-t-il pas qu'on les oublie quelque temps, comme le pape le demande ?

Il est vrai que le pape lui-même ne se presse guère de prêcher d'exemple, et c'est là pour les croisés un danger majeur lorsqu'on songe au soutien qu'ils pourraient attendre de la puissance impériale. Blanche est tenue régulièrement au courant de la progression de l'armée. Elle sait qu'à son arrivée à Lyon, par la vallée de la Saône, Louis a rencontré le pape, mais n'a pu arracher à son obstination la levée, même provisoire, de l'excommunication portée contre Frédéric. Elle a reçu peu après une lettre d'Innocent IV qui l'exhorte à prendre courage et lui confirme son intention de veiller à ce que la sécurité du royaume de France ne soit pas compromise en l'absence du roi. Celui-ci a pu sans trop de difficultés descendre cette vallée du Rhône marquée par les cruels souvenirs du siège d'Avignon ; il a fait sur la demande des habitants œuvre de justicier au passage, en ordonnant de détruire le château de la Roche-de-Glun appartenant à un seigneur-brigand, Roger de Clérieu, qui détrousse les voyageurs et lève sur eux des péages prohibitifs. En approchant d'Avignon, certains barons croisés lui ont conseillé de venger les offenses jadis faites à son père ; le roi les a fait taire : « Ce n'est pas pour venger les offenses faites à mon père, à ma mère ou à moi-même, que j'ai pris la croix ; c'est pour venger Notre-Seigneur que j'ai quitté la France. » Ici et là quelques rixes, quelques altercations ont eu lieu en Avignon comme plus tard à Marseille où l'on accuse les armateurs de profiter de la situation pour faire fortune aux dépens des pèlerins. Peu de chose au total et rien que le roi n'ait apaisé.

A Aigues-Mortes est venu le trouver Raymond de Toulouse. Il s'est excusé de ne pouvoir encore partir pour la Terre sainte, mais il compte le faire sans faute l'année suivante. La ville neuve commence à se peupler de toute une population bigarrée : des Provençaux, gens de la côte et de l'arrière-côte, mais aussi des gens du Languedoc, voire même des Génois et des Catalans. Et la Tour de Constance s'élève, blanche et droite sous le soleil. De là les guetteurs ont salué le 25 août, au milieu d'une multitude de voiles étincelantes, la nef royale, la *Montjoie,* dansant sur la mer jusqu'à ce que, loin du pays natal, l'eût emportée le vent.

Ceux qui se sont ainsi confiés à la vague n'ont pas craint de laisser leurs biens temporels, qu'il s'agisse du roi ou des hauts barons qui l'entourent. Quel contraste entre leur conduite et celle d'un pape qui ne consent ni paix ni trêve à l'empereur et dont l'attachement aux biens temporels s'affiche sans vergogne ! Louis a dû en personne, l'année précédente, protester contre les exigences fiscales du pontife et les distributions de bénéfices ecclésiastiques faites pour des raisons peu évangéliques : n'accuse-t-on pas le pape de distribuer les charges de l'Église à ses neveux, ou à ceux qui lui ont rendu quelque service ? Il l'a fait avec véhémence : « L'Église romaine qui n'a pas gardé le souvenir de sa simplicité primitive est étouffée par ses richesses qui ont produit en son sein l'avarice avec ses conséquences... le roi ne peut tolérer que l'on dépouille ainsi les églises de son royaume... les choses en sont venues à un tel point que les évêques ne peuvent plus pourvoir leurs clercs et lettrés ni les personnes honorables de leur diocèse[3]... »

Et pourtant, ce même Innocent IV, auquel on peut faire tant de reproches, est capable aussi de voir haut et loin ; il l'a prouvé lorsqu'il lançait au début du concile un cri d'alarme devant la menace mongole ; il l'a prouvé en prenant cette initiative hardie d'envoyer frères prêcheurs et frères mineurs en ambassade auprès de ces mêmes Tartares qu'on croirait sortis des siècles de barbarie ; il vient aussi de prouver son esprit de tolérance et d'équité en adressant à tous les évêques de France et d'Allemagne une bulle qui leur ordonne la bienveillance envers les juifs.

Une pénible affaire s'est produite en effet l'année précédente, à Valréas, en terre d'Empire, dans ce marquisat de Provence* dévolu au comte de Toulouse. Une petite fille de deux ans, Meilla, a disparu le mardi de la Semaine sainte, 26 mars 1247. Quelques jours plus tard on découvrait son cadavre dans les fossés de la ville. Que le meurtre ait eu lieu pendant la Semaine sainte, il n'en a pas fallu davantage pour que l'on en accuse les juifs de Valréas : ne dit-on pas qu'ils ont coutume d'immoler ainsi un enfant en sacrifice rituel à l'époque de leur Pâque ? L'enquête a amené l'arrestation de trois juifs qui ont avoué le meurtre au bout de sept jours : mais entre-temps ils ont été torturés ; six autres ont été interrogés, dont un seul a nié jusqu'au bout malgré la torture. La population mise en émoi a chassé la communauté juive et plusieurs de ses membres ont été tués.

* Il faut en effet distinguer du comté de Provence proprement dit le marquisat de Provence, — ce qu'on devait appeler plus tard le Comtat-Venaissin.

En apprenant le fait, le pape Innocent IV s'est indigné. Deux bulles successives adressées à l'archevêque de Vienne ont donné l'ordre de relâcher les prisonniers et d'indemniser la communauté juive : « (il faut) condamner la cruauté de ces chrétiens qui, pleins de convoitise pour les biens des juifs, avides de leur sang, les dépouillent, les mutilent, les tuent sans jugement ; ils méconnaissent ainsi la douceur de la religion catholique qui les admet à vivre à ses côtés et ordonne de les tolérer dans l'exercice de leur culte[4] ». Une autre bulle est venue peu de temps après, le 7 juillet 1247, recommander à tous les évêques de France comme d'Allemagne cette même tolérance.

Blanche a certainement été sensible à cet appel qui lui remet en mémoire un souvenir personnel. Il n'y a pas si longtemps en effet − sept ans exactement −, elle a été amenée à prendre sous sa protection les juifs de Paris, et l'a fait avec la plus grande fermeté. C'était à l'occasion de ce fameux colloque engagé à propos du Talmud sur l'initiative d'un juif converti de La Rochelle, Nicolas Donin. Celui-ci, au temps où il appartenait à la communauté juive, mettait en doute la validité du Talmud. Il s'était fait excommunier par les siens et cela en 1225, bien avant sa conversion qui avait eu lieu onze ans plus tard. La question du Talmud lui tenait à cœur ; en 1238 il était allé à Rome et avait obtenu du pape Grégoire IX une encyclique pour que le Talmud fût confisqué. C'est alors qu'était née l'idée d'un débat public sur le Talmud. Blanche elle-même en avait pris l'initiative et l'avait fixé à la date du 25 juin 1240, d'accord avec le maître de l'école talmudique de Paris, un rabbin nommé Yehiel. A vrai dire, à cette époque, les colloques entre juifs et chrétiens réunis pour discuter de la Sainte Écriture étaient encore fréquents, comme ils l'avaient toujours été par le passé. Ils tendaient cependant à s'espacer ; l'évêque de Paris, en l'an 1200, jugeant que les laïcs n'étaient pas toujours capables de prendre correctement la défense de leur foi, leur avait interdit de discuter avec les juifs, et le pape avait plus tard réitéré cette défense ; vers la fin du siècle le dialogue allait cesser tout à fait entre juifs et chrétiens.

Blanche, elle-même fort intéressée par toutes les questions touchant la foi et l'Écriture, et originaire d'un pays où les juifs, fort nombreux, jouissaient d'une complète liberté, avait saisi avec empressement cette occasion d'assister à une belle « dispute » où s'affronteraient les meilleurs spécialistes de la controverse. Elle avait en personne présidé les débats. Quatre rabbins avaient été délégués par la communauté juive : le rabbi Yehiel, un autre nommé Moïse de Coucy, rabbi Juda, fils de David de Melun, et rabbi Samuel, fils de Salomon ; ils avaient apporté chacun un exemplaire de l'ouvrage contesté, — ce Talmud que cent ans plus tôt l'abbé de Cluny, Pierre le Vénérable, avait fait traduire en français, l'atmosphère générale étant alors beaucoup plus ouverte qu'elle ne l'était devenue depuis.

Rabbi Yehiel hésitait à entamer le débat qui avait lieu dans l'enceinte même du Palais royal : « Tu ne pourras pas nous défendre contre la fureur du peuple », avait-il dit à l'un des conseillers royaux ; Blanche, indignée, avait répondu à sa place : « Ne me parle pas ainsi ; mon intention est de vous protéger, vous et tous les vôtres ; si quelqu'un ose vous molester, ce sera tenu pour un crime et un crime capital. D'ailleurs, avait-elle ajouté, nous savons l'immunité qui vous a été concédée par les décrets mêmes des pontifes. »

A plusieurs reprises elle était intervenue dans la suite de la discussion. Nicolas Donin voulait obliger ses anciens coreligionnaires à jurer et ceux-ci se récusaient : le serment était interdit par leur Loi. Le rabbi Yehiel s'était alors tourné vers la reine : « Je t'en prie, Dame, dans toute ma vie je n'ai jamais juré ; je n'irai pas commencer à le faire à présent. » Et Blanche s'était interposée : « Puisqu'un serment lui coûte tant et puisqu'il n'a jamais juré, laissez-le. » Tant et si bien qu'à plusieurs reprises le dialogue s'était déroulé entre elle et les rabbins et qu'avec ardeur, lorsque l'équité le commandait, elle avait embrassé leur cause. Les détails de cet entretien demeuraient vivants pour elle ; ainsi, il était question dans le texte du Talmud d'un juif nommé Jésus, mais les rabbins protestaient qu'il ne s'agissait pas du Jésus des Évangiles, — ce qu'à toute force leurs adversaires voulaient leur faire dire. Blanche, excédée, avait fini par intervenir : « Pourquoi cette obstination à vous rendre vous-mêmes odieux ? Il dit (elle désignait le rabbin Yehiel) que ses ancêtres n'ont pas parlé en cette occasion contre Celui que vous honorez et que ce n'est pas de Lui qu'il s'agissait ; allez-vous vous efforcer de lui tirer de la bouche une chose que vous auriez en horreur ? N'avez-vous pas honte ? » Yehiel, encouragé par cette diatribe, avait fait remarquer qu'il y avait beaucoup de Louis en France au temps présent, mais que tous les Louis n'étaient pas le roi de France. A la fin, Blanche lui avait expressément posé la question : « Je veux que tu me dises la vérité sur la foi de ta religion : est-ce là un autre Jésus que celui que nous, chrétiens, nous adorons ? — Ce n'est pas du vôtre qu'il a été dans l'esprit de nos ancêtres de parler... ce n'est pas à son propos que ces mots ont été proférés. » Et Blanche avait déclaré la discussion close sur ce point[5].

Le débat n'en avait pas été pour autant terminé. Pendant deux ans, des prélats — il y avait parmi eux Gautier Cornut, l'archevêque de Sens, Guillaume d'Auvergne, l'évêque de Paris, Eudes de Châteauroux, le chancelier de l'Université, entre autres, — avaient poursuivi l'examen et finalement rendu leur sentence. Le Talmud était condamné. Vingt-quatre charrettes avaient transporté les exemplaires qui existaient dans Paris pour les brûler en place de Grève. Un rabbin de passage à Paris, rabbi Meir, de Rothenbourg, avait à cette occasion composé une élégie que les juifs récitent au jour anniversaire de la destruction du Temple. Du moins les juifs eux-mêmes, y compris les talmudistes, continuaient-ils à jouir de la protection de la reine. Le rabbi Yehiel lui-même devait par la suite ouvrir une école en Palestine et mourir à Saint-Jean-d'Acre à la date fort éloignée de 1286. Ce qui échappait au pouvoir de Blanche, c'était ce durcissement de l'opinion générale à l'égard des juifs. On les accusait de continuer à pratiquer l'usure en dépit de l'ordonnance de 1230. Il s'avérait pourtant que les bourgeois chrétiens, ceux de Cahors notamment qui s'en faisaient une vraie spécialité, tout comme les Lombards, n'avaient rien à leur envier dans l'aptitude à exiger des intérêts de l'argent ; peut-être souhaitaient-ils surtout se débarrasser de concurrents en ce domaine, ces bourgeois de La Rochelle, Poitiers, Saint-Jean-d'Angély, Niort, Saintes et Saint-Maixent, qui, en 1249, à la veille de son départ en croisade, envoyaient une députation à Alphonse de Poitiers pour le prier d'expulser les juifs de leurs villes ? Le comte d'ailleurs ne donna pas suite à leur requête.

« A son excellente et très chère mère Blanche, par la grâce de Dieu illustre reine de France,

Robert, comte d'Artois, son fils dévoué, salut...
Nous savons combien vous vous réjouirez de
notre prospérité et de celle des nôtres, et de tous
les beaux succès qui sont advenus au peuple chrétien, quand vous en aurez la certitude. Sache
donc Votre Excellence que notre très cher frère le
roi, et la reine, et sa sœur, et nous par la grâce de
Dieu, jouissons d'une bonne santé du corps, ce
que nous attribuons à vos souhaits fervents.
Notre très cher frère le comte d'Anjou se ressent
encore de sa fièvre quarte, mais plus légèrement
que d'habitude. Et sache Votre Dilection que
notre très cher frère et seigneur, les barons et
pèlerins qui ont passé l'hiver à Chypre, au jour de
l'Ascension, le soir, sont entrés dans leurs nefs,
au port de Limassol, pour se diriger contre les
ennemis de la foi chrétienne. »

Ainsi débutait la lettre par laquelle Robert
d'Artois racontait à sa mère les éclatants débuts
de l'expédition et le succès des croisés devant
Damiette. Cette lettre était pleine de détails propres à réjouir le cœur de la reine : l'immense
foule de cavaliers et de fantassins turcs amassés
sur le rivage à l'arrivée de la flotte croisée ; l'ordre de bataille adopté par le conseil royal ; comment les combattants avaient dû laisser les grandes nefs qui ne pouvaient aborder sur un rivage
sablonneux, pour descendre dans de petits vaisseaux ; comment le légat du pape se tenait dans le
même vaisseau que le roi ; d'un même élan toute
l'armée des chrétiens, laissant les vaisseaux, avait
sauté dans la mer jusqu'à la terre sèche, armée de
pied en cap, et comment les Turcs qui défen-
daient leur rivage avaient dû reculer devant l'ardeur et l'élan des chrétiens, et pour finir s'étaient
retranchés dans la cité. « Cette cité, défendue à la
fois par le fleuve et par des murailles et des tours
puissantes, le Dieu Tout-puissant nous l'a fait

livrer, sans aucun effort humain, le lendemain de l'octave de la Trinité, vers l'heure de tierce, les Sarrasins infidèles s'étant enfuis et l'ayant laissée d'eux-mêmes. Cela fut fait en pur don de Dieu et par la générosité du Seigneur Tout-puissant. Et sachez que les Sarrasins ont laissé cette cité remplie de vivres et de viandes en grande abondance, et aussi de machines de guerre et de toutes sortes de biens. » Il terminait en disant rapidement les projets royaux : l'armée allait attendre que le fleuve ait décru, puisqu'il submergeait alors une bonne partie des terres, pour ne pas mettre le peuple chrétien en péril. Il ajoutait : « Sachez que la comtesse d'Anjou, à Chypre, a donné naissance à un fils très beau et bien formé, qu'elle a laissé là en nourrice[6]. » La lettre était datée de la vigile de la Saint-Jean, 23 juin 1249. L'exploit qu'elle relatait, la reddition de Damiette, avait eu lieu le 6 juin précédent.

A peine venait-on d'apprendre à la cour de France ce début glorieux de l'expédition qu'Alphonse de Poitiers faisait voile à son tour d'Aigues-Mortes, un an jour pour jour après son frère le roi, sur un navire génois loué pour lui, pour sa femme Jeanne de Toulouse et pour la comtesse d'Artois ; l'arrière-ban des croisés l'accompagnait. Blanche lui avait personnellement fourni quatre mille quatre cents livres parisis en attendant les six mille livres que lui devait le clergé. Pour le ravitaillement des troupes elle s'était décidée à faire appel à l'empereur qui lui avait aussitôt répondu en termes d'une irréprochable courtoisie : la reine connaissait bien ses sentiments ; il eût été trop heureux de prendre part lui-même à l'expédition, mais le pape, en l'excommuniant, avait privé l'armée d'un secours qu'il brûlait de lui apporter ; de même aurait-il vivement souhaité la pourvoir de vivres, mais les prix avaient augmenté en Sicile depuis deux ans dans des proportions incroyables ; toutefois, comme il ne voulait ni ne pouvait rester sourd aux prières de Blanche, il s'était empressé de faire prélever dans ses propres greniers mille charges de froment et autant d'orge qu'il expédiait au comte de Poitiers avec cinquante bons destriers. Et bien entendu il donnait libéralement au comte toute permission d'acheter ce dont il aurait besoin en Sicile et ailleurs, pour lui-même et pour ses gens.

Peu de temps avant leur départ, Alphonse et Jeanne avaient vu arriver à Aigues-Mortes Raymond de Toulouse. Allait-il enfin se joindre à eux ? Pas encore, mais son embarquement, il l'affirmait, était cette fois tout proche. Le comte Raymond avait pris la croix lors de la cérémonie de son absolution à Notre-Dame et depuis cette date lointaine — il y avait vingt ans tout juste — il jouait la comédie du croisé-décroisé, plus habilement encore que ne l'avait fait son allié Frédéric II, car chaque fois qu'il se voyait menacé d'excommunication il réussissait de justesse à y échapper. A vrai dire il n'y serait pas parvenu sans l'aide de Blanche qui, chaque fois aussi, intervenait auprès du pape en sa faveur. Une douzaine d'années auparavant — c'était en 1236 — le pape avait intimé l'ordre à Raymond de mettre son vœu à exécution dans un délai d'un an ; à la prière de Blanche et de Louis, un délai supplémentaire lui avait été accordé. Or, Raymond VII en avait profité pour s'attaquer à Raymond-Bérenger de Provence. Perdant patience, Grégoire IX l'avait mis en demeure de partir sans plus de retard ; toutefois, et toujours sur les instances de Blanche et de Louis, il l'autorisait à ne demeurer en Terre sainte que trois ans au lieu de cinq comme il s'y était engagé. Sur ces entrefaites s'était noué le complot auquel la brillante victoire de Taillebourg avait mis fin. Après quoi ç'avait été le spectaculaire pardon accordé à Raymond, toujours sur les instances de Blanche qu'on finissait par accuser de partialité envers son cousin. En fin de compte Raymond VII s'était fait promettre par son ex-ennemi Raymond-Bérenger la main de sa fille Béatrice ; il eût ainsi recueilli l'héritage provençal qu'il avait vainement tenté de conquérir par les armes. Mais Blanche veillait ; son affection pour le comte de Toulouse n'allait pas jusqu'à lui permettre de s'implanter au-delà du Rhône : il devait lui suffire d'avoir, toujours grâce à elle, récupéré le marquisat de Provence (ce qu'on devait appeler le Comtat-Venaissin) ; fermement décidée à atteindre son but, elle était, nous l'avons vu, intervenue une fois de plus auprès du pape et les trois sœurs de Béatrice avaient joint leurs prières pour dissuader celle-ci d'épouser Raymond.

Évincé du comté de Provence, celui-ci avait entrepris le pèlerinage de Compostelle et l'on racontait qu'en Espagne il était tombé amoureux d'une « dame étrangère », mais celle-ci avait refusé de l'épouser.

Quant à son vœu de croisade... ? Le départ du roi de France eût été une occasion de l'accomplir. Ainsi raisonnait encore le pape quand, en 1247, il promettait à Raymond VII une somme de deux mille marcs — qui lui seraient payés en Terre sainte, spécifiait-il prudemment.

Raymond VII renouvelle sa promesse de partir ; cette fois il paraît sincère ; de tous côtés lui viennent des encouragements ; le roi Louis n'hésite pas à lui promettre vingt mille livres parisis ; le pape écrit en sa faveur au patriarche de Jérusalem, aux frères de l'ordre du Temple ; il accorde rémission à tous les hérétiques de ses États condamnés au « mur étroit » (à la prison), s'ils accepte de prendre la croix. Chacun se félicite de voir Raymond en si bonnes dispositions. C'est le moment qu'il choisit — 26 avril 1249 — pour faire brûler à Berlaigues, près d'Agen, quatre-vingts hérétiques, — plus que n'en fit brûler, on l'a fait remarquer, l'inquisiteur Bernard Guy pendant toute sa longue carrière.

Mais il ne part toujours pas pour la Terre sainte.

Et peut-être cette fois-ci a-t-il une excuse valable, car il ne s'était guère écoulé plus d'un mois après qu'il eut pris congé de sa fille et de son gendre quand il mourut à Millau, le 27 septembre 1249.

Le testament que Raymond rédigea quatre jours avant sa mort jette d'ailleurs une lueur émouvante. Il s'y intitule, comme il le faisait volontiers pendant les toutes dernières années de son existence, « comte de Toulouse, marquis de Provence, fils de la défunte reine Jeanne » ; cette mère qu'il n'avait pas connue, Jeanne de Fontevrault, son évocation semble l'avoir influencé en ses derniers temps. « Nous choisissons pour lieu de notre sépulture, écrit-il, le monastère de Fontevrault où reposent le roi Henri d'Angleterre, notre grand-père, et le roi Richard notre oncle, et la reine Jeanne notre mère ; nous souhaitons reposer aux pieds de celle-ci, notre mère » ; et il laissait au monastère de Fontevrault une forte somme, cinq mille marcs d'esterlins, ainsi que tous ses vases d'or et d'argent, ses anneaux, ses pierres précieuses. Il donnait de plus aux cisterciens tous les troupeaux qu'il possédait. Parmi les dons qu'il fait ainsi dans son testament on remarque cent livres léguées aux moniales de Prouille — le premier monastère fondé par Frère Dominique. Et comme visiblement son vœu de croisade tourmentait sa conscience, il ajoute, le 25 septembre, un codicille dans le but exprès de s'en libérer : il a, déclare-t-il, la volonté d'accomplir en personne son vœu d'outre-mer, vœu pour lequel il a pris autrefois la croix, dans le cas où il se rétablirait de sa maladie ; s'il ne peut accomplir lui-même ce pèlerinage il charge son héritière Jeanne d'envoyer cinquante soldats bien armés et équipés qui demeureront une année entière en Terre sainte à ses frais[7].

Pour Blanche, la mort de Raymond VII, si peu de temps après le départ du comte de Poitiers qui doit recueillir son héritage, constitue une difficulté inattendue. Il s'agit de prendre possession au nom de son fils d'un domaine longtemps disputé, — et cela sans délai. Alphonse, comme Louis, compte sur elle. « Quand je fus venu trouver Madame, écrit au comte de Poitiers Philippe, son chancelier, peu après le départ, je lui racontai comment vous étiez demeuré au port, le jour et l'heure de votre passage, les grandes dépenses qu'il vous avait fallu faire ; je la priai de votre part de mettre conseil en vos affaires comme étant votre mère, car en elle est toute votre confiance, toute votre attente. Elle me répondit qu'ainsi ferait-elle bien volontiers[8]. »

Le 1er décembre suivant se déroulait à Toulouse, au Château-Narbonnais, la cérémonie de prestation des serments. Blanche, ne pouvant se déplacer elle-même, avait délégué les sires de Chevreuse, Guy et Hervé, deux frères, et le même Philippe, trésorier de l'abbaye Saint-Hilaire de Poitiers, l'homme de confiance d'Alphonse, pour recueillir la foi et l'hommage des barons languedociens. Après lecture des lettres qui les accréditent, les trois délégués voient s'avancer, le premier, Bernard, comte de Comminges : « Moi, Bernard, comte de Comminges, je serai fidèle à messire Alphonse, comte de Toulouse et Poitiers, marquis de Provence, et à Madame Jeanne son épouse, fille du défunt sire Raymond, et de toutes mes forces, en bonne foi, je sauverai leur vie et leurs membres, leur seigneurie et leurs droits, et ceux qui tiendront la terre en leur nom, sauf le droit du sire roi de France et de leurs héritiers, selon la forme de la paix faite à Paris entre le sire roi de France et le sire Raymond comte de Toulouse. Ainsi Dieu m'aide et ces saints Évangiles que je touche de ma propre main. »

A sa suite chacun des barons prononce le même serment. Après eux, ce sont les bourgeois qui jurent, avec la restriction qui sauvegarde leurs franchises : « ... je dis, proteste et comprends que par ce serment nous ne perdrons rien, moi ni les autres citoyens et bourgeois de Toulouse, de nos coutumes et de nos libertés... » Enfin le bailli royal institué par « Dame Blanche, illustre reine des Français », vient à son tour prêter serment de maintenir les coutumes et libertés des bourgeois.

La cérémonie allait se répéter le 12 décembre dans le cloître de Moissac, puis dans les principales villes du comté, Millau, Peirusse, etc. A Agen pourtant les officiers envoyés par la reine essuient un refus : réunis dans l'église Saint-Etienne, les consuls protestent que le serment va à l'encontre de la paix jadis faite à Paris, contre le testament du comte et contre les droits de Jeanne de Toulouse. Et les délégués de la reine d'enregistrer sans plus cette protestation. Allait-elle être le signal de nouveaux désordres dans le Midi ?

Au mois de février suivant, une lettre fut adressée « à leur très excellente Dame Blanche, par la grâce de Dieu reine de France », par les consuls et l'université des villes d'Agen et Condom : ils avaient réfléchi et trouvé une forme sous laquelle ils pouvaient prêter serment. Sur ce ils souhaitaient longue vie à la reine, et au roi ainsi qu'à ses frères un prompt retour sains et saufs[9].

C'était la fin d'un drame dont Blanche avait vu les débuts dans sa jeunesse. Lorsque la guerre avait été déclenchée en Albigeois elle avait vingt ans. Qui eût cru qu'un fils de France deviendrait un jour le suzerain direct de ces terres sises à l'autre extrémité du royaume ?

Blanche, en possession de ces lettres qui attestaient la fidélité des Méridionaux, devait ressentir un immense soulagement.

Elle ne se doutait pas qu'au même moment, sur les rivages d'Égypte, se déroulaient des événements qui allaient lui déchirer le cœur et plonger dans le deuil la chrétienté entière.

Ce fut d'abord des on-dit, des récits qui firent hausser les épaules. Matthieu Paris, toujours bienveillant, affirme même que les premiers qui les colportèrent furent pendus haut et court. Leurs paroles étaient sacrilèges et leurs assertions défaitistes, propres à décourager ceux qui se préparaient à rejoindre les croisés. Quoi qu'il en soit, les lettres qui ne tardèrent pas à parvenir d'Orient confirmèrent bientôt les pires nouvelles. La splendide armée du Christ était anéantie, les vainqueurs de Damiette gisaient sans vie sur les rivages du Nil ou, ce qui ne valait guère mieux, étaient captifs dans les geôles sarrasines, attendant la mort d'une heure à l'autre. « Toute la France fut plongée dans la douleur et la confusion ; tant les clercs que les chevaliers s'abîmèrent dans la plainte, ne voulant pas recevoir de consolations. » Une sorte de deuil public s'étendait sur le pays : plus de danses, plus de poèmes, plus de parures, chacun prenait part aux malheurs, « toute joie changée en douleur[10] ».

Blanche, en dépit de sa force d'âme, en fut quelque temps anéantie, brisée : son fils Robert mort à Mansourah, ses autres enfants prisonniers du sultan, les forces chrétiennes dispersées, humiliées, et dans le royaume tant de familles en pleurs... A mesure que parvenaient les détails, l'horreur des épreuves encourues par les croisés apparaissait plus complète, plus noire : Louis atteint par l'épidémie qui minait les forces de l'armée, malade au point que son cuisinier Isambart devait le porter et avait été obligé, ses entrailles fondant comme cire, de lui couper le fond des braies ; on avait dû, lors de la retraite, jugeant son état désespéré, l'abriter dans une maison d'où de temps à autre l'un des barons, Gaucher de Châtillon, chassait les Sarrasins « comme des mouches », tandis qu'une bourgeoise de Paris, une de ces femmes croisées comme il y en avait beaucoup, soutenait la tête du roi, pensant à chaque instant qu'il allait rendre le dernier soupir. Et puis c'était la capitulation, l'humiliant spectacle du roi enchaîné, gardé à vue par l'eunuque Sabih à la solde du sultan.

On citait mille traits héroïques aussi : le roi refusant d'être évacué avec les autres malades sur les vaisseaux qui les transportaient vers Damiette ; Charles son frère, voulant par là l'inciter à se ménager un peu, lui avait fait remarquer que, malade comme il l'était, il gênerait la marche de l'arrière-garde, et lui de répondre : « Comte d'Anjou, débarrassez-vous de moi si je vous suis à charge ; moi, je ne me débarrasserai jamais de mon peuple » ; il était resté dans l'armée exposé entre autres périls à ceux des flèches sarrasines.

Et certains racontaient aussi que le sultan

d'Égypte avait été informé à l'avance du mouvement des armées du roi par un émissaire de l'empereur déguisé en marchand ; les gibelins de Florence avaient célébré la capitulation par des fêtes et des feux de joie...

On apprit enfin que le 8ai, fête de saint Michel, le roi, libéré ainsi que ses frères et les principaux barons, avait pu s'embarquer pour Acre. Une fois en Syrie, il pourrait regrouper ses forces et décider de la conduite à tenir.

Blanche s'était ressaisie. Un effort se dessinait pour venir en aide aux croisés ; le roi d'Angleterre avait lui-même pris la croix le 6 mars et paraissait vouloir exécuter son vœu ; sur les instances de la reine le pape lui écrivait : « Ce ne sont plus des secours isolés, c'est un renfort général qu'il faut à la Terre sainte », et le pressait de fixer son départ au mois d'août suivant.

Quelques jours plus tard, Henri III, spontanément, proposait de prolonger de seize ans la trêve précédemment conclue avec le roi de France. Blanche, jusqu'alors, dans tous les messages qu'elle envoyait au roi, insistait sur les dangers qui pouvaient toujours venir de la conduite de Henri III ; ce fut un soulagement d'être au moins rassurée de ce point de vue ; elle espérait d'ailleurs que le roi, après le désastre qui avait littéralement fait fondre l'armée des croisés, se rendrait à ses conseils et regagnerait la France. Sa déception fut immense lorsqu'elle apprit qu'il tenait à demeurer en Terre sainte pour faire délivrer les petites gens retenus dans les geôles égyptiennes et remettre en état les forteresses de Syrie et de Palestine. Du moins renvoyait-il en Occident ses deux frères Alphonse et Charles qui tenteraient de lui envoyer des secours. Ils allaient s'embarquer au mois d'août ainsi que leurs épouses pour rentrer en France.

Blanche n'était pas seule à s'émouvoir : dans tout le pays, après une vague de deuil et de consternation, les gens s'agitaient ; on discutait des événements ; tour à tour les porteurs de nouvelles voyaient s'attrouper autour d'eux les populations ; après quoi, dans les villes, sur les places, aux porches des églises, dans les foires, les commentaires allaient bon train : souvent avec véhémence. Que signifiait pareil désastre ? Le roi le plus saint de la chrétienté prend les armes, et c'est à lui qu'est infligée la pire défaite que les croisés aient eu à subir outre-mer ! Où est la Providence ? Où, l'aide du Christ ? Aux clercs qui leur reprochent de blasphémer, les bourgeois répondent par des injures : n'est-ce pas leur prédication qui aura été à l'origine d'un tel massacre de bonnes gens ? Toujours prompts à prêcher, mais non à délier leur bourse ; on le sait bien, le mal qu'a la reine Blanche à faire rentrer les dîmes dues par le clergé pour venir au secours du roi ! Et que fait donc le pape ? Qu'attend-il pour excommunier le roi d'Angleterre qui ne part pas ? Et pour se réconcilier avec l'empereur qui peut-être partirait outre-mer ? Ces propos, beaucoup d'autres du même genre, on les tient d'abord entre haut et bas, puis sur un ton acerbe, avec violence.

Malaise, agitation, menues rixes qui éclatent ici et là, entre clercs et bourgeois surtout, — cela crée dans le royaume une tension montante. Les jeunes surtout sont impatients d'agir. Que ne se lève-t-on, comme jadis à la voix de Pierre l'Ermite ? Qu'attendent-ils, ces clercs, ces barons, pour voler eux-mêmes au secours du roi ? Si l'on partait en masse, le sultan d'Égypte serait bien obligé de céder à la force, de libérer les prisonniers, et la nouvelle armée du Christ parviendrait, elle, à délivrer Jérusalem ! Assez hésité, assez tardé : vers la Terre sainte ! vers Jérusalem !

Et des bandes se forment un peu partout dans les campagnes, dans les villes ; de petits pâtres abandonnent leurs troupeaux, des apprentis la forge, le moulin, l'échoppe. Des garçons, des filles se mettent en chemin, par groupes exaltés où l'on chante des hymnes. Vêtus d'oripeaux, cheveux au vent, ils confectionnent des bannières, quêtent leur pain, dorment la nuit dans les granges et mènent grand bruit partout où ils passent : « Quels sont ces enfants ? Que veulent-ils ? » se demandent les bonnes gens, en voyant circuler ces groupes hirsutes. On répond, en hochant la tête : des pastoureaux ! Mais les parents qui les voient venir n'ont plus qu'à surveiller de près leurs fils ou leurs filles : combien s'apercevront au petit matin que ceux-ci ont déserté la demeure paternelle pour rejoindre les pastoureaux...

Déjà, dans toute la France du Nord le mouvement a pris l'ampleur d'un raz de marée. Les pastoureaux se comptent par centaines, puis par milliers. Et ces jeunes ont trouvé leur chef, leur Pierre l'Ermite à eux.

C'est un étrange personnage, une sorte d'ascète pâle et maigre, au regard illuminé : un vieil homme d'ailleurs, soixante ans environ, une longue barbe blanche, des allures de mage et d'inspiré. La Vierge Marie lui est apparue, affirme-t-il, pour lui ordonner de prêcher la croisade aux pastoureaux ; elle lui a même remis une lettre, une charte, qu'il garde précieusement avec lui dans sa main gauche qu'il tient toujours fermée. D'ailleurs très instruit, parlant plusieurs langues et d'une éloquence qu'on dit irrésistible. On l'appelle : le Maître de Hongrie.

A sa voix les jeunes s'organisent ; il les groupe en bandes auxquelles il désigne un chef et qui se rangent sous sa bannière : un agneau portant l'étendard marqué de la croix. Les pastoureaux qui viennent de partout, de Picardie surtout où le Maître a prêché, mais aussi de Flandre, de Brabant, de Hainaut, de Lorraine, de Bourgogne, se sentent désormais pourvus d'une mission. La première ville — Amiens — que va traverser cette cohue hétéroclite pourvue d'armes de fortune, haches, coutelas, vieilles épées, faux mal emmanchées, voire de simples gourdins, lui fait bon accueil. On fournit les pastoureaux de vin, de viande, et les bourgeois se pressent autour du Maître de Hongrie : un nouveau prophète, un nouveau frère François à n'en pas douter. Les fils de celui-ci, comme ceux de saint Dominique, ont dégénéré ; voici celui qui va ramener les foules à la vie évangélique ! Sans parler du clergé gavé de richesses ! Désormais, quand un frère mendiant se prend à quêter, la foule le conspue.

Et la masse des pastoureaux augmente toujours. Il s'y joint à vrai dire bon nombre de mauvais garçons et de filles perdues, trop heureux de profiter de l'aubaine, de passer inaperçus dans leurs rangs, et éventuellement de vivre aux dépens des bourgeois naïfs. Et l'on murmure aussi que ces nouveaux croisés sont loin de mener une vie irréprochable : le Maître de Hongrie les marie comme ils veulent ; les couples se font et se défont à leur fantaisie et dans cette foule vagabonde on ne compte plus les filles enceintes.

Or, les pastoureaux se dirigent vers Paris.

Dans l'entourage de la reine chacun la presse de prendre des mesures pour les disperser. Il est temps d'arrêter de pareils désordres, de mettre fin au vagabondage des jeunes et de ramener les enfants à leurs parents, les apprentis à leurs maîtres. C'est une vraie subversion qui se développe.

Blanche hésite. Au fond d'elle-même elle éprouve pour ces jeunes une sympathie qu'elle ne cherche pas à dissimuler. Peut-on leur en vouloir au moment où ils manifestent une générosité dont tant de clercs sont incapables ? D'ailleurs ces pastoureaux éveillent en elle un souvenir de jeunesse qu'elle n'a jamais évoqué sans émotion.

Elle avait alors à peine plus de vingt ans — c'était durant l'hiver 1211-1212 ; des jeunes s'étaient levés de même dans l'intention de passer la mer et de faire ce que visiblement rois et puissants étaient incapables de faire : récupérer le Tombeau du Christ. Le mouvement avait commencé, elle s'en souvenait, aux environs de Liège ; puis, ç'avait été un petit berger, Etienne de Cloyes, près de Vendôme, qui, lui aussi, avait eu des révélations ; un pèlerin avec lequel il avait partagé son pain lui avait demandé d'aller trouver le roi de France. Il avait tenté de le faire, s'était rendu à Saint-Denis et à Paris, entraînant derrière lui une multitude d'enfants et d'adolescents. Une autre troupe l'avait joint qui, presque dans les mêmes conditions, s'était groupée autour d'un garçon nommé Nicolas de Cologne. Leur multitude faisait boule de neige tout en se dirigeant vers les ports de la Méditerranée ; et le pape Innocent III, qui du moins plaçait avant tout, lui, le souci de recouvrer la Terre sainte, avait eu un mot découragé : « Ces enfants nous font honte : tandis que nous dormons ils se pressent au secours du Saint Sépulcre. »

> ... *Ce fut au temps*
> *Que croisés furent les enfants*
> *De maints pays malgré leur père,*
> *Malgré parents et malgré mère.*
> *Y en eut tant qu'on n'en sut nombre*
> ... *Par le pays sont répandus,*
> *Chacun sa croix bien attachée,*
> *Et portaient bannières lacées ;*

De jour en jour allèrent tant
Qu'ils sont aux ports de mer venus[11].

Leur aventure, hélas ! avait mal fini ; des armateurs marseillais, quelques italiens aussi, avaient
accepté de les transporter outre-mer et les
avaient livrés sans vergogne aux musulmans qui
faisaient dans les ports le trafic des esclaves.
Quelques-uns avaient réussi à s'échapper et
avaient raconté leur malheureuse odyssée. On
disait que plus de sept cents étaient demeurés
esclaves chez les Sarrasins[12].

Bien sûr, il fallait à tout prix empêcher que les
pastoureaux connaissent à leur tour un destin
aussi sinistre, mais peut-être pourrait-on attendre
de leur Maître un peu plus d'efficacité ? En tout
cas il ne pouvait être question, comme l'entourage royal le conseillait, de les disperser sans
l'avoir entendu.

Un danger pourtant : les étudiants. Blanche
n'est jamais revenue sur l'antipathie qu'elle
éprouve à l'endroit des universitaires. Toujours
en effervescence, ce Quartier latin ! Ils réclamaient des libertés, on les leur a données ; les
sergents royaux n'ont même plus le droit d'intervenir dans leurs querelles ; mais à présent ils se
disputent entre eux. Pendant la grande grève des
années 1229-1231, quelques frères mendiants,
ceux du couvent Saint-Jacques, avaient ouvert
une école et commencé à professer. Les maîtres,
une fois revenus à Paris, ont prétendu qu'ils
empiétaient sur leurs privilèges. Ils ont multiplié
les démarches pour qu'aux Mendiants soit interdit tout enseignement. Les étudiants, bien
entendu, ont pris fait et cause les uns pour, les
autres contre, et les bagarres n'ont cessé de se
multiplier. Comment réagiront-ils, ces universitaires, devant les troupes de jeunes qui se dirigent

vers Paris ? Vont-ils leur faire bon accueil et venir grossir les rangs des pastoureaux ? Ou, comme c'est plus probable, se prendre de querelle avec eux sous un prétexte ou sous un autre ? Inutile de toute façon de prendre des risques.

Les pastoureaux — certains ont évalué leur nombre à soixante mille — se répandirent librement dans Paris sans être inquiétés ; mais quand certains d'entre eux voulurent franchir le Petit-Pont qui menait vers la rive gauche ils trouvèrent le passage solidement barricadé et un cordon de gens d'armes faisant la haie pour leur barrer l'accès. Cependant Blanche, dans le même temps, se trouvait à Maubuisson et accordait un entretien au Maître de Hongrie. Le bonhomme l'intéressait. Elle le questionna. Il répondait avec un mélange d'aplomb et de piété qui la laissait perplexe. Son intention de gagner la Terre sainte paraissait sincère et, pour Blanche, gagner la Terre sainte signifiait : aller au secours de son fils.

Elle renvoya le Maître de Hongrie après l'avoir comblé de présents.

Dès lors celui-ci, fort de cet encouragement et d'un soutien qu'il considérait comme acquis quoi qu'il fît, allait révéler sa personnalité, celle d'un assez piètre individu gonflé d'arrogance. Il se mit à prêcher dans l'église Saint-Eustache, vêtu en évêque avec crosse et mitre, tandis qu'autour de lui les pastoureaux, à son exemple, se conduisaient comme en pays conquis, s'en prenaient aux clercs, aux frères mendiants surtout, rossaient les uns, pillaient les autres et finalement ne quittaient Paris qu'après y avoir commis toutes sortes de dégâts.

Comprenant que désormais aucune ville n'était assez importante pour héberger et nourrir toute cette multitude, le Maître de Hongrie divisa ses troupes en plusieurs corps, lesquels se signalèrent un peu partout par une même ardeur à piller et dévaster au petit bonheur ce qu'ils trouvaient sur leur passage. A Rouen, ils donnaient un assaut en règle au palais archiépiscopal. A Orléans, où se trouvait une université, ce fut l'inévitable conflit qu'à Paris Blanche avait su prévoir ; ils se prirent de querelle avec les étudiants. Le ton monta aussitôt. On en vint aux mains et il y eut des morts et des blessés. A Tours, ils s'attaquèrent aux couvents de frères prêcheurs et de frères mineurs, et se mirent à profaner les églises. A Bourges enfin, c'est aux biens des juifs qu'ils s'attaquèrent, envahissant la synagogue, mettant en pièces les livres saints.

Cette fois la population en avait assez ; les officiers royaux, aidés des milices communales, se mirent à traquer et disperser les pastoureaux ; le Maître de Hongrie fut tué à quelques lieues de là, entre Morthomiers et Villeneuve-sur-Cher. On les traquait, dit Matthieu Paris, « comme des chiens enragés ». Quelques bandes pourtant gagnèrent la vallée du Rhône ; d'autres s'étaient dirigées vers la Guyenne où le comte de Leicester, Simon de Montfort, administrant alors la province au nom du roi son beau-frère, les dispersa selon ses méthodes qui étaient expéditives. Quelques-uns avaient débarqué en Angleterre et s'étaient mis en devoir de prêcher, mais le roi n'entendait aucunement laisser sa jeunesse joindre un mouvement qui s'était partout révélé malfaisant, et les gardiens des ports reçurent l'ordre de les faire rembarquer sans délai. Enfin il y eut un certain nombre de pastoureaux qui, revenus à la raison, déposèrent les croix qu'ils s'étaient données, en reprirent d'autres des mains du clergé et gagnèrent effectivement la Terre sainte. Matthieu Paris affirme que l'intention secrète du Maître de Hongrie était de renouveler à son profit l'opération qui avait réussi jadis à quelques armateurs marseillais et génois, et de vendre ces jeunes gens comme esclaves une fois parvenus outre-mer[13].

Pour Blanche un souci dominait toute autre préoccupation : celui de son fils demeuré en Terre sainte et des secours qu'il fallait de toute nécessité lui envoyer. Mais il semblait que l'on jouât de malheur : un vaisseau qu'elle avait fait équiper à grands frais avec l'aide d'Alphonse et de Charles, et qui contenait argent et renforts, fut perdu en mer corps et biens. On raconte que le roi, apprenant ce nouveau désastre, se contenta de citer la parole de saint Paul : « Qui nous séparera de la charité du Christ ? » Les infidèles eux-mêmes admiraient sa constance.

Ce n'était pourtant pas sans difficultés qu'il accomplissait en Syrie et en Palestine la tâche qu'il s'était donnée : raffermir les positions des chrétiens, restaurer forteresses et remparts, apaiser surtout les inimitiés, faire taire les querelles entre les barons d'outre-mer, racheter enfin les captifs. Lui-même et les barons demeurés à ses côtés manquaient des subsides nécessaires et devaient recourir aux prêteurs locaux — presque toujours des marchands italiens, lesquels s'entendaient à faire payer leurs services. De son camp devant Césarée, Louis — cela se passait le 27 septembre 1251 — écrivait ainsi à sa mère : « Nous avons envoyé à Votre Excellence, dans le présent courrier, avec nos autres lettres, les lettres de certains barons et chevaliers qui sont avec nous, à propos de prêts qui leur ont été faits, pour que ces lettres soient remises à ceux à qui est dû l'argent, et qu'elles ne puissent leur causer mal ni dommage au cas où elles seraient retenues[14]. » C'était donc Blanche qui veillait personnellement à ce que fussent honorées les dettes contractées outre-mer par les barons ; ces dettes étaient presque toujours réglées aux foires de Champagne, le lieu géométrique où se rencontraient en Occident créanciers et débiteurs, marchands et changeurs, tous plus ou moins usuriers ; il en était ainsi depuis le début de la croisade et nos Archives conservent des chartes de ce temps portant les plus grands noms de France : c'est Guillaume, sire de Dampierre, héritier de Flandre, qui a reçu un prêt d'un marchand de Montpellier, prêt qui sera rendu aux foires de Lagny ; Raoul de Coucy qui, au même terme, s'engage à rendre trois mille cinq cents livres tournois aux marchands de Sienne ; Érard de Chassenay dont l'échéance est aux foires de Bar ; Gaucher de Châtillon, — le héros qui avait payé de sa vie son dévouement à la personne du roi —, Guichard de Beaujeu, etc., sans parler des emprunts faits aux Templiers qui, possédant des commanderies en Europe comme en Terre sainte, étaient des intermédiaires naturels pour les emprunteurs[15].

Le roi cependant accomplissait obstinément la tâche qu'il s'était assignée. On recevait assez régulièrement de ses nouvelles. Quelques événements favorables se dessinaient pour les chrétiens, car des discordes s'étaient élevées entre le sultan d'Égypte et celui d'Alep, entre lesquels le fragile royaume de Palestine se trouvait serré comme dans un étau chaque fois qu'une entente les réunissait sous un même pouvoir — comme cela s'était produit au temps de Saladin. « Si quelques secours nous parvenaient aujourd'hui, écrivait Louis (c'était le 11 août 1251), nous pourrions conclure de bonnes et utiles trêves avec l'une ou l'autre partie, voire avec les deux. » Les inimitiés entre Égypte et Syrie amenaient toujours l'un ou l'autre des sultans, en effet, à rechercher l'alliance des chrétiens. A Césarée, poursuivait-il, l'armée a été au calme ; elle n'avait eu à souffrir aucune attaque ni des Sarrasins ni des Bédouins ; le parcours était désormais libre entre Acre et Césarée. Il y avait parfois quelques raids de pirates sur les galées chrétiennes et parfois aussi ces pirates se faisaient prendre, ce qui pour un temps assurait la liberté des mers. Enfin le roi conduisait méthodiquement la reconstruction des remparts auxquels il lui arrivait de travailler de ses propres mains. Il terminait sa lettre en disant : « Prenez soin de bien nous informer de tout ce qui touche notre très chère Dame et Mère ; donnez-nous de vos nouvelles, de celles de notre très cher et fidèle Charles, comte d'Anjou et de Provence, de notre bien chère sœur et dites-nous tout ce que l'on dit dans nos régions toutes les fois que vous aurez l'occasion d'envoyer des messagers[16]. »

Au moment où Louis écrivait ainsi à son frère Alphonse, les circonstances avaient considérablement évolué en Occident. En effet, l'empereur Frédéric II était mort le 13 décembre 1250 ; une lourde hypothèque était levée désormais sur les destinées de la papauté. Il laissait à vrai dire l'Empire dans une situation passablement embrouillée, — les cités italiennes surtout, qui n'avaient cessé de prendre fait et cause tour à tour pour l'une ou l'autre partie. Débarrassé de celui qu'il appelait « l'ennemi du Christ, le serpent Frédéric », le pape Innocent IV s'apprêta aussitôt à regagner Rome. Le Jeudi saint, une grande cérémonie eut lieu en plein air dans cette ville de Lyon qui avait été sa retraite pendant six années : le pape faisait ses adieux à la population ; celui qu'il désignait pour succéder à l'Empire, le roi des Romains, Guillaume de Hollande, lui tenait l'étrier. Blanche lui avait écrit pour lui proposer ses services au moment où il quittait les bords du Rhône, mais Innocent IV lui avait aussitôt répondu de ne pas exposer sa santé en venant à Lyon prendre congé de lui : il ne se souciait guère de rencontrer la reine qui n'aurait pas manqué de demander, avec l'énergie qu'on lui connaissait, des secours pour les croisés de Terre sainte. Il était d'ailleurs vrai que Blanche, ce printemps de 1251, voyait sa santé décliner, minée qu'elle était par tant d'émotions et par l'inquiétude qu'elle éprouvait pour le sort de Louis.

Aussi bien y eut-il une explosion de fureur dans tout le royaume quand on apprit peu après que le pape faisait prêcher une croisade... contre Conrad IV, le fils de l'empereur défunt ! Blanche aurait alors retrouvé toute son énergie et ses forces pour proclamer à qui voulait l'entendre qu'elle mettrait la main sur les terres et les biens de ceux qui se croiseraient à l'appel du pape contre son ennemi personnel : « Que ceux qui combattent pour le pape vivent aux frais du pape et s'en aillent pour ne plus revenir ! » C'est du moins ce qu'assure Matthieu Paris.

Au reste l'administration du royaume eût suffi à absorber les forces de la reine ; elle continuait à veiller à tout, à faire face personnellement aux difficultés qui survenaient un peu partout, dans le Midi notamment où des cités comme Avignon et Arles avaient jadis juré fidélité à l'empereur Frédéric, et à Marseille qui se révoltait contre la tutelle de Charles d'Anjou. Dans le Nord d'autres troubles avaient pour théâtre la Flandre, disputée entre les héritiers de la comtesse qui avaient déjà pris pour arbitre entre eux le roi de France. Mais surtout de nouvelles difficultés venaient de naître à la mort de Jeanne de Boulogne, la fille de Philippe Hurepel ; Blanche avait aussitôt fait saisir son comté au nom du roi, ce qui lui avait valu les récriminations d'Alphonse et de Charles, l'un et l'autre prétendant avoir des droits sur sa succession. L'affaire allait être réglée par la reine assistée de son conseil en un jugement qui la montre une fois de plus attentive, sachant en bonne mère de famille sauvegarder les droits de chacun : « Ce qui sans conteste appartient au roi, nous le retenons pour lui ; ce qui clairement revient à la comtesse Mathilde, nous le lui rendons ; ce qui est douteux, nous le gardons sous la sauvegarde de notre très cher fils Louis, tout en entendant que nous conserverons à nos autres fils, Alphonse et Charles, lesquels sont venus nous en supplier, ce qui leur échoit de cette succession[17]. » Le roi à son retour trancherait ; on pouvait se fier à son esprit de justice. Jusque-là il n'était pas question d'abandonner à Alphonse ni à Charles un pouce du territoire sur lequel, de droit, régnait leur aîné. « Il n'y a qu'un roi en France. »

Du côté anglais la situation était plus rassurante. Blanche s'y était employée et n'avait rien ménagé pour que régnât la bonne entente avec celui qui restait le plus dangereux de tous ses voisins. L'année précédente, en 1250, le frère du roi d'Angleterre, Richard de Cornouailles, revenant de Rome, avait passé dans le domaine royal et Blanche l'avait reçu avec les plus grands honneurs, le comblant de cadeaux. Richard s'était rendu à Pontigny sur la tombe de l'archevêque de Cantorbéry, Edmond devenu saint Edmond quelques années plus tôt ; la démarche était sympathique : l'archevêque n'était-il pas mort en exil, chassé par le roi régnant, comme l'avait été jadis Thomas Becket, et ayant trouvé asile au même lieu où celui-ci aussi avait été accueilli par le roi de France ? Blanche elle-même, lors de la canonisation d'Edmond, avait assisté aux très belles cérémonies qui s'étaient déroulées à Pontigny. Elle gardait du saint homme un profond souvenir et l'on a conservé la prière qu'elle avait publiquement formulée en la circonstance : « Seigneur, confesseur très saint, qui as bien voulu jadis me bénir, moi qui t'en suppliais, et mes fils, quand tu as été exilé pendant ta vie et que tu es venu faire séjour en France auprès de nous, — confirme par ta grâce ce que tu as opéré en nous et affermis le royaume des Francs dans sa solidité pacifique et triomphale[18]. »

Depuis le passage de Richard les relations demeuraient cordiales. Henri III, à plusieurs reprises, s'était adressé à Blanche et les conflits qui surgissaient çà et là sur les confins de la Guyenne et de la Gascogne anglaises étaient désormais réglés d'un commun accord. Chose curieuse, le bruit courait même à l'époque que Blanche avait l'intention de rendre au roi d'Angleterre une partie des terres conquises sur lui afin d'assurer la paix. C'est du moins ce qu'affirme Matthieu Paris, précisant qu'en cela Blanche suivait l'intention même du roi Louis son fils et qu'un tel propos souleva aussitôt « horribles murmures et grognements » de la part des barons français. A la lumière des événements qui devaient se dérouler par la suite, semblable rumeur prend tout son sens[19].

Tout cela cependant lui faisait ardemment souhaiter le retour de Louis. Blanche avait conscience du déclin de ses forces, conscience aussi des ambitions à mater, des injustices à prévenir ou réparer ; avec le temps, l'absence du roi pesait lourdement sur le royaume. L'année 1252 s'annonçait mauvaise ; le printemps avait vu une température anormalement chaude à la fin de mars, suivie en avril et mai de vents violents ; les fleurs, poussées trop tôt, tombaient ; des gelées matinales achevaient d'anéantir les espoirs de récoltes. Il y avait un deuil de la nature, une angoisse générale.

Blanche avait eu, une fois de plus, l'occasion de manifester aux yeux de tous son énergie dans un épisode qui marque le dernier acte public de son existence.

Cela se passait vers la fin d'août 1251. Depuis plusieurs mois le chapitre de Paris était en lutte avec les serfs de ses domaines d'Orly et de Châtenay qui contestaient à propos de la taille — l'impôt levé sur eux par les chanoines. Seize d'entre ces serfs avaient été arrêtés, puis remis en liberté provisoire au mois de juin, moyennant promesse qu'ils reviendraient dès le 28 août suivant dans la prison du chapitre si le conflit n'avait pris fin. Les prévôts de Paris s'en étaient mêlés ; l'un d'eux, Garnier de Verberie, était allé à Orly, mais n'avait pu convaincre les serfs de payer une taille dont ils disaient qu'elle excédait ce qui était prévu par la coutume du lieu. Cette question de la taille avait été à plusieurs reprises débattue dans le chapitre ; elle avait ses tenants et ses adversaires ; parmi ceux-ci, l'un des principaux n'était autre que le cardinal Eudes de Châteauroux, légat du pape, mais il se trouvait présentement en croisade auprès du roi. Déjà des contestations s'étaient élevées à ce propos et le roi lui-même, à l'époque de sa maladie, s'était trouvé en lutte avec le chapitre.

Blanche apprend un jour que les chanoines, non contents d'avoir mis leurs serfs en prison fermée, les y laissaient sans nourriture. Elle propose aussitôt sa médiation : que les serfs soient libérés sous caution ; elle-même ferait faire enquête pour décider une bonne fois de cette question de la taille due par eux. Réponse des chanoines : la reine n'a pas à connaître des conflits qui peuvent s'élever entre eux et leurs gens ; et, furieux, ils font, aux hommes, ajouter les femmes et les enfants ; la prison était remplie de ces malheureux qui se trouvaient, à l'époque des pleines chaleurs, entassés les uns sur les autres. On vint le dire à Blanche ; elle réagit par un de ces accès de colère qui ont jalonné son existence.

Sur l'heure elle fait venir le châtelain du Louvre avec des hommes d'armes. Elle prend elle-même, la vieille reine, toute son ardeur retrouvée, la tête de la petite troupe ; le chapitre, avec ses maisons et ses cloîtres, n'est éloigné que de cent à deux cents mètres du Palais royal ; et la population de Paris assiste stupéfaite à cette sortie inopinée de sa souveraine, entourée d'arbalétriers et de sergents à masse. Elle se dirige vers le chapitre où déjà l'a précédée la rumeur publique : ces chanoines trop bien repus vont avoir affaire à une reine en colère ! Quand elle arrive, le cloître est quasiment désert. Au portier tremblant, Blanche fait demander la clé du cellier et du cachot. Puis d'un pas ferme elle s'y dirige en personne. Arrivée devant le cellier au fond duquel se trouve le cachot, elle saisit des mains d'un sergent son gourdin, le lève et frappe elle-même le premier coup sur la porte. Sur quoi l'un des arbalétriers, Guillaume de Senlis, se met en devoir de faire sauter la porte du cellier, puis tomber à coups de hache celle du cachot avec l'aide de ses hommes. Et Blanche d'accueillir les hommes et les femmes qui étaient là enfermés « à grand malaise dans la chaleur qu'ils avaient les uns des autres, au point que plusieurs en furent morts », assure la chronique[20]. Ils sont désormais sous la protection de leur reine qui prendra soin d'eux jusqu'au moment où ils pourront d'eux-mêmes regagner Orly.

Une fois de plus, c'est une réaction maternelle qui aura guidé Blanche : que si près d'elle on ose traiter aussi inhumainement les petites gens de son royaume, ceux qui lèvent humblement leur regard vers elle et ne peuvent se défendre d'eux-mêmes, elle ne le supporte pas. Qu'ils aient tort ou qu'ils aient raison, il faut d'abord faire cesser le scandale, libérer ces hommes et ces femmes d'un cachot où la vie n'est pas possible.

Pour commencer, Blanche fit saisir le temporel des chanoines, puis, comme il fallait en toute justice savoir si les gens d'Orly devaient ou non la taille au chapitre dont ils relevaient, elle ordonna une enquête ; le plus curieux est que l'enquête établit le droit du chapitre à lever cette taille, justifiée par des coutumes anciennes. L'histoire devait aboutir à l'affranchissement de ces serfs moyennant une rente annuelle versée par eux au chapitre.

L'affranchissement des serfs était d'ailleurs une question qui préoccupait Blanche. Elle était intervenue quelque temps auparavant pour faire affranchir les serfs de Wissous et peu avant sa mort, en mars 1252, elle ratifiait l'affranchissement de toute une population de serfs, à Paris, à La Varenne, Saint-Maur et Chennevières, dépendant de l'abbaye de Saint-Maur-des-Fossés.

Les épreuves se succèdent en cette année lourde ; Blanche en devra supporter qui, cette fois, surpasseront ses forces. C'est d'abord la mort de son neveu le 30 mai. Ferdinand III, roi de Castille, était le fils de Berenguela ; ce neveu qu'elle n'a pas connu lui est cher, comme tout ce qui lui vient de sa famille et surtout de cette Berenguela qui avait eu toute son affection ; comme Louis, il était profondément aimé de ses sujets ; dans sa Castille où se mêlaient tant de races et de religions, il donnait l'exemple du roi préoccupé de rendre exacte justice à tous, qu'ils fussent juifs, musulmans ou chrétiens, et se proclamait lui-même « roi des trois religions ». Il est vrai que son pays donnait alors un exemple remarquable de coexistence pacifique ; l'Inquisition n'y avait pas été instituée ; disons d'ailleurs qu'elle eût été sans objet car, si plusieurs religions se côtoyaient en Castille, on n'y connaissait pas d'hérétiques proprement dits. Ferdinand III, lorsqu'il avait appris le désastre infligé aux croisés, avait lui-même pris la croix et Blanche lui était demeurée reconnaissante de son geste ; mais la maladie puis la mort l'avaient empêché d'accomplir son vœu.

Presque au même moment, Alphonse de Poitiers fut frappé d'une sorte de paralysie partielle ; quelque temps on craignit pour sa vie, mais il se remit. Il formait avec sa femme un couple exemplaire, mais malheureusement sans enfants. De l'attaque dont il avait été victime, Alphonse conserva des troubles oculaires. L'année suivante, sur les conseils du sire de Lunel, il envoyait deux de ses familiers consulter un médecin juif en Aragon. On ne sait si cette consultation à distance fut ou non efficace ; toujours est-il qu'Alphonse finit par se remettre à peu près entièrement. Son premier geste, une fois revenu à la santé, avait été de reprendre la croix lui aussi.

Blanche n'avait plus qu'un souhait, un désir : le retour de son fils. Elle se sentait à bout de forces. A présent elle regardait comme un droit ce repos auquel depuis longtemps elle aspirait. Les deux abbayes qu'elle avait fondées : Notre-Dame-du-Lys qu'on appelait aussi Sainte-Marie-Royale, près de Melun, et Notre-Dame-la-Royale à Maubuisson, lui apparaissaient de plus en plus comme des asiles naturels vers lesquels criait tout son être. Le pouvoir royal auquel elle s'était consacrée corps et âme, vocation imposée qu'elle avait pleinement adoptée, dépassait à présent ses forces. Littéralement elle se sentait épuisée, parvenue à ses propres limites, ne gardant plus de sa lucidité de toujours que la conscience d'être désormais impuissante à remplir sa tâche. Il fallait qu'un autre vienne, ou plutôt revienne. Peut-être, après tout, sa mort hâterait-elle son retour.

Au mois de novembre, à Melun, elle dut s'aliter. On s'empressa autour d'elle. L'évêque de Paris, Renaud de Corbeil, accourut. De sa main elle reçut le Corps du Christ, puis elle lui fit part de son souhait : elle désirait revêtir l'habit des moniales de Cîteaux. L'évêque crut qu'elle se conformait à une pieuse coutume du temps qui voulait qu'on se fît ensevelir sous l'habit d'un ordre religieux ; mais non, ce n'était pas de cela qu'il s'agissait. Blanche entendait bien prendre l'habit et devenir religieuse jusqu'à sa mort, quoi qu'il arrivât et même si après cette maladie elle recouvrait la santé. C'était donc de sa part un acte d'abandon ; librement elle résignait le pouvoir royal pour entrer en religion[21]. Dès ce moment elle se considéra comme sous l'obédience de l'abbesse de Maubuisson.

Mais la mort approchait. Blanche se fit transporter sur une simple paillasse, sur laquelle on étendit un drap. Autour d'elle, prêtres et clercs se tenaient muets. Qu'attendaient-ils ? Déjà elle avait reçu les derniers sacrements et sentait la mort proche. Comme pour donner le signal et parfaire ce qu'exigeait son départ de ce monde, Blanche entonna elle-même la prière des derniers instants, celle que dans la liturgie on nomme la recommandation de l'âme : « *Subvenite, sancti Dei*... Venez à mon aide, ô saints de Dieu ; accourez, anges du Seigneur ; recevez mon âme pour la porter en présence du Très-Haut... » Ses lèvres remuèrent, le temps d'articuler cinq ou six versets ; après quoi les assistants continuèrent seuls.

C'était le 26 ou 27 novembre 1252, dans l'après-midi, vers 3 heures. Blanche fut revêtue des ornements royaux, mais sur sa tête on mit son voile de religieuse cistercienne et l'on posa par-dessus la couronne. Son corps ainsi paré fut placé sur une civière que ses fils et les barons de l'entourage royal portèrent de Melun à Paris, puis à l'abbaye de Saint-Denis. Elle fut veillée toute une nuit par le clergé et le peuple. Les *Grandes chroniques de France* ont souligné la douleur de ce peuple : « De sa mort fut troublé le menu peuple, disent-elles, car elle avait garde qu'ils fussent défoulés des riches (elle empêchait qu'ils fussent exploités par les riches), et gardait bien justice[22]. » Ce petit peuple qui l'aimait veillait à présent sa reine dans le chœur de la belle abbatiale récemment reconstruite, où brûlaient quantité de cierges.

Au matin du 29 novembre, après la messe et l'office des morts, le cortège prit le chemin de l'abbaye de Maubuisson où à nouveau un service fut célébré avant que le corps de Blanche ait été déposé dans le caveau de l'abbaye.

« Elle laissa le royaume de France inconsolé », déclare Matthieu Paris, rendant pour une fois les armes devant l'émotion intense qu'avait soulevée la mort de la reine[23].

Sa tombe fut une plaque de cuivre émaillée comme celle des petits-enfants qu'elle avait perdus ; elle devait subsister jusqu'à la Révolution où elle fut fondue.

On dépêcha des messagers au-delà des mers pour porter la nouvelle au légat Eudes de Châteauroux qui fut chargé de prévenir Louis et Marguerite.

C'était au temps de l'Avent. Par tout le royaume, on attendait le retour du roi.

ÉPILOGUE

Seule dans une chambre des appartements royaux, appuyée à une fenêtre donnant sur la cour de ce palais de Paris qui devient de plus en plus souvent la résidence du couple, celle d'où l'on part pour les séjours et étapes dans les autres parties du domaine, Marguerite songe. Elle n'entend qu'à peine la rumeur qui monte des galeries basses de ce palais, nouvellement construites, où s'abrite désormais tout un monde : celui des serviteurs et des métiers de l'hôtel parmi lesquels se glissent quelques marchands qui ont réussi à installer leurs échoppes en ce lieu où bourdonne une activité toujours plus intense, avec la foule de plaideurs qui viennent soumettre leur cause au jugement des officiers, voire du roi lui-même, et de valets d'armes qui y tiennent garnison. Séjour désormais privilégié, le palais est devenu, sous l'impulsion de ce grand bâtisseur qu'est son époux, une vraie ruche et aussi une forteresse imposante. Là-bas vers le couchant, la tour Bonbec, qui plonge presque dans la Seine, défend le petit palais qu'il a fait construire, prenant littéralement sur l'eau et faisant pendant à la Sainte-Chapelle où il passe de si longues heures en prière.

Solitaire, un peu à l'écart de toute cette agitation, Marguerite songe. Voilà dix ans déjà que s'est éteinte sa redoutable belle-mère ; dix ans que le légat du pape est venu leur annoncer, à elle et à Louis, à Sayette en Terre sainte où ils résidaient alors, la mort de la reine Blanche. Dix années certes bien remplies pendant lesquelles les événements se sont succédés au-dedans et au-dehors du royaume ; et après dix années le souvenir de Blanche reste aussi vivant au cœur des foules que si elle était morte la veille. Dix années où l'on ne se déplace pas sans que quelqu'un ne rappelle au roi, à la reine, ou à leurs enfants, qu'il a connu Blanche, qu'il l'a vue agir de telle façon en telle circonstance, que tel jour elle lui a souri, qu'elle a fait remettre à telle fille de sa connaissance une dot pour qu'elle puisse se marier ou qu'elle a pris telle décision de justice en sa faveur, etc. Dix années, et le roi ne prend jamais de décision importante sans se demander ce que sa mère eût fait en semblable cas. C'est une évocation de tous les instants. Blanche est aussi présente en ce lieu et dans tout le domaine que si elle vivait encore et l'on répète comme en litanies ce nom de Blanche : « Blanche la sage, Blanche la vaillante, la bonne reine de France, qui si bien et si sagement gouverna le pays, qui sut si bien maintenir le royaume tant que son fils fut outre-mer, qui ne connut tant qu'elle vécut ni reproche ni malveillance du peuple[1]... »

Si elle en éprouve un secret dépit, Marguerite a elle-même l'âme trop haute pour s'appesantir sur ce sentiment. Dans sa vie quotidienne elle a su passer au-delà de ses rancœurs personnelles. Elle ne discute pas les qualités dont faisait preuve la reine mère, ni son exceptionnelle valeur ; en son cœur elle ratifie ce que chacun dit tout haut. Plus encore, l'exemple de Blanche n'a pas été perdu pour elle, et elle s'est efforcée sur bien des points de lui ressembler.

Aujourd'hui Marguerite n'est plus la « Jeune Reine », mais elle est seule reine. Entrée depuis peu dans la quarantaine, elle peut jeter sur sa propre vie un regard sans orgueil, mais sans honte. Ce qu'elle a été jusqu'à présent la rend digne de figurer dans la galerie des reines de France et de soutenir la comparaison avec celles qui l'ont précédée dans ce rôle. Avec toutes, mais pas avec Blanche.

Quand elle se prend à douter d'elle-même, Marguerite évoque ses souvenirs de Terre sainte. Les épreuves qu'elle a traversées outre-mer, la reine Blanche n'a pas eu à les affronter. Eût-elle fait mieux qu'elle-même ? Non, Marguerite a conscience d'avoir été pleinement la Dame, tout comme son époux était pleinement le Chevalier. Elle se revoit à Damiette au temps des grands désastres de l'armée. Le roi son époux était loin, à la hauteur de Mansourah sur les rives du fleuve ; elle était enceinte, près d'accoucher, quand on était venu lui apporter la nouvelle du désastre : le roi était malade, presque mourant, l'armée vaincue venait de capituler, les Sarrasins étaient là tout proches, vainqueurs. Combien de temps tiendraient devant eux les murs de Damiette ? A la terreur que tous éprouvaient s'ajoutaient pour elle les angoisses de l'accouchement. Quand elle parvenait à s'endormir c'était pour rêver que sa chambre était remplie de Sarrasins prêts à l'exterminer. Elle s'éveillait dans un sursaut, hurlant au secours ; au point qu'elle avait prié un vieux chevalier de quatre-vingts ans demeuré dans la ville de coucher devant son lit ; il lui tenait la main et chaque fois qu'il la voyait s'agiter, la rassurait : « N'ayez peur, Dame, je suis ici. »

Un jour, aux nouvelles qui venaient de parvenir, elle avait pensé que l'assaut était tout proche ; elle avait fait sortir tout le monde de sa chambre et, demeurée seule à seul avec le vieux chevalier, s'était agenouillée devant lui, lui demandant une grâce ; le vieil homme surpris lui avait aussitôt juré de faire ce qu'elle lui demanderait et elle lui avait solennellement enjoint : « Sur la foi que vous venez de me donner, je vous demande, si les Sarrasins prennent la ville, de me couper la tête avant qu'ils ne m'aient prise. » La mort plutôt que le harem où tant de femmes et de filles chrétiennes avaient si tristement fini leur vie, obligées d'apostasier, prostituant leur âme aussi bien que leur corps.

Au reste le vieux chevalier avait très calmement accueilli cette demande : « Je le ferai, soyez-en sûre ; j'avais déjà pensé que je vous tuerais avant qu'ils ne nous prennent. »

Le lendemain elle avait accouché d'un fils qu'on avait nommé Jean et surnommé Tristan pour la grande douleur du temps où il était né. Son rôle à elle n'était pas pour autant terminé. On était venu ce même jour, quelques heures après l'accouchement, lui dire que tous les marchands qui hantaient encore la cité de Damiette allaient partir, prendre la mer. Il ne resterait plus dans la cité que les femmes et les enfants des chevaliers morts ou captifs sur les rives du Nil. Elle leur avait fait demander de venir la trouver le lendemain à l'aube et là, rassemblant ses forces, avait tenté d'abord de les apitoyer : « Pour l'amour de Dieu, ne quittez pas la ville (la cité de Damiette était le seul gage en effet que l'on pouvait espérer céder aux Sarrasins en échange de la vie du roi et de ses compagnons). Si vous n'avez pitié de moi, de ceux qui mettent leur espoir dans cette cité, prenez en pitié du moins la chétive créature que vous voyez ici ; attendez au moins jusqu'à mes relevailles, que je puisse prendre en main la situation. »

Les marchands — il y en avait de Pise, de Gênes, de diverses cités d'Italie ou des bords de la Méditerranée ; c'était les mêmes envers lesquels s'endettaient les chevaliers pour leur équipement et celui des troupes de la chrétienté — s'étaient regardés entre eux : « Comment faire, Madame ? nous allons mourir de faim, à rester dans cette ville ! »

Marguerite avait réfléchi. Elle avait affaire à des marchands : aucun espoir de leur faire entendre le langage de la pitié. Il fallait, de toute nécessité, s'accorder à leur langage à eux, trouver les arguments qui porteraient. Et en un éclair elle avait trouvé : « Je vais moi-même faire acheter tout ce qui existe dans Damiette en fait de vivres et de ravitaillement. Dès ce jour, vous serez considérés comme étant au service du roi ; c'est lui qui assurera vos dépenses ; vous vivrez aux frais du trésor royal. »

Et elle avait eu l'intense satisfaction de les voir revenir, après une brève consultation entre eux. Damiette ne manquerait pas de défenseurs. Aussitôt elle avait donné ordre d'acheter tous les vivres — trois cent soixante mille livres et plus, mais la vie du roi en dépendait. Et c'est ainsi que Damiette avait pu tenir bon et être offerte en gage contre la délivrance des croisés.

Le terme normal des relevailles n'était pas encore venu qu'elle avait dû partir, quitter Damiette avec son petit Jean-Tristan, et s'embarquer pour Acre avec ses suivantes et les dames de son entourage. Quelques mois plus tard, elle avait enfin retrouvé le roi.

Et chacun le disait en France, en Angleterre, partout : sans le courage de la reine Marguerite, l'armée était perdue.

Que lui manque-t-il pour égaler la reine Blanche ? Elle est pourtant, elle aussi, une femme comblée, une mère*heureuse. Deux ans plus tôt, elle a donné naissance à leur petite Agnès et c'est le onzième enfant né du couple royal. Onze enfants dont huit sont bien vivants — y compris Jean-Tristan, et son frère et sa sœur nés comme lui en Terre sainte. Quant à son époux, pourrait-elle demander mieux ? A l'amour qu'ils ont l'un pour l'autre se mêle l'admiration qu'elle éprouve, comme tous, devant un être hors pair qui s'apparente aux plus hautes figures de légende ; d'instinct Marguerite le sent, il sera un jour sur les autels, à l'égal d'un frère Dominique ou d'un frère François. Chacun du reste l'appelle le saint roi, dans le peuple surtout, — car les bourgeois le craignent, comme les barons. Marguerite l'admire ; mieux que personne elle sait les secrets de son cœur, et que ce cœur est tout entier à Dieu. Elle l'admire en dépit d'un caractère qui n'est pas toujours facile ; le roi tient de sa mère son impulsivité, sa violence même parfois : ce n'est pas un saint homme, c'est un saint, avec toute la violence, précisément, que le terme implique. Mais elle sait qu'on peut lui faire totalement confiance : lorsqu'il s'emporte, c'est toujours parce qu'a été blessé son sens de la justice. Ni noble ni parent n'échappe à ce sens inflexible d'une justice qu'il exerce sans passion, mais sans faiblesse. Le sire de Coucy en a fait l'expérience quand il a fait pendre trois jeunes gens dans ses bois ; et Charles d'Anjou lui-même, ce Charles que Marguerite déteste, a dû plier devant son frère...

Louis est pour elle un époux irréprochable ; et Marguerite sait qu'en tout ce qui n'excédera pas, précisément, les limites de la justice, elle a tout pouvoir sur son cœur. Il lui en a donné bien des preuves. C'est à son avis à elle qu'il s'est finalement rangé au retour de Terre sainte : le roi refusait de débarquer à Hyères ; il ne voulait mettre le pied que sur ses États ; il avait hésité deux jours : sa volonté était d'aller jusqu'à Aigues-Mortes. Mais pouvait-on demander aux nefs qui les portaient de fournir un effort supplémentaire après l'épouvantable traversée qu'ils avaient eue ? Rien ne leur avait été épargné, ni les tempêtes, ni l'échouage sur un banc de sable en vue de l'île de Chypre, ni même l'incendie ; le feu avait pris dans sa chambre à elle, Marguerite, par la négligence d'une servante ; la reine avait sauté du lit toute nue, roulé en un ballot les couvertures où la flamme gagnait, et les avait jetées à la mer où on les avait vus flamber longtemps dans la nuit. Se confier de nouveau à la mer, alors qu'on touchait aux côtes de Provence, eût peut-être amené un nouveau désastre, et son intervention, fidèlement transmise au roi par son familier le sénéchal de Champagne, Joinville en personne, avait finalement vaincu l'obstination royale à ne vouloir débarquer que sur le sol de son royaume.

Mieux que cela : à son retour, le roi songeait à tout abandonner des affaires du siècle et à entrer lui-même dans les ordres, peut-être chez ces cisterciens de l'abbaye de Royaumont qu'il aimait, ou chez les cordeliers. Sa résolution paraissait prise et c'était elle, Marguerite, qui l'en avait détourné. Elle avait su lui représenter avec force les dangers auxquels il laisserait le royaume exposé ; leur fils, ce prince Louis dont le souvenir faisait monter tant de larmes, n'était alors qu'un petit garçon de dix ans qui eût été la proie des barons comme lui-même, Louis IX, avait failli l'être dans sa jeunesse et, ce qui comptait plus encore, c'eût été une fuite devant sa vocation véritable, celle qu'il n'avait pas choisie, mais à laquelle il avait été appelé. Pour finir, la reine avait fait venir ses enfants devant lui ; le roi, les voyant, n'avait dit mot ; mais la partie, en son cœur, avait été gagnée. Et Marguerite avait éprouvé une secrète satisfaction à se dire que la reine Blanche, elle, n'avait pas su dissuader son fils de partir pour la croisade...

Dans la politique même du roi, n'a-t-elle pas eu la satisfaction de voir Louis adopter ses vues, et conclure enfin une paix solide avec Henri III d'Angleterre son beau-frère, et lui rendre des terres afin, selon son expression, de « mettre amour entre mes enfants et les siens, qui sont cousins germains » ? Cousins par qui ? Sinon par elle, Marguerite.

Une femme comblée... Que lui manque-t-il pour réaliser pleinement l'image qu'elle voudrait laisser d'elle ? Qu'y a-t-il en elle de secrètement insatisfait ? Cette revanche qu'en son cœur elle n'a cessé de souhaiter prendre envers la reine qui la traitait en fillette faite pour le lit du roi et l'avenir de la dynastie, elle la médite depuis quelque temps déjà. L'idée lui est venue peu après la mort de ce prince Louis qui les a si profondément atteints l'un et l'autre, tout en ruinant les espoirs du royaume : ce jeune Louis, le portrait de son père, avec des vertus plus évidentes encore, — mort à seize ans, cet être parfaitement beau...

Sa perte était à proprement parler irréparable. Philippe son cadet, devenu aujourd'hui l'héritier du royaume, était bien loin de montrer les mêmes qualités. Un bel enfant certes, bien taillé et excellent à manier la lance, mais passablement brouillon et irrésolu ; il tenait à la fois de Robert d'Artois par sa vaillance irréfléchie, et de Charles, Charles le détesté, par cette sorte d'ambition disproportionnée avec ses moyens que Marguerite, en mère attentive, discerne déjà en lui. N'y a-t-il pas là pour elle un devoir ? un rôle à jouer ? un rôle un peu semblable à celui que joua Blanche jadis ?...

**
*

Au printemps de l'année 1263, Louis IX apprenait avec stupeur l'effrayant serment que la reine Marguerite son épouse avait extorqué au prince héritier Philippe : elle lui avait fait jurer sur l'Évangile que jusqu'à l'âge de trente ans il demeurerait en son « bail » et sa garde, et ne prendrait conseil de personne contre sa volonté à elle, Marguerite.

Philippe avait prêté serment ; puis, peu à peu, la conscience troublée, comprenant que sa mère allait le réduire à une minorité indue jusqu'à l'âge de trente ans, il était allé — violant d'ailleurs les termes de ce serment — tout avouer à son père. Depuis lors, le garçon vivait dans l'angoisse, ne sachant plus où était la faute la plus grave : d'avoir prêté ce serment imprudent ou de l'avoir transgressé. Louis rassura son fils, et pour apaiser tout à fait sa conscience, dépêcha aussitôt des messagers au pape. Le 6 juillet suivant, celui-ci — c'était un Français, Urbain IV — par un document dûment bullé de plomb[2] selon l'usage de la chancellerie pontificale, déliait le jeune homme de son vœu irréfléchi.

Le roi Louis eut la sagesse de n'en pas vouloir à sa femme, et Marguerite se résigna.

Il y avait eu, il y aurait encore beaucoup de reines en France. Mais il ne pouvait y avoir qu'une reine Blanche.

NOTES

CHAPITRE PREMIER : LE CARRÉ DE DAMES

1. Voir : *Magna vita S. Hugonis. The life of S. Hugh of Lincoln,* éd. by Decima L. Douie and Hugh Farmer. London-New York, 1961, 2 v. in-8°. T. II, p. 156 et 142.

2. Cf. Bezzola (R.), *Les origines et la formation de la littérature courtoise en Occident,* 3ᵉ partie, II, p. 343.

3. Guillaume le Breton, *La Philippide,* L. VI, v. 28.

4. *Chronique de Jean d'Oxford,* citée par Elie Berger, *Blanche de Castille,* p. 10.

5. *Lettres* d'Étienne de Tournai, éd. Desilve, 1893, p. 367.

6. Maillard (Jean), *Un roi-trouvère au XIIIᵉ siècle.* Vol. 18 de *Musicological Studies and Documents,* American Institute of Musicology, 1967.

7. Roger de Wendover, t. I, p. 316.

8. *Chronique de l'Anonyme de Béthune,* dans *Rec. des Hist. de France,* XXIV, 2, p. 760.

9. *Histoire des ducs de Normandie,* éd. F. Michel, p. 93.

10. *Ibid.,* p. 94-95.

11. *Histoire de Guillaume le Maréchal,* éd. P. Meyer, III, p. 164.

12. *Ibid.,* p. 167-170.

13. Comptes publiés dans Brussel, *Usage des fiefs,* II (1750), p. 157, 174 sq.

14. Philippe Mouskès, *Chronique rimée,* v. 27 p. 145 sq.

15. Villehardouin, *Histoire de la conquête,* éd. Faral, p. 90 et 128 ; et lettre d'Innocent III citée dans Fliche-Martin, *Hist. de l'Église,* X, p. 71.

CHAPITRE II : L'HÉRITAGE DE BLANCHE

1. Guillaume le Breton, *Chronique,* éd. Delaborde, n° 149, p. 226.

2. Cf. Delisle, *Premier registre de Ph.-Aug.,* Paris, 1883, p. 93.

3. *Histoire des ducs de Normandie*, éd. F. Michel, p. 119-120.

4. Guillaume le Breton, *Philippide*, L. XII, v. 835 sq.

5. *Histoire des ducs de Normandie*, p. 105.

6. *Ibid.*, p. 121.

7. G. le Breton, *Philippide*, L. IX, v. 569-570.

8. *Hist. des ducs de Normandie*, p. 126.

9. Publ. dans *Rec. des Hist. de France*, XIX, p. 254-255.

10. Publ. dans *Layettes du Trésor des chartes*, II, nos 1813-1821, p. 97-99.

11. Voir G. le Breton, *Philippide*, L. II, v. 87-149.

12. G. le Breton, *Chronique*, no 203, p. 296-297.

13. *Ibid.*, no 202, p. 295.

14. Guillaume Guiart, *Branche des royaux lignages*, p. 280.

15. *Chron. de l'Anon. de Béthune, Rec. des Hist. de France*, XXIV, 2, 763.

16. Cf. Petit-Dutaillis, *Louis VIII*, p. 52.

17. *Chanson de la croisade albigeoise*, cité par Petit-Dutaillis, *Louis VIII*, p. 194.

18. Roger de Wendover, *Flores Historiarum*, éd. Hewlett, II, 135-136.

19. *Hist. des ducs de Normandie*, p. 160 et 161.

20. Roger de Wendover, *Flores Historiarum*, II, p. 176.

21. *Hist. des ducs de Normandie*, p. 164.

22. Roger de Wendover, II, 177.

23. *Ibid.*, 178-180.

24. *Hist. des ducs de Normandie*, p. 167.

25. Lettre citée dans la *Chronique* de Hoveden (éd. Stubbs), IV, p. 190.

26. *Hist. des ducs de Normandie*, p. 169-170.

27. *Histoire de Guillaume le Maréchal*, III, p. 212.

28. *Ibid.*, p. 213-214.

29. Citée dans Petit-Dutaillis, *Louis VIII*, p. 136.

30. Citée *ibid.*, p. 140.

31. Matthieu Paris, *Chronique*, III, 25-26.

32. *Récits d'un ménestrel de Reims*, nos 301-302.

33. Extrait, ainsi que les citations précédentes, de l'*Hist. des ducs de Normandie*, p. 198-202.

CHAPITRE III : LE ROYAUME DES LYS

1. Voir *Annuaire-bulletin de la Soc. de l'Hist. de France*, 1885, p. 132.

2. Conon de Lausanne, cité par Petit-Dutaillis, p. 216.

3. Cité *ibid.*, p. 114.

4. Étienne de Bourbon, *Anecdotes*, éd. Lecoy de La Marche, no 323, p. 271-272.

5. Nicolas de Bray, cité par Petit-Dutaillis, p. 223.

6. Inédit. Ms 870 de la Bibl. Mazarine. Étudié dans l'*Hist. litt. de la France*, XXX, 325-329.

7. *Ornatus mulierum*, texte anglo-normand du XIIIᵉ siècle, éd. par P. Ruelle, P.U. Bruxelles, 1967.

8. *Hist. des ducs de Normandie*, p. 206.

9. *Grandes Chroniques de France*, VII, p. 11.

10. Cette statue se trouve dans l'église des Cordeliers de Nancy. Moulage au musée des Monuments français à Paris.

11. Les textes sont tirés des *Grandes Chroniques de France*, VII, p. 17-18.

12. On ne sait au juste si Charles naquit en mars 1226 ou si, avant sa naissance, il ne faudrait pas placer celle d'un enfant qui ne vécut pas, Étienne. En ce cas, Charles serait un enfant posthume, né en 1227.

13. *Chanson de la croisade albigeoise*, éd. Martin-Chabot, III, p. 290-291, v. 91-104.

14. *Historia albigensis*, éd. Guébin et Lyon, III, p. 14.

15. *Grandes Chroniques de France*, VII, p. 9.

16. Philippe Mouskès, *Chronique*, v. 22 383-22 392.

17. Voir étude sur S. de M. dans *Cahiers de Fangeaux*, 4, p. 283.

18. Philippe Mouskès, *Chronique*, v. 23 377-23 385.

19. *Annales* de Dunstaple et R. de Wendover, citées par Petit-Dutaillis, p. 295.

20. *Grandes Chroniques de France*, VII, p. 23-24.

21. Philippe Mouskès, v. 27 300 sq.

22. Robert Saincereau ou de Sancerre, dans *Rec. des Hist. de France*, XXIII, p. 124-131.

CHAPITRE IV : ÉCHEC A LA REINE

1. Il est inexact de parler de « régence » de Blanche, et de « majorité » de Louis IX. Voir à ce sujet Olivier-Martin (F.), *Études sur les régences*.

2. *Chanson d'Hugues de la Ferté*, citée dans Élie Berger, *Blanche de Castille*, p. 109.

3. *Grandes Chroniques de France*, VII, p. 38-40.

4. Joinville, *Histoire de Saint Louis*, chap. 16.

5. Cité dans E. Berger, *Blanche de C.*, p. 108.

6. Arch. Nat., *Trésor des Chartes. Layettes*, Suppl. II, nᵒˢ 1979⁷ à 1979³³.

7. Voir E. Berger, p. 123-125.

8. *Grandes Chroniques de France*, VII, p. 43-44.

9. *Ménestrel de Reims*, nᵒˢ 348-351.

10. On sait que le donjon de Coucy, le plus beau d'Europe, fut détruit en 1918 par les Allemands lors de leur retraite.

11. Cf. E. Berger, p. 157-158.

12. Roger de Wendover, II, p. 347.

13. Publ. dans *Histoire du Languedoc*, VIII, c. 893.

14. L'original du traité de 1229 est conservé aux Arch. Nat., J 305 n° 60. Publ. dans *Layettes du Trésor des chartes*, II, n° 1992.

15. Matthieu Paris, *Chronica majora*, III, p. 166 sq.

16. *Ménestrel de Reims*, n° 187-188.

17. Étienne de Bourbon, *Anecdotes*, n° 513, p. 443.

18. Texte de Geoffroy de Beaulieu dans Duchesne, *Historiae Francorum Scriptores*, t. V, p. 445-446.

19. Guillaume de Saint-Pathus, p. 13-18.

20. *Ibid.*, p. 88 et 71.

21. Archives Nat. J 427 n° 11 *bis.* Publ. dans *Layettes du Trésor des chartes*, II, n° 2 083.

22. Voir les chansons de Thibaud de Champagne dans l'édition Wallensköld.

23. *Grandes Chroniques de France*, VII, p. 66 sq.

CHAPITRE V : LES DEUX REINES

1. Philippe Mouskès, v. 28 692 sq.

2. *Grandes Chroniques de France*, VII, p. 64-65.

3. Aubry de Trois-Fontaines, dans *Rec. des Hist. de France*, XXI, p. 619.

4. Ces comptes sont publiés dans *Rec. des Hist. de France*, XXI, p. 220-260. La somme se trouve p. 248, V, aussi XXII, p. 579-622.

5. Nous tenons cette hypothèse de Rita Lejeune, l'éminente romaniste. Voir son article dans *Le Siècle de Saint Louis*, Hachette, 1970, chap. XVIII, *La courtoisie et la littérature au temps de Blanche de Castille et de Louis IX*, p. 181-196.

6. Le *Dictié d'Urbain*, cité dans l'*Introduction* à l'édition de Ph. Mouskès, II, p. 225 en note.

7. Ph. Mouskès, v. 24 225 sq.

8. La lettre est conservée aux Archives Nationales J 1030, n° 73. Elle a été exposée à l'Exposition *La France de Saint Louis*, 1970, n° 115 du catalogue. Voir art. de Douët d'Arcq, *Le siège de Carcassonne en 1240*, dans *Bibliothèque de l'École des Chartes*, 2e série, II, 1845-1846, p. 363-379.

9. Voir Dossat, chap. XXV consacré à l'Inquisition dans *Le siècle de Saint Louis*, p. 259-266.

10. La lettre de Blanche a été publiée par Bourquelot dans *Revue des Sociétés savantes*, 4e série, V, p. 447 (1867)

11. Bulle de Grégoire IX aux Arch. Nat. ; éd. Teulet, *Layettes*, II nº 2514, c. 339-340.

12. Lettre de l'espion de La Rochelle conservée aux Arch. Nat. et publ. par L. Delisle, dans *Bibl. de l'Ec. des Chartes*, 1856, p. 513-555.

13. Lettre de l'évêque Guillaume de Beaumont, et du chapitre d'Angers publ. dans Teulet, *Layettes*, II, 22 sept. 1232.

14. Citations tirées des *Grandes Chroniques de France*, VII, p. 87-89.

15. *Ibid.*, p. 90-91.

16. Voir le récit dans Joinville (p. 74 de l'édition du Club des Libraires de France).

17. Matthieu Paris, IV, 211.

18. *Grandes Chroniques de France*, VII, p. 99-100. Voir le détail des combats dans Bémont, *La Campagne de Poitou 1242-1243. Taillebourg et Saintes*, Toulouse, 1893. Extrait des *Annales du Midi*, V.

19. Philippe Mouskès, v. 31 110-31 114.

20. Chanson sur la bataille de Taillebourg composée peu après l'événement et conservée dans un manuscrit de la bibliothèque de Modène ; publ. par A. Thomas dans *Annales du Midi*, juillet 1892, p. 362-370.

21. Matthieu Paris, IV, 253.

22. Cf. Y. Dossat, *L'Inquisition toulousaine*, notamment p. 145-151. V. aussi p. 273.

23. Matthieu Paris, *Chronica majora*, IV, 226.

24. Lettre conservée aux Arch. Nat. Fonds de Toulouse, V, J 309, nº 20. Publ. dans Teulet, *Layettes*, II, p. 482-483.

25. Guillaume de Puylaurens, p. 305 de l'éd. Guizot.

26. Guillaume de Nangis, dans *Rec. des Hist. de France*, XX, p. 550.

27. Nous restituons ici à l'épisode du siège et de la prise de Montségur la place qu'ils tiennent dans les textes du temps.

CHAPITRE VI : LA REINE MÈRE

1. Voir *Grande chronique de Limoges*, dans *Rec. des Hist. de France*, XXI, p. 766.

2. Étienne de Bourbon, *Anecdotes*, éd. Lecoy de La Marche, p. 388 en note.

3. *Ibid.*, p. 389 en note.

4. De nombreuses lettres sont conservées à ce propos aux Archives Nat. Cf. Teulet, *Layettes*, II, nºˢ 2577, 2729 (du pape Grégoire IX), III, nºˢ 3604, 3740, 3741, etc. (de Marie, impératrice de Constantinople) ; III, nºˢ 3772-3774 (de Blanche, désintéressant les créanciers de Marie), etc.

5. V.R. Grousset, *L'épopée des croisades*, p. 284-286, etc., et Guillaume de Nangis, dans *Rec. des Hist. de France*, XX, 325.

6. Citations tirées des textes publiés dans Bouthoul, *Le Grand Maître des Assassins*, p. 166-167.

7. Matthieu Paris, *Chronica majora*, IV, p. 111.

8. Voir le chapitre XXII, consacré à l'Orient et l'Extrême-Orient dans *Le Siècle de Saint Louis*, dû à G.-A. Bezzola, p. 230-237.

9. Lettre de Ponce d'Aubon, maître de la chevalerie du Temple en France, à Saint Louis, citée dans Wallon (H.), *Saint Louis et son temps*, 2 vol., 1876, I, p. 153-154 en note.

10. Matthieu Paris, *Chronica majora*, IV, p. 275.

11. Ph. Mouskès, v. 31 022-31 023.

12. Lettre de Grégoire IX publ. dans *Layettes*, II, n° 2836.

13. Étienne de Bourbon, *Anecdotes*, n° 58, p. 63.

14. Voir Dimier (A.), *Saint Louis et Cîteaux*, p. 94 en note. Cf. aussi le récit de Matthieu Paris, cité dans E. Berger, p. 356.

15. *Chronique de Jean Eleemosyna*. Cf. mes ouvrages *Les Croisés*, p. 243 et *Les Croisades* (coll. *Il y a toujours un reporter*), p. 246.

16. Nous tenons à souligner qu'il s'agit ici d'une hypothèse toute personnelle, qu'aucun texte n'appuie ; elle nous paraît vraisemblable si l'on tient compte de la conduite de Blanche en général, et de la surprise qu'on éprouve à la voir si obstinément hostile aux projets de croisade de son fils.

17. Matthieu Paris, *Chronica majora*, V, p. 3-5.

CHAPITRE VII : « COMME UN LYS »

1. Cf. Matthieu Paris, *Chronica*, III, p. 196.

2. Biographie d'Isabelle, par l'abbesse de Longchamp Agnès d'Harcourt. Publiée par Du Cange à la suite de son édition de Joinville, 1668, p. 169-170.

3. Fliche et Martin, *Histoire de l'Église*, X, p. 261 sq.

4. E. Berger, *Saint Louis et Innocent IV*, p. 309-310.

5. Le récit de la *Disputatio*, rédigé par Rabbi Yehiel, a été publié dans Wagenseil (J.C.), *Tela ignea Satane*, Altdorf, 1681, 2 vol. in-4°, II, 2ᵉ partie. Il est amusant de constater à ce propos la méprise de toute une certaine presse (qui a cru bon de se déchaîner notamment lors de l'Année Saint Louis en 1970) appelant Saint Louis : « brûleur de Juifs »... C'est le Talmud qui fut brûlé, non les Talmudistes.

6. Publ. dans *Lettres françaises du XIIIᵉ siècle*, éd. A. Foulet, dans *Classiques français du Moyen Age*, n° 43. Paris, 1924, p. 16-18.

7. Testament de Raymond VII, *Layettes,* III, n° 3 802, codicille n° 3803, p. 78-79.

8. Cité dans E. Berger, *Blanche de Castille,* p. 375.

9. Les originaux sont publiés dans *Layettes,* III, n° 3829, p. 87 et sq.

10. Matthieu Paris, *Chronica majora,* V, p. 169-170.

11. Ph. Mouskès, v. 29 206 et sq.

12. Le dernier en date et le plus complet des travaux relatifs à la croisade des enfants est celui de Zacour dans *History of Crusades* éd. par l'université de Pennsylvania, II, 325-342.

13. Matthieu Paris, *Chronica,* V, p. 239. D'après certains chroniqueurs, le Maître de Hongrie aurait été un cistercien en rupture de couvent nommé Jacques. Cf. Dimier (A), *Saint Louis et Cîteaux,* p. 209-210.

14. Lettre publiée dans *Layettes,* III, n° 3960, p. 142.

15. Toute une série de lettres de ce genre est conservée aux Archives nationales. Cf. *Layettes,* III, n° 3769, 3770, etc., p. 68 et sq.

16. Voir *Layettes,* III, n° 3956.

17. *Layettes,* III, n° 3978.

18. Voir Shirley, *Royal and historical letters,* II.

19. Matthieu Paris, *Chronica,* IV, p. 631.

20. *Grandes Chroniques de France,* VII, p. 168-169.

21. Dimier, *Saint Louis et Cîteaux,* p. 95.

22. *Grandes Chroniques de France,* VII, p. 167.

23. Matthieu Paris, *Chronica,* V, p. 311-312 et 354.

ÉPILOGUE

1. *Chronique anonyme* publ. dans *Rec. des Hist. de France,* XXI, 116.

2. Original conservé aux Archives nationales, J 711, n° 301.

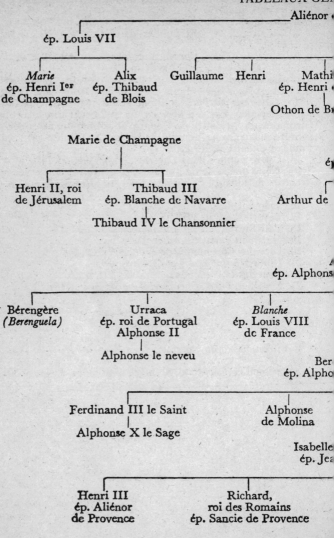

Aliénor

ép. Louis VII

Marie
ép. Henri Iᵉʳ
de Champagne

Alix
ép. Thibaud
de Blois

Guillaume Henri Mathi
ép. Henri

Othon de B

Marie de Champagne

Henri II, roi
de Jérusalem

Thibaud III
ép. Blanche de Navarre

Arthur de

Thibaud IV le Chansonnier

é

ép. Alphons

Bérengère
(Berenguela)

Urraca
ép. roi de Portugal
Alphonse II

Blanche
ép. Louis VIII
de France

Alphonse le neveu

Ber
ép. Alpho

Ferdinand III le Saint

Alphonse X le Sage

Alphonse
de Molina

Isabelle
ép. Jea

Henri III
ép. Aliénor
de Provence

Richard,
roi des Romains
ép. Sancie de Provence

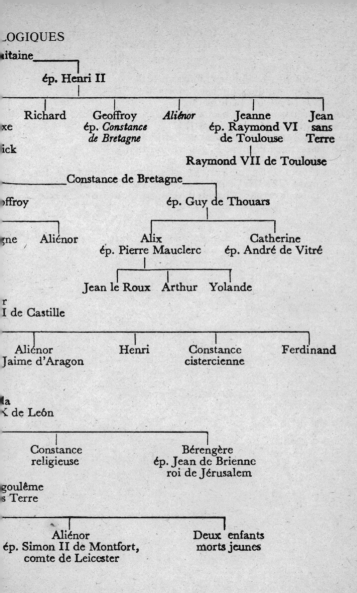

aitaine

ép. Henri II

| xe | Richard | Geoffroy
ép. *Constance
de Bretagne* | *Aliénor* | Jeanne
ép. Raymond VI
de Toulouse | Jean
sans
Terre |

ick

Raymond VII de Toulouse

Constance de Bretagne

offroy

ép. Guy de Thouars

gne   Aliénor

Alix
ép. Pierre Mauclerc

Catherine
ép. André de Vitré

Jean le Roux   Arthur   Yolande

r
I de Castille

Aliénor
Jaime d'Aragon

Henri

Constance
cistercienne

Ferdinand

la
de León

Constance
religieuse

Bérengère
ép. Jean de Brienne
roi de Jérusalem

goulême
s Terre

Aliénor
ép. Simon II de Montfort,
comte de Leicester

Deux enfants
morts jeunes

1205 : une fille mort-née.
1209, 9 septembre : Philippe, môrt en 1218.
1213, 26 janvier : deux jumeaux morts-nés.
1214, 25 avril : Louis IX le Saint.
1216, fin septembre : Robert d'Artois.
1219, 21 juillet : Jean, mort en 1232.
1220, 11 novembre : Alphonse de Poitiers.
1222, 20 février : Philippe-Dagobert, mort en 1232.
1225, fin juin : Isabelle.
1226 : Étienne? En ce cas, Charles d'Anjou serait né fin
        mars 1227 ; ou peut-être cet Étienne n'est-il mentionné
        que par erreur ; Charles d'Anjou serait né fin mars 1226.

PRINCIPALES SOURCES
ET CHRONIQUES UTILISÉES

Chanson de la croisade albigeoise, éd. E. Martin-Chabot, Paris, 1957, 3 v., CHFMA n° 24.

Chronique rimée de Saint-Magloire, RHF, XXII, p. 83 sq.

Comptes de dépenses (Blanche de Castille, Saint Louis), RHF, XXII et XXIII.

Enquêtes faites sur l'ordre de Saint Louis, RHF, XXIV.

Grandes Chroniques de France, éd. J. Viard. Paris, 1932, SHF n° 120.

GUILLAUME GUIART, *La Branche des royaux lignages,* éd. Buchon, Paris, 1828.

GUILLAUME DE PUYLAURENT, éd. Beyssier. *G. de P. et sa chronique,* université de Paris, Bulletin de la Faculté des Lettres, XVIII, 1904, p. 85-175.

GUILLAUME DE SAINT-PATHUS, confesseur de la reine Marguerite, *Vie de Saint Louis.* Publ. par H.-F. Delaborde, Paris, 1899. Coll. de textes pour servir à l'étude et à l'enseignement de l'Histoire, n° 25.

Guillaume le Breton, éd. Delaborde, 1882, 2 vol., SHF.

Guillaume le Maréchal, éd. P. Meyer, 1891, 3 vol., SHF.

Histoire des ducs de Normandie, éd. F. Michel, 1840, SHF.

Layettes du Trésor des Chartes, t. I et II dus à Teulet, III à J. de Laborde. Paris, 1863-1875.

Magna Vita Sancti Hugonis. The life of S. Hugh of Lincoln, ed. by Decima L. Douie and Hugh Farmer. London-New York, 1961, 2 vol. in-8°.

MATTHIEU PARIS, *Chronica majora,* éd. H.R. Luard, 1872-1884, 7 vol. in-8°, Rolls Series n° 57.

Ménestrel de Reims (Récits d'un), éd. N. de Wailly, 1876, SHF.

MOUSKÈS Philippe, *Chronique rimée,* éd. de Reiffenberg. Coll. de chroniques belges, Bruxelles, 1836-1838, 2 vol. in-4°.

BRAI (Nicolas de), *Gesta Ludovici VIII,* RHF, XVII.

VAUX-DE-CERNAY (Pierre des), *Historia albigensis,* éd. Guébin et Lyon, Paris, 1926, SHF.

SHIRLEY (W. W.), *Royal and other historical letters ill. of the reign of Henry III,* Rolls Series n° 27.

THIBAUD DE CHAMPAGNE, *Chansons,* éd. Wallensköld, Paris, 1925, SATF.

VILLEHARDOUIN, *La Conquête de Constantinople,* éd. E. Faral, 1938, CHFMA, N° 18.

ABRÉVIATIONS

CHFMA	*Les classiques de l'Histoire de France au Moyen Age.*
SHF	*Société de l'Histoire de France.*
RHF	*Recueil des Historiens de la France.*
SATF	*Société des Anciens Textes français.*

PRINCIPAUX OUVRAGES

BERGER (Élie), *Histoire de Blanche de Castille reine de France*. Paris, 1895, in-8°. Bibl. des Écoles franç. d'Athènes et de Rome, fasc. 70.

PETIT-DUTAILLIS (Ch.), *Étude sur la vie et le règne de Louis VIII (1187-1226)*. Paris, 1894, in-8°. Bibl. de l'École des Hautes-Études, fasc. 101.

Siècle (Le) de Saint Louis. Hachette, 1970. Ouvrage collectif présentant un panorama des principaux aspects du règne, en trente-quatre chapitres dus chacun au spécialiste actuel de la question.

LE NAIN DE TILLEMONT, *Vie de Saint Louis*. Publ. par J. de Gaulle, Paris, 1847-1851, 6 vol. in-8°. SHF.

BERGER (E.), *Saint Louis et Innocent IV*, Paris, 1893.

BLOCH (M.), *La France sous les derniers Capétiens. 1223-1328*. Paris, Cahiers des Annales ESC, 1958.

BEMONT (Ch.), *La campagne de Poitou. 1242-1243. Taillebourg et Saintes*. Toulouse, 1893.

BEZZOLA (R.), *Les origines et la formation de la tradition courtoise en Occident*, 5 vol. in-4°. Paris, 1946-1963.

BOISSONNADE (P.), *Quomodo comites Engolismeses erga reges Angliae et Franciae se gesserint et comitatus Engolismae atque Marchiae regno Francorum adjuncti fuerint. 1152-1328*. Angoulême, 1893.

BOUTARIC (E.), *Marguerite de Provence, femme de Saint Louis. Son caractère, son rôle politique*, dans *Rev. des questions historiques*, 1867, III, p. 417-458.

Cahiers de Fanjeaux, notamment le t. 3, *Cathares en Languedoc*, 1968 et le t. 4, *Paix de Dieu et guerre sainte en Languedoc au XIIIe siècle*, 1969.

DIMIER (P. Anselme), *Saint Louis et Cîteaux*, Paris, 1954.

DOSSAT (Yves), *Les crises de l'Inquisition toulousaine au XIIIe siècle. 1233-1273*, Bordeaux, 1959.

OLIVIER-MARTIN (F.), *Étude sur les régences. I. Les régences et la majorité des rois sous les Capétiens directs et les premiers Valois*, Paris, 1931.

THOUZELLIER (Ch.), *Catharisme et valdéisme en Languedoc à la fin du XIIe et au début du XIIIe siècle*, P.U., 1966.

TABLE

DU MÊME AUTEUR

LES STATUTS MUNICIPAUX DE MARSEILLE. Édition critique du texte latin du XIIIᵉ siècle. Collection des Mémoires et documents historiques publiés sous les auspices de S.A.S. le prince de Monaco.
Paris-Monaco, 1949; LXIX-289 pp.

LUMIÈRE DU MOYEN AGE. Prix Femina-Vacaresco, 1946. Rééd.
Grasset-Fasquelle, 1981. Livre de Poche, 1983.

HISTOIRE DE LA BOURGEOISIE EN FRANCE.
I. Des origines aux temps modernes; II. Les temps modernes.
Éditions du Seuil, 1960-1962; 472-688 pp. Rééd, 1976-1977.
Coll. Points-Histoire, 1981.

VIE ET MORT DE JEANNE D'ARC. Les témoignages du procès
de réhabilitation 1450-1456. Hachette, 1953;
300 pp. Éd. Livre de Poche, 1955. Rééd. Marabout, 1982.

JEANNE D'ARC PAR ELLE-MÊME ET PAR SES TÉMOINS.
Éditions du Seuil, 1962; 334 pp. Rééd. Livre de Vie, 1975.

JEANNE DEVANT LES CAUCHONS. Éditions du Seuil, 1970; 128 pp.

8 MAI 1429. La Libération d'Orléans.
Coll. « Trente journées qui ont fait la France ».
Gallimard, 1969; 340 pp.

LES CROISADES. Coll. « Il y a toujours un reporter »,
dirigée par Georges Pernoud. Julliard, 1960; 322 pp.

LES GAULOIS. Éditions du Seuil, 1957. Album 1979.

JEANNE D'ARC. Éditions du Seuil, 1959. Album 1981.

LES CROISÉS. Hachette, 1959; 318 pp. Rééd.

LES HOMMES DE LA CROISADE. Tallandier, 1979.
Fayard-Tallandier, 1982.

ALIÉNOR D'AQUITAINE. Livre de poche, 1983.

HÉLOÏSE ET ABÉLARD. Albin Michel, 1970;
304 pp. Livre de poche, 1980.

LA REINE BLANCHE. Albin Michel, 1972; 368 pp.

LES TEMPLIERS. P.U.F., 1974. Rééd, 1977.
Coll. « Que sais-je ? » 1957.

POUR EN FINIR AVEC LE MOYEN AGE. Éditions du Seuil, 1977;
162 pp. Rééd. Points-Histoire, 1979.

SOURCES ET CLEFS DE L'ART ROMAN AVEC MADELEINE PERNOUD. 220 pp.
Berg International, 1980.

JEANNE D'ARC. PUF. Coll. « Que sais-je ? » 1981. N° 211.

LE TOUR DE FRANCE AVEC GEORGES PERNOUD.
Éditions Stock; 452 pp. 1982.

LA FEMME AU TEMPS DES CATHÉDRALES. Éditions Stock;
306 pp. Rééd. Livre de poche, 1983.

LE MOYEN AGE RACONTÉ À MES NEVEUX; 216 pp. 1983.

« Composition réalisée en ordinateur par IOTA »

IMPRIMÉ EN FRANCE PAR BRODARD ET TAUPIN
7, bd Romain-Rolland - Montrouge - Usine de La Flèche.
LIBRAIRIE GÉNÉRALE FRANÇAISE - 14, rue de l'Ancienne-Comédie - Paris.

ISBN : 2 - 253 - 03401 - 0   ✦ 30/5904/5